詩の希望、詩の旅

――原圭治エッセイ集

目次

詩論

詩人論

旅のエッセイ

ヒロシマ・遺言ノート

詩論

火花1

状況と詩運動

「火花」――一九七〇年一〇月に堺詩人会議を結成し、「詩の輪」を創刊する。巻頭の短いエッセイとして書いたものである。

大阪における詩人会議の運動は、一九六四年四月「よどがわ」の創刊から、第六号での「大阪詩人会議」への改題、第八号で休刊になった機関誌におよそ反映している。

現在はどうか？　以前にくらべ明らかに違った状態にあることは確かである。その違いというものを、鈴木太郎は『よみがえれ大阪の土根性』で「混沌と低帯」とみなし、原因を「かつての運動のなかの蓄積されてきたものが正しくひきつがれていないように思う」と書いている。

彼は「詩は街頭を行くシリーズ」を評価し、状況に照応した積極的な詩の大衆化を運動の中味として大切に考えていこうと言っている。しかし「運動の形態」としては確かに新しいものであったが、詩の内実で新しさを創りだすことに弱点があったという批判もある。「シリーズ」の作品のおくは、直接的なたたかいの詩であった。おそらく「状況」にかかわるかたちでテーマをさぐるならば、それはたたかいの本質にせまる作品をめざすだろうし、「運動」の仕方もそれによって作用される。したがって、創造者としての変革の思想が、このことにかかわって、文学の普及と創造のベースとなろう。だから、「運動」を必要とするときこそ「状況」から一歩も離れず、「文学」におけるたたかいを挑んでいかねばならないのだ。

（一九七〇・一〇）

火花2

情念と詩

告発とか復讐とか、人間の怒りに近づく感情から発想される思いは、その向けられた対象に対して、実にねばっこくまといつこうとする執着力をもっている。

現在社会の悪にたちむかおうとする私たちの詩も、こういった情念が濃厚であるべきだろうし、大いに歓迎されるべきことであろう。「水俣」など、公害による人間復権の叫びは、「怨念」を内包し、それらのドキュメントは、すさまじい迫力をもって私たちにせまってくる。詩も、それほどの情念をもち得ることを期待するものだが、最近の詩作品はコーラのような清涼飲料水的な味のものが多い。

もっとも、多様さから言えば、そのような作品も否定されるべきではないだろうが、情念が作品のバックミュージックになっていて、一向に主題が鮮明になっていない作品が目に付く。もの(対象)に付くことによって、人々は感情をわきたたせ、さらにものへと迫ることができる弁証法的な関係が、認識活動一般であろうが、詩作という行為は、終始一貫して、ものにつききる情念から、想像の世界をひきださなくては、その詩の形象は、きわめて、形骸的な言葉のあそびに陥ってしまうのだ。詩人は常に対象をリアルに捉えたなかにこそ密度の高い情念をぬりこめねばならない。

(一九七一・五)

火花3

体験と詩

きまったように繰り返される日常的な体験だけでは、平凡すぎて、なかなか詩にはならない。といって、異常な体験を求めても必ずしも詩が書かけるとはかぎらない。また、年を経て、幾多の体験をしたからといって、うまくすらすらと詩が書けるわけでもない。

「生活詩」が「体験の記録から始まり、民衆の詩法の出発点を示している」（真壁仁編『詩の中にめざめる日本』の「民衆は詩人である —— 序にかえて」より）といえるが、「詩が、すぐれた作品になるためには現実的体験を詩的体験にたかめていくことが必要である」（前者）とすれば、体験の思想化をはかることで、表現活動がはじまるといえるだろう。

人間の体験というものは、数学的に加算されていくものではない。生きているうちの幾多の体験のなかでも、ある体験が、頭脳のうちでフット・ライトを浴びるように浮かびあがって、その人間を根底からゆり動かすような役割を演ずるものである。

たとえば、戦争体験は、戦後、多くの人々を強く平和運動にむすびつけたように、ある体験が、その人の思想を変革せずにはおかないほど強烈であり得る。新しい体験もまた衝撃的であり、人の価値感の変革を迫ってくるものだ。したがって　詩作者は自己体験を常に連結と変化の位置におき、強固に普遍をはかることに頭脳をはたらかせることだ。

（一九七二・六）

火花4

老いと詩

九月一〇日は老人の日であった。有吉佐和子著『恍惚の人』が爆発的なベストセラーになって、このところ「老人問題」が社会的にクローズ・アップされてきている。

ところが、私の知るところで、「老人問題」をテーマにした詩作品を読んだ記憶がない。最近、身内の老人を世話することになったが、老令の人間の生き様は、生きるうえでの修飾が落ちて、生《なま》なものが表出し、人間存在の本然たるものが露わで、周囲の人々にかかわってくる。それは、まことにすさまじいリアルなものごとなのだ。有吉氏でなくても、やがて到達するところの姿を、詩に書いてみたい思いがするが、あまりに無残で今は筆がすすまない。

詩は、青春の所産とよく言われるのは、特に感性のはたらきが、詩作の場合に作用するからであろう。老いてなお詩作できる人などは「老いる」自然さに向かって、やはり日常的には、戦闘的な生き方をしているということだろうか。そういう意味で、金子光晴、壺井繁治、小野十三郎氏などに畏敬の念をおぼえる。青年詩人たちが、若さにのみたよって詩を書くことは、老熟の頃まで初心を貫ぬくことにならないだろう。自己が老いるところまでを想定して、眼前の現実を直視するとき、その想いのなかに、人間存在の重みがあり、常に自己を（あるいは自己に附くものを）そうした想いで捉えていく詩作のトレーニングが必要と思うのだ。


（一九七二・一〇）

火花5

テレビと詩

昨今、テレビの普及はものすごい。ずっと以前、原水爆とテレビはイグアノドンの卵であると予言した人がいたとか。ふ化すると恐ろしい巨大なものになるというたとえらしかった。某評論家は、テレビのおもしろさは、生《なま》な報道にあると述べていた。衝撃的事件が、テレビに映しだされ、それを観ることは、受像的位置の人々に、確かに心理的リアリティのみをあたえる。だが私たちは、詩作品についてテレビ以上のリアリティを求めねばならぬと思う。

別に、ピカソ・マチスの芸術作品のドキュメントが放映された。この時、観ている私はテレビ画面（カメラアングル）の狭さが非常にじれったくじゃまなものと思えた。芸術作品というものは、作品全体を観ながら部分を観るのでなければ、ある部分だけをどのように詳細に観せてくれても、少しも感動しない。すべて、テレビの映像はこのメカニックな切り取りに支配されている。

羽仁進氏が『人間的映像論』のなかで、「映像はいつのまにか、それ自身で人間を包む『環境』となって」「その『環境』のなかにだけ生きていればそれが新しい『世界』にみえてくる」そして「世界はテレビでみえるようにしか、人間にみえなくなってきている」と述べている。私たちは、詩をテレビ的次元のイメージにゆだねて書くわけにはいかない。まさに歴史全体の本質的なものを映しだすイメージとして創造しなければならない。リアリズムの詩にはそれができるのである。

（一九七三・二）

都市の論理と感覚

「軸」一二号についてのある視点

「軸」一二号を通読して、第一印象は、青年の詩誌であるということ、第二は、都会の詩誌であるということ、などであった。

この一二号に掲載されている、それぞれの作品には、それぞれの作者の主張や、個性が詩的に形象され、表現されているのだが、全般的に不満に思ったのは、これらの作品の底流にあるものが、都会的な論理と感覚というべきもので、総じて、受身な（モチーフが）作品づくりになっていることである（特集となっている藤本数博の作品は例外的だ）。

一九二九年に、蔵原惟人が「新芸術形式の探求へ」という論文を書いているが、その中に次のようなことが書かれている。

「それぞれの時代、それぞれの階級は、その歴史的発達の各段階において、それぞれの『美』を発見し、創造した。或る時は人間裸形の美を、或る時は自然の美を、或る時は静物の美を、さらに或る時は悲壮の美、エロチックの美、妖怪の美すらも発見した。そして、これらの美は、或いは時代とともに亡び、或いは時代とともに姿をかえて今日にまで及んでいる――高度に発達した近代資本主義社会が発見して我々に残した美――それは大都会と機械の美である。（傍点・原）すなわち前者はウルバニズム（都会主義）として、後者はメカニズム（機械主義）として、それぞれ近代芸術に反映した。」

ウルバニズム（都会主義）が、近代の新しい芸術形式にどのような影響をあたえたか、この論文では書かれていない（メカニズムについては詳しくふれている）。しかし、この論文が書かれてから四〇数年経った今日、さらに高度に発達した近代資本主義社会の現実が、私たちをとりまいているし、その社会的矛盾は一層深まって、過密問題にみられるよう、都市化現象は深刻になってきている。そして、そこから派生する人間心理、感覚において、あるいは論理において、都会的な傾向が強まっているといえるだろう。

私たちをとりまいている現実には、異常なことが頻発して、情報化社会と呼ばれる資本主義の流通のなかになげこまれた諸々の出来事は、いやおうなしに人間にかかわってくる。

こうした資本主義的諸矛盾は、人々に現実喪失の感覚をあたえたり、人間不信をうえつけたり、新しい虚無主義が生まれ、急進的な小ブル的過激派グループが出現する。人間は病んでいるのである（社会的矛盾を、社会的、階級的な闘いによって解決しようとする方向もまた現存する）。結果、現在社会では、ノイローゼ患者、自閉症、精神分裂症などの病人が増え、あるいは、それに類似する心理状態に普通人でも陥ったりしやすくなってきている。

こうした現実社会の実在的な病的側面を反映する病的心理として存在する諸々の感覚的なイメージは、都会的なもののなかに多く反映しているといえないだろうか。

永井潔が『芸術論ノート』のなかで、佐々木基一のリアリズムに対する考え方にかかわって、次のように言っている部分がある。

「ところが、佐々木基一は、体験即現実という理論にもとずいて、このような解体的心象を新しいリアリティであるかのようにいい『一見、バラバラな意味のない〈もの〉に解体してしまったかの如くみえる現実の破片のなかに、実は、新しい現実像の構成要素となり得る可能性の萌芽がかくされているものである』などと書いている。」

つづいて、後段で、永井潔は、これに対する解答を次のように記述しているが、大変興味深い。「解体的心象は、現代の現実の特徴的な一部である。だから現代を描こうとするものは、それを描かねばならぬ。だが解体的心理を描けということは、解体的心理で描けということと同じではない。作者自身が現実喪失感に囚われてしまったら、何ものをも描きだすことはできないだろう。」

都会的な心象をうたっていると思える詩作品は、ここで述べられている解体的心象である場合が多いように思える。それは「詩のリアリズム」に近づくのではなく、遠のいているように思えてならない。

例えば、瑞生七朗「季節・めざめる他」、片山礼「風景」、石村勇二「都市―その日没」などの作品では、確かに、その詩の一行一行が、作者の実感を深く捉えているのだろうが、作品全体が、何を形象しようとしているのか、もうろうとしていないか。現実を総体的に（あるいは統一的に）捉え、形象化しようとする制作意図が、部分的な、都会的、解体的心象にとらわれ、テーマを強める方向に詩句を決めることに到っていないように思うのだ。

瑞生七朗「季節・めざめる他」の第一連に「ある時刻／ぼくはたしかに息をふきかえした／見つめると窓には／目にみえるほんとうの季節があり……（以下略）」と「ほんとうの季節」の確認は、

一応の「平和」な生存を意味している。しかし、「季節をもつくらし」を願望しながらも、「風のない街」で「おわれた囚人として」のぼくの自己存在は、逆説的には「すばらしい不安」であり、「息をころして歩いていく狂気」である。しかし、不安や狂気は都市にはつきものだが、そこで「めざめる」ものは何か、その内実がこの詩の読者に深く突き刺さってこないではないか。「めざめる」ものこそ、詩句として結晶させる必要があるのだ。この詩のなかに漂っている青年の純粋さにひかれるが、「めざめ」させるものを、正確に理解することが、詩句を的確に選ぶことにもなろう。

片山礼「風景」も、一種の都会的な心象風景である。「朝には／きまって／交叉点の裏がわに／のら犬の死体がある……」、まるで宿命のように「きまって」「のら犬の死体がある」のだが、「のら犬」に都会的な虚無の形象を、この作者は観ているように思える。虚無感を必ずしも否定的にのみ考えないが、この作品のなかで、そうした言葉は他にも使われていて（例えば「ビルのたちならぶ街のひとかどで少年はすでに老いている」など）、この「風景」は、都会的存在のリアリティよりは、観念の傾斜によりかかっているようにみえる。

石村勇二「都市―その日没」についても、同様、その詩句のうちに、作者の都市的心象の断片が詩のイメージとしてうまく息づかずにはめこまれていて、シュール・レアリズム的な手法になっている。

私たちは、「一見　バラバラな　意味のない〈もの〉に解体してしまったかの如くみえる現実の破片」を集めることがリアリズムの詩作の方法と思わないので、その辺が、作者の作品に対する強烈なテーマ性でもって、現実を形象できっちり捉える必要があろうかと思う。

幾分、その角度は異なるが、野間麻子「かたち」、高橋洋誌「むかしのなかまに逢った」、森久子「暗い日々」、馬場末男「夢」、大森潤「流れ者へ」などの作品にも、人間復権の声より、受身な、都会的体験の発想が色濃く流れているように受けとれる。「おれ」であり、「ぼく」であり、「私」であり、「男」である体験を、現実性をもったものに仕上げていくには、もうすこし体験的対象への距離と見通しが必要なのではないか。作者が、自己の内面に体験をめりこませてしまっては、客観的現実が遠のくばかりだ。

さのひろし「再会」、瀬野とし「よじれ」、伊吹洋一「弾道」には、その強弱の差異はあろうが、一応の現実感を客観的に、読者に読みとらせようとする努力がみられる。

これらの作品の背後には、歌舞伎の黒子のようにかくれて作者の現実批評の眼がある。「詩のリアリズム」からみれば、そうした批評眼は、現実を統一的にみようとするときに、芸術の形象として結実してくる核の役割を果たすことになろうか。

ひとりたみへい「山陰」も、風景の詩である。かつて岡本潤が、「風景は、温帯のヒューマニズムの産物である」と、どこかに書いていたが、「風景」としてみる眼の奥に、仮に批評精神が存在していても、詩は、カメラのメカニズムのようには「風景」を捉えることができないだろう。もし、詩のリアリズムから、この「風景」を追求するなら、最終連のような安易さは許されない。今一度この「風景」の中にふみこんでみて、本質を含んだ異質なイメージを、この詩のなかに含ませることによって、現実の緊張感をどう表わしていくか——作者は考えるべきだろう。

最後に、特集されている、藤本数博の作品についてふれたい。この作者は、「よどがわ（大阪詩人会議)」時代にも作品を載せていたが、今回の特集を読んで格段に上手になったと第一に感じた。それに、それぞれの作品から、作者の強烈な主張が迫ってきて、作品として破たんのない書き方ができているところに、作者の個性的な表現の獲得がされつつあると思えるのだ。

一〇篇の作品のどれもが、おもしろく(この言い方は肯定的な芸術評価のニュアンスを含んで)読ませるものをもっているが、「糞ッ!!」などは、ユーモアのなかにも生活者の抵抗精神がにじんでいてよかった。「故里の従妹へ」、「秋をむかえて」、「遠いざわめき」、「冬に向って」などは、まるで短篇のような生活を感じさせる。それでいて、散文のようなだらだらした詩句にならずにいるのは、生活体験を、体験者として捉えると同時に、もうひとつの眼が——詩人の眼が——現実をしっかりと捉えているからだと思った。この作者は、長い叙事詩など書くと、おもしろいのではなかろうか。

誰でも、自己を離れて詩(あるいは芸術)を創作することはできないが、自己によりかかりすぎていても、良い作品が書けないものだ。今一度、自己体験を、社会的体験に照らしてみて、その法則性、普遍性をつかみ、少くとも、自己感覚であっても、より客観化しつつ詩作品に定着させるべきであろう。

「軸」に集まった青年の詩人たち——その若い感覚なり、詩才を大切に扱ってほしいと望むのは、欲なこととは私には思えない。

(一九七二・一〇)

原発事故の詩『火送り　水送り』

茨木県東海村にある民間ウラン加工施設の臨海事故にかかわっての朝日新聞の社説は、「どうしてこんなこと」であった。地方の夕刊紙は赤ベタの大見出しで「三十一万人被爆の恐怖」という文字があった。そして日が経つにつれ「開いた口がふさがらない」と書くほど、国内初の臨海事故を起こした背景に会社のずさんな管理体制があったことが判明してきた。

私は、一九九九年七月一二日早朝に起きた日本原子力発電・敦賀原発二号機の一次冷却水漏れ事故について　作品を書こうと思い、資料として新聞の切り抜きを始めていたところだった。

原発事故について関心をもち、新聞のスクラップを始めたのは一九八七年頃からであるが、そのスクラップブックは、高さ三〇センチを超えている。合わせて、いろいろな「原発」本や雑誌等も買い求め、それも二〇冊ほどになっている。

原爆と異なるが、原発も原子力を利用していることでは同じなので、両方についてこれまで私の詩作のテーマとしてきた。

先に上梓した第三詩集『火送り　水送り』の表題作は、この原発事故がテーマであった。

今回、事故後に付近住民は驚きおののき、関係市町村への問い合わせが殺到した。新聞の写真では、口と鼻を押さえて帰宅する児童が写されていた。住民は突然のことで、どんな対策を取ればいいのかわからなかったのである。

詩作品のテーマを決めるとき、私は、作品化の意図として、よく日常と非日常の矛盾が内包する現実の出来事を意識する。

常日頃何気なく暮らしている日常的な生活は、平穏で安全なように思えるが、その中に隠れた（あるいは誰かの意図で隠されている）本質に危うい関係をみるのである。

必然的な条件で継がっている日常性を非日常性の矛盾と対立の関係が、私の場合に、詩作の重要な動機となることが多い。これに類することは、現代社会に多々あるということだ。加えて言えば、この「日常」と「非日常」の矛盾が大きければ大きいほど、テーマとして訴える衝撃力は強くなると考えている。

今回の事故は、「あの工場が危険な施設だと思ってもみなかった」という「日常」のなかに隠されていた原発事故の本質が臨海事故で露呈されたのである。

作品「火送り　水送り」では、こうした原発事故による恐怖を、日常と異なる人々の退避の行動として次のように書いた。

作品五連目の、「決して身体に浴びてはいけないから／長袖での服　ズボン　くつ下を着用／そのうえに頭から覆える／フード付きレインコートを着こんで／ビニールの手袋をし　長靴をはき——」である。これは作品の末尾に記した合同出版『原発事故』を参考に、避難する際の心得を書き述べたものである。

よく使う技法のひとつだが、テーマに合わせて題材の幾つかに現象されるものの記述を資料から切り取って張り付けるようなかたちで書くことが多い（コラージュの技法）。それは、テーマを浮かびあがらせ、状況を強く押し出すためのリアリズムの方法である。五連に続く六連についても、事故後の対処法（マニュアル）を書き並べているが、今回の東海村も事故後数日経って新聞記事に同様の内容が載った。この二連続けてマニュアルを書きつらねたのは、テーマのインパクトを強めるための構成であった。

こうしたコラージュの部分は、単純に読めば判るフレーズである。これは、読者に読み取り易いようにした仕掛けともなっている。しかし、この作品の場合、こうしたコラージュの連と前後の連の関連こそがテーマにとって重要なことなのだ。

この詩を構成するため、もうひとつ別の題材を配置した。それは千二百年も続いてきている東大寺のお水取り（修二会《しゅにえ》）である。

テーマとはまったくかかわりのない行事が組み合わされ、何故テーマに重ね合わされたのか。発想のきっかけは、お水取りのクライマックスである火の祭典「おたいまつ」の映像写真である。春を告げる風物詩、二月堂の炎と火の粉の降り注ぐ様子は思考とイメージが「火」という本質的共通性と同時に異質な意味をもつ、放射能が降り注ぐという汚せんと重なりあったのである。それは、対立的で矛盾した内容のイメージでもあった。

目に見える大松明の火花の流瀑は、浴びることによって生と幸せを喜ぶ行為であり、反対に目にみえない放射能を浴びる恐怖は死をもたらす出来事である。

今回は、半径一〇キロ圏の屋内退避ですんだが、原子炉本体の事故であれば、百キロ圏に被害が及ぶと言われている。この作品では、こうした距離も重要な要素となった。若狭から奈良までの距離は百キロ圏内に入るということが判ったのだ。

　私は原発が集中する福井に旅をしたが、もうひとつは、鵜ノ瀬を見ることにあった。

　小浜から北川の支流となる遠敷川沿いをさかのぼって、神宮寺を過ぎていくと鵜ノ瀬がある。この鵜ノ瀬の水中洞穴から鵜が奈良までもぐっていったと伝える伝説信仰から、地元では毎年三月二日夜、この淵へ根来八幡の神人と神宮寺僧が神仏混合の「お水送り」行事を行う習いがある。このミステリアスな行事は、作品のテーマにかかわる重要なイメージを想定している。

　紙数の関係で詳しく書けなくなったが、この作品は「火」と「水」が詩の構成要素でもあるが、行事の歴史性、若狭と奈良の距離、対立している生と死の価値感、肯定と否定の行為等も構成要素として含めている。なかでも、黒と白の色合いには（装束、鵜、雲など）さまざまな意味と類似性による比喩をもたせている。

　今回の東海村の臨海事故は、この作品「火送り　水送り」で時間と空間軸の想像の範ちゅうにおいて、充分に先見性をもって、詩的表現していたと思っている。

（一九九九・一一）

白装束、黒装束のお水送り（福井県小浜）

気ままに詩論2

戦争法告発の詩「仮設の戦場」

二〇〇〇年五月一五日、森喜朗首相が「日本は天皇を中心にしている神の国」などとした発言を、神道政治連盟国会議員懇談会の席で行って以来、マスコミや各界から批判が相ついでいる。そして六月二日に国会解散、総選挙へと政治は激動していて、この時点では結果は判明していないから、評価はどう表れるのかは書くことができない。

しかし、前回総選挙から約四年間の政治の動きは、基本的には戦後ずっと続いてきた自民党政治がゆきづまり、何ひとつ打開策も、あかるい展望も示すことができなくなっているというのが現状である。

こうしたゆきづまりから起こる諸々な矛盾のなかで一気に進めたのが、戦争法（「新ガイドライン関連三法」）なのである。これまでも、憲法九条にかかわって、平和を守ろうとする国民的な運動は、あらゆる機会に取り組まれてきた。詩作品でも「平和詩集」のタイトルで幾つも出版されているし、詩人の組織としても「戦争に反対する詩人の会」もあり、詩人によるカンパニヤもその都度、行われてきた。

しかし、今回の戦争法の施行は、まさに日本が戦争行為に荷担し、戦争を実行する方へ、質的に変化させられたと思ったのである。

それが「仮設の戦場」という作品を書く動機といえるだろう。

この作品は、大阪詩人会議の「軸」六三号に発表し（一九九八年一一月）、その後、戦争に反対する詩人の会の「反戦のこえ」三五号に転載していただいた。

戦争法に関する資料的なものは、それを阻止する運動から昨年八月二五日に法が施行された後も、「戦争協力拒否」の決議・宣言運動が広げられて、数多く出されている。しかしまだまだ国民全体の力にはなっていない。

「仮設の戦場」の主題は、勿論、表題のように戦争法の本質であるが、それをどう表現していくのか、いろいろな資料を読みながら、考えてみた。

通常、詩を書く動機には、印象的な事象に出会って、そこから作品として展開していく場合が多い。この場合は、作品化への感情移入が容易であるが、主題の内容がおのずと制約されてしまい、大きな主題を表現するには無理なかたちとなることが多い。ただ、表現技術が高く、その物事の本質を適格に比喩できたときは、短い詩篇でも成功することもある。

葵生川玲は「テーマは、作品を通じて作者が読者に伝えようとする思想の全体を顕すもの」と言っているが（「詩人会議」詩作案内）、よく考えると「思想の全体を顕す」というところは、実作にとって、どのように解釈すべきなのか、難しい言葉である。勿論、誰でも、生きているかぎり、思想性はもっているが、その全体が一作品で顕著になるとは思えない。

木原孝一は「詩の真の主題は（中略）〈生〉の意味にほかならない」と言う（『現代詩入門』）。私は主題の解釈を、あまり一般的にしない方が良いと考えている。主題は、どのようなものであっても、形式に収まる範囲にしか表現できないものであって、主題の選択に作者の全体的な思想性（人間としての生存の意味）が働くことは認めるが、表現方法の限界もわきまえており、その範囲（表現の形式）で、主題を設定する。このように主題を（表現の）形式の相互の制約性を考えたうえで、何を、どのように表すかを考えるべきではなかろうかと思う。

詩作品の場合、作者の言いたいことは、おおむね作品の最終連に書かれる場合が多い。この「仮設の戦場」も、そうなっている。

> 仮設の戦場も／本当の戦場と区別がつかなくなってしまい／日常の　身辺の出来事のようにして／戦争が始まるわけで

あるパンフレットのキャッチフレーズに「有事がまちにやってくる」とあった。うまいネーミングだと感心したが、私の作品もそのことを表現したかったのである。

「周辺事態法」は、後方支援として「アメリカ合衆国の軍隊に対する物品及び役務の提供、便宜の供与その他の支援措置」を実施するとして、具体的に、補給、輸送（武器・弾薬含む）、修理・整備、医療、通信、空港・港湾業務、基地業務（次頁表参照）となっている。

一九八六年の国際司法裁判所の判決によれば、後方支援や武器の援助も「武力の行使」になると認定しているから、世界からみれば「後方支援」をすることは、参戦国の立場にたつことになるのである。そのことを、この作品では「本当の戦場と区別がつかなくなってしまい」と表現した。だ

「周辺事態法」で日本が実施する米軍への後方支援

種　類	内　　　容
補　給	給水、給油、食事の提供、これらに類する物品・役務の提供
輸　送	米兵、物品（武器・弾薬を含む）の輸送、輸送用資材の提供、これらに類する物品・役務の提供
修理・整備	修理・整備、修理・整備用機器、部品、構成品の提供、これらに類する物品・役務の提供
医　療	傷病兵にたいする医療、衛生器具の提供、これらに類する物品・役務の提供
通　信	通信設備の利用、通信機器の提供、これらに類する物品・役務の提供
空港・港湾業務	航空機の離発着、船舶の出入港にたいする支援、積み卸し作業、これらに類する物品・役務の提供
基地業務	廃棄物の収集・処理、給電、これらに類する物品・役務の提供

から今は、仮設の戦場であっても、日常のなんでもないような出来事のように、戦争が始まってしまうと訴えている。侵略者が戦争を始めるときは、国民にとっていつでもそうなのである。

この作品の主題を構成するプロセスをどのように組み立てたのか。素材は大きく分けて、第一に自衛隊と米軍との共同演習の強化を筋にして組み立てている。これは、次第に演習の回数・日数とも増大し、特徴的なのは、海外展開をもにらみながら日米軍事一体化がすすんでいることである。訓練種目も、陸上、海上、航空とさまざまに行われているが、この作品では、陸上にかぎって、沖縄のキャンプ・ハンセンから北海道、宮城、山梨、静岡、滋賀、大分の各演習場へ、人殺しの訓練に出動している現状を、人数を書き並べることでリアリティを補い、日本全土で常態化していることを強くアピールしている。

第二の素材は、失業とホームレスの増大である。いま、完全失業率が五％目前にまで迫るなど、最悪水準のつづく雇用危機が勤労国民に重くのしかかっている。完全失業者数は三五〇万人弱となって、まさに「ルールなき資本主義」の害悪がまざまざと現れてきたといえよう。そのリストラ・失業によるところのドロップアウトが野宿生活者（ホームレス）問題である。日本でホームレスが急増したのは、バブル崩壊後の九〇年代不況からだと言われている。そこには従来の野宿生活者のパターンと違った人が増えていると指摘されている。アメリカでは、八〇年代から九〇年代初めにかけて見られた光景であるが、日本では、九〇年代末に急増し、大都市の公園や道路わきにブルーテントを張って生活するようになった。

　この作品の第一連は　そのホームレスのことから始まる。

日常の暮らしで／身辺の出来事と区別がつかなくなってきた／ひょっとすると　迷彩服を着た
ような行列は／何処でも見かけるようになったから

　この四行の詩句は、まず最終連の伏線としていることと、「迷彩服を着たような行列」という表現には、ホームレスの行列と米海兵隊の行列、また二十代の自衛隊員の行進という三者のイメージを重ねている。だから、――ような行列という曖昧な表現となっている。それが五連目にきて、次の行の展開となる。

五十代のホームレスと　二十代の自衛官の／迷彩服の行列の区別がつかなくなって／いつのま
にか　巨大な隊列に紛れ込まされて

資本主義の過去の歴史では、失業の増大と侵略戦争は因果関係にあったと言えよう。そういう意味が、たとえ五十代からの中・高年であっても巨大な隊列（つまりファシズム）に引きずり込まれることになると思い、さらには新ガイドラインで次の二行へと展開させた。

米海兵隊との共同訓練を始めると／出動範囲は何処までも拡がって

——ゆくのである。仮設の戦場が、本当の戦場となる由縁である。

こうした主題を構成する二つの素材をただからみ合わせるだけでは、詩的に展開させることはできない。

二連から三連にかけて、多くの人にとって戦争準備は見えないのだということを書いた。

見えない幾すじものけものみちがつけられ／日本列島のあちこちへ　いま／戦争へのラインが引かれはじめているが

そして五連の前半において、危険や危機に対する人間の行動の「慣れ」について、自衛官の射撃訓練と、ホームレスが示す社会問題の双方から書いている。

「野宿することにも　訓練で慣れてしまうから」という一行は、戦闘訓練による野営と、ホームレスの野宿の慣れに重ね合わせた一行にしている。

こうして、幾つもの言葉や行がそれぞれの意味とイメージを重ねもつことによって、全体として主題に到達するように表現している。大都会でのホームレスの死体は、戦場の人殺しである。訓練に使われる戦費は、命を粗末にする福祉の後退である。兎追いし故郷は、ガイドラインで軍事優先に踏みにじられるが、一方、まともな故郷を失った「棄郷」の民としてのホームレスの急増なのである。

「仮設の戦場」は、これから、さらに具現化して、さまざまな生活のなかへ、その影響を及ぼしてくるであろう。他人事ではないのである。それは自衛隊ばかりでなく、自治体や民間にまで米軍への軍事支援を強制する仕組みをつくろうとしていることなのだから――。

今春の卒業式、入学式で君が代を斉唱した学校は、九割を超えたと文部省の調査で明らかになった。国旗・国歌法が成立した後に、日の丸を掲げないで、君が代を歌わないのは日本国民でないと非難するケースが、あちこちで起こっている。このような偏狭なナショナリズムの台頭は、戦争法への強制と相まっていることをみておかなくてはならない。

それは、人間的な自由が抑圧されることを意味する。憲法にうたわれているさまざまな自由を奪われてはならない。戦争法の背後では、九条を含めた改憲の企みがすすみはじめていることを見逃してはならない。

「仮設の戦場」は、まだまだ続くのである。


（二〇〇〇・七）

気ままに詩論3

水の世紀の作品について

このところ、「水の世紀」をテーマにして、幾篇かの作品を書いてきた。この大宇宙で唯一水をたたえる地球、水の惑星ともよばれるこの星の特性は、水(海)をたたえていることである。水こそ生命の源泉であり、私たちは水なくして生命を維持していくことはできない。

私たち、人間の身体の半分以上が水分である。平均して身体の六〇%以上が水分で、その一〇%が不足すると脱水症になると言われている。しかも、水は体内でさまざまな役割を果たしていて、栄養分や酸素を供給するとともに、不用物の排泄や炭素ガスを取り出す働きもする。また、筋肉や骨が柔軟性を持っているのも体内に水があるからである。外部からの衝撃に対し身体の組織を守るクッションの役目を果たしているのも水があってのことで、さらに、体温も水によってコントロールされている。

水は、このような生命の維持だけでなく、飲料水や料理などに使われる生活用水としても、また水泳やスキー・スケートなどのスポーツ、レクリエーションの面でも必要なものである。また地球環境面でも、地球の表面の温度環境を安定させるうえで大きな役割を果たしている。

また、水は固体として氷になるが、体積が増加するという特異な性質があり、氷は、水より密度が小さくなり、水に浮いてしまうのである。このように氷が浮くということは地球環境と生物にとって大変な意味をもっていて、もし氷が水より重いと極域でつくられる氷が海底に沈み、やがて海全体が凍ってしまい、生物が生きていくことができない。「氷が浮く」ということは、地球と生命を守っているのである。まさに水は、奇跡の物質と言われる所以である。つまり、偉大なる「水」と言うことができる。

水は、あまりに普通に私たちの周りにあるために、普段は水の大切な役割を忘れていると思う。

実は、いつもながら詩作するために、本や、新聞の切り抜き、パンフレット、雑誌などから、水に関わる記事を収集してきたが、実にたくさんの関連記事があり、これほどの多岐にわたる詩の素材は他にないだろうという思いに到った。勿論、いろいろな詩集の中にも、水に関わる作品があり、これまでも読んできた。直近なもので印象に残ったのは、新川和江詩集『記憶する水』であろうか。「水には記憶する能力がある　という」意表をつく最初の一行である。これほどの水に対する発想の驚きがある作品は少ないが、日本の自然は、水と親しむ機会が多分にあるから、詩の作品として書きやすい題材でもあろう。したがって、自然詠として水を歌った作品が多いのではなかろうかと思う。

実は水を経済財として捉え、水がどれだけの経済効果を生むかを比較して、高い価値を生む方へ優先的に配分するという考え方もある。二〇〇三年に京都で「世界水フォーラム」が開かれたが、その時も、富山和子さんが気がかりなこととして「日本と欧米諸国とでは水とのつきあい方がまったく異なるのに、いわば水思想のグローバル化で、日本列島の環境を一層悪化させはしないか」と語っている。そして、工業用水を優先することへの警告を発している。富山さんは、「日本は木を植える文化の国、水を作ってきた民族であり、それは世界の奇跡である」と書いてきたと付け加えて言っている。

週刊「エコノミスト」の二〇〇七年一〇月号で「水資源争奪」の特集を行っていて、サブタイトルは、水不足が起こす「食料危機」、「水源崩壊」、「国際紛争」となっている。

このように、海、川、雨といった自然の水、生命を育む奇跡の物質といった科学の水、あたかも石油を捉えるのと同じ感覚で水を使う経済の水のように、水をめぐる考えは、幾つもの切り口が可能だと思う。

だから私は、今回、水をテーマに選んだわけである。

最初の作品は、二〇〇四年「詩と思想」九月号に掲載した「水の世紀――含みみず」で、一連では、ほうれん草のおひたしから、日本の料理が、水とともに発達してきたものとしてあることに注目した。そして、食べ物から水は体内に取り込まれ、体内では水の循環がくりかえされていることを書いたが、身体の半分以上が水分であることは、先にふれたとおりである。三連目で、水の循環は、地球の環境でも同じであることに敷衍して展開をはかり、含まれている水の役割から、食料を輸入することで「仮想水」(バーチャルウォター)を大量消費していることに気づいていないことを四連で書いた。五連は自然界の含み水の事象で、六連は、火星の水の存在についての探査を書き、終連の二行で、含み水が無くなれば、人びとは激しい空腹におそわれ、飢えることになるかも、と想像してもらうことによって、作品全体からの警告のメッセージを受け取ってもらいたいと考えた。

この作品の構成の核となるのは、新聞記事で読んだ沖大幹東大助教授の研究による「仮想水」のことである。こうした水の存在を、科学によって数値で示されたことに興味を覚えたことが、詩作の動機と言える。

次の作品は、二〇〇五年「詩人会議」一月号に書いた「水の世紀――枯れみず」である。この作品は、前年の一〇月に、中央アジアのウズベキスタンに旅をしたときの飛行機から見た光景から書き始めている。私はあまり旅行の印象詩のような作品は書かないことを心がけているが、できれば現地に行って、見ること、感じることなど、たくさんの印象や、事実を受容することは詩を書くうえで必須条件のように考えている。いろいろな所への旅は、そういう意味で有効であると思う。

旅は、一旦タシケントへ入り、また飛行してキジルクム砂漠の上を越えて、ウルゲンチに到着する。その途中、飛行機の窓から右にシルダリア河、左にアムダリア河が見えてくるが、その先の、びわ湖のおよそ百倍といわれたアラル海は「消えゆく湖」といわれ、かつての三分の一に縮んでしまっている。旧ソ連時代、この二つの大河の流域で大量の水が灌漑用に取られたことで、湖への流入量が激減したのである。いまではアム河は湖に届くまで流れが消え、シル河もやせ細ってしまっていた。

私は、加えて、「通過してしまったタクラマカン砂漠の　さまよえる湖、ロプノルは、すでに消失して」と書いたが、それは新聞記事によるもので、こうした複数のモンタージュの手法を組み合わせて使い、砂漠化された土地のイメージを一層深めてもらえるように心がけた。

その一連の最後の二行で「コップ一杯の水を／糸のように垂らして　顔から体まで洗うというが」と書いたが、水道の蛇口からじゃあじゃあと水を出しっぱなしにして顔を洗っている私たちの生活と比べて想像してみてほしい。その事実の落差が、私たちに何を考えさせるでしょうか。詩のなかで、本質（原因）は同じだが、現象（結果）が異なるという幾つかの事柄を合成して組み合わせるという構成方法が、モンタージュの特質と思われる。

二連目は、「地球の病」といわれる砂漠化現象が、世界のおよそ半数の三五億人が、深刻な水不足になると予測し、テーマをグローバル化した視点を書いた。そして、それを身近な日本に引き寄せて、「池も湖も干上がって、水枯れになることはないかと」と終連を結んだ。

次の二〇〇五年大阪詩人会議「軸」三月号に掲載した「水の世紀――凍りみず」も、地球温暖化問題に関わるテーマで、一連に南極や北極への旅を取り上げ、解け始めた氷のことにふれ、こうした気候変動がそこで生息している動物の生態系に影響をあたえていることを書いた。

そうした温暖化の異変は、地球上のあちこちの氷河にも現れて、「地球のうえの、すべての凍りみずは解け始めており／全ての陸地の緑が水浸しになるのは、もう間近で」と三連で書き、四連で津波で水浸しになった被害を書いて展開した。そして、終連において、津波以上の「水浸しの地球は、どうすればいいだろうか」と結んだ。

この作品は、前回の作品と同様のテーマの展開の仕方をした構成になっていると思う。

しかし、二〇〇五年「詩と思想」八月号に掲載した「水の世紀――みず祭り」は、幾らか異なる。この作品のテーマは、時間の縦軸に、水の言葉の伝承と水にまつわる祭祀を書いた。きっかけは、二〇〇〇（平成一二）年の正月に、奈良・明日香村岡の史跡酒船石の北側の丘陵麓から、亀形をした石造物と、それに水を導くための小判形をした石造物が出土したと新聞で報道されたことである。

この施設は、斉明朝（六五五〜六六一）につくられたと推定されているが、天皇が水辺で「浄め」などをした祭祀の場と考えられている。

私は、早速友人で詩人の広田仁吉さんから、この新出土した「亀形石造物遺構」のパンフレットを送ってもらった。表紙の写真は、とても魅力的な亀形をしていた。

パンフレットのなかに「日本には古来、『水の聖なる力は、生命を与える』という「天真名井』（あまのまない）の信仰がある」とあった。この作品の一連は、明日香の遺跡から水の祭祀を中心に書き進めた。

第二連は、幾つかの水祭りにふれながら、「湧水と導水の、古代人のみずの心はいつのまにか忘れられて／治水と利水の、現代人の利害に変えられてきてしまっては」と書いて、現在の、無駄な大型ダムの建設にふれている。

終連は、「森と、川と、海はひとつという、水とともに暮らす思想をもち」と結んで、新しいみず祭りにするための人びとの行動にふれ、期待感を込めて結んだ。

詩人の新川和江さんは、この五月にエッセイ集『詩が生まれるとき』（みすず書房）を出版され、新聞のインタビューに応えて、とてもユニークな詩法を語っている。それは、「詩作の際、十文字法と名づけた方法をもちいます。十文字の横の一を空間軸、縦の一を時間軸に見立て、できるだけ大きな十文字、つまり空間と時間を詩の中に描くのです」、「詩の中で、はるかな時空を駆け抜けることが、私の理想なの」と語っている。

私も、一つの詩作品の中に、壮大な時空が描けたらといつも考えてきたので、この新川さんの詩法に大いに共感させられた。人びとの心に、現在の課題を伝え、深いところで共感することのできる詩的想像の世界を描けたら何も言うことはない。

ところで、六月に「現代詩手帖」創刊五〇周年のシンポジウムが、都内で開かれた。「詩は今、孤立している」という見出しの新聞記事をみた。詩の孤立状態についての発言もあったようだが、荒川洋治さんの発言として、「私の結論は、世の中で起きていることにぶつかろう、ということ。書くべき詩を個人が見つけ出す。そのための詩の言語はまだまだ整備されないといけない」と述べ、「時代や社会に意識的であることの大事さを強調」とあった。詩が、孤立から脱出するためには、リアルに時代や社会を見つめ、伝わる言葉で詩に凝縮して表現することを、それぞれの詩人が考えることでしかないと思う。

（二〇〇九・一一）

気ままに詩論4

『原圭治自選詩集』おぼえ書き

今回は、これまでの五冊の既刊詩集より、作品を自選して出版したものであるが、四百名の方々から（直接、電話をいただいた方も含めて）、感想や励ましの言葉をいただいた。出版部数は千二百冊で、そのすべてを贈呈させていただいたところである。

巻末の「続・回想の詩的な自己略伝」については、予想どおり前半はおもしろく読んでいただいたようだが、後半は、文章的にもう少し記述が必要だったようである。

この略伝について、京都の田中国男さんから間違いを指摘していただいたので、ここで訂正をさせていただきたいと思う。一六五頁の下段一九九六（平八）年のところで、五行目から、誤「槍田清太郎会長、村瀬和子」を、正「一色真理理事長挨拶、杉山平一講演」に訂正し、その後三行目の括弧の中を、「会報・新六四号」に訂正する。

次に、一六六頁の部分で四行目を、誤「日本詩人クラブ関西大会」を、正「青木はるみ理事によって第二回西日本現代詩ゼミナールを、奈良むれかし荘で開催する。鎗田清太郎会長挨拶、講演は、安水稔和さん、村瀬和子さん」と訂正する。その文尾に（会報・新六五）と追加する。田中国男さん、ありがとうございました。

次に、堀川豊平さんからご指摘があった一七一頁下段終わりから三行目の、誤「堀川豊」を、正

「堀川豊平」に訂正する。

次に、山岡和範さんからのご指摘があった一七五頁上段の七行目、誤「槍田」を、正「鎗田」に訂正する。鎗田さんにお詫び致します。

次は、私の記憶から欠落していたことを、補稿させていただく。一六三頁の下段の、一九九一（平三）年の終わりに、「一一月二二日、夜、大阪府中小企業文化会館に於いて、生活と文学の会主催（代表・清原久元）で『現代詩講演と朗読の夕べ』が行われ、スピーチを、戸田和樹、高橋徹、杉山平一、吉原幸子さんが行った。講演は、永瀬清子さん。朗読の司会と指導は泉田行夫さん。この時、知人の清原先生の紹介で、永瀬さんに挨拶をした。」と付け加える。さらに、一九九二（平四）年の部分にも、七行目に、「八月一九日、夜、大阪府中小企業文化会館で、生活と文学の会主催の時も、永瀬清子さんが来られ、もう一人、新川和江さんも来られて、お二人が講演された。この時も、清原先生に紹介していただいて、新川さんに初めてお目にかかったのである。後年、岐阜で新川さんにお会いした折りに、大阪で会いましたねと言われた時は、この時のことをすっかり忘れていた。新川さんは、よく覚えて下さっていたのである。」以上を追加挿入する。

まだ、忘れていて、手元にある資料も含め、抜け落ちている事柄があるかもしれない。もし、お気づきの点がありましたら、ご指摘いただければ幸いです。

詩集を出版するということは、お返事の有る無しにかかわらず、その一冊を読んでくださるということが、誰でもそうだと思いますが一番の嬉しいことだと思う。今回の約四百名の方々のお返事に、とても励ましを受けた（私は、とてもこのように返事を書いたことがなく、心底反省している）。

今度の詩集出版の意図は、私の詩暦の流れの中で、それぞれの作品を読みとっていただければという思いで、自選したものである。不思議なことに、評価をいただいた作品は人によってさまざまだが、「トロッコ」に共感していただいた方が案外多かったことには意外な驚きを覚えた。「巻頭の『トロッコ』、観念性が剥ぎとられ一番かがやいているとおもいました。」（ここに掲載させていただく文は、すべてではなく一部分なので、また、御本人の了承をいちいちいただいたものでありませんから、失礼を顧みずご氏名を省かせていただきました。お許しをいただきたいと思います。）「『トロッコ』のやっちょいという言葉のリズムは、働く人の心意気が伝わります」という同じ感想を何人かの人々からいただいた。また「口のなかの旗」についても、「直接的とも言える暗喩がわかりやすいだけに、無駄がなく伝わるものがある」、「調子のいいのは『口のなかの旗』。かつての小熊秀雄を思わせるような口調で、ほんねの所を存分にしゃべるのが魅力。にせ物、俗物を散々にこき下ろす痛快さと引き換えに、孤高の気概がさみしさもただよわせています」という感想をいただいた。私は、当時確かに小熊秀雄の作品にひかれていた。その風刺精神が、当時の政治状況に必要な時代でもあった。私自身、強く生きるために自らを励ますことが求められていた時期である。

詩作品というものは（芸術全般についても同じなのだが）、不思議なもので読む人によってさまざまな受け取り方をされるものなのである。これは自明の理なのだが、おそらく人間の実体験に基づく共感性だけでなくて、その時代の社会的な広がりに根ざした間接的体験や、もっと言えば民族の伝統とか、歴史的範疇に属する体験的な感性が、一作品を読んだとき、頭脳の働きによって自分自身の体験として反芻的に認識し、詩的な言葉に共鳴するのではなかろうか。もっと広く言えば、地球規模の、人類の体験についても包含され得る言語表現の一文学形式と言うことも可能ではないだろうか。

今回は、さまざまな作品に、さまざまに共感していただいて、自選詩集を出版した甲斐があったと思う。勿論、讃辞だけでなく教訓として受け止めるべき指摘もあった。「第一・第二詩集の作品のスピードと勢いのある文体リズムの若々しさを懐かしくも魅せられました。第三詩集から変化し、第四・第五詩集がやや理屈っぽく、テーマ主義に傾いてきたところが、エッセイの主張には少しズレているように思われます」、「『みずの舌は』にくると、ちょっと理くつっぽい感じがして……。あとの作品（つまり最近になるにつれて）その傾向を感じてしまうわ。すぐれた作品というのは、いつよんでも『今にして新しい』『ねうちのある』ものをはらんでいる作品ということでしょうか」など、こうした指摘は、これまでも常々自戒してきたことである。人々のもっている感情、感性というものの、表現行動における果たす役割について、明らかにすることがどうしても必要なことである。これは、逆に鑑賞者の立場からも同様であろう。この詩集に収録した「テーマをなくした現代詩」において、現実の認識論と想像力について、不十分ながら記述したが、物事の認識の過程や、表現活動の過程において、人間のもつ感情、感性がどのような働きを行うのかを、リアリズムの認識論の内容として書きたいとずっと思ってきている。しかし、それは未だにまとめられずにいる。この課題は、これからの詩作する実践と、詩論としてまとめていくことによって、答えを出したいと思っている。現実認識を、表現活動として想像力に頼るとき、その思惟的な認識には、どうしても感情、感性の媒体が不可欠と思っている。詩的な表現の焦点の位置に、形象としての言葉を結ばせるために絶対に必要なことだと考えている。

最後に、何枚かの葉書から、アトランダムに紹介させていただく。

「私は、最近の詩壇の傾向に対して、奇異な感を抱いていますが、御作には、それらの傾向は全くなく、本質的な詩を志向されていると思いました」。「原圭治とは何もの、とはじめお会いしたときよく知らなかったのですが、こんどの年譜で、すべて了解」。「原圭治という詩人のことがよく分かり、あなたに対する親近感を一層深めることが出来ました。あなたは私より十歳年下になります。おたがい社会派として働いていきましょう」。「『回想の自伝記録』を読みました。私はどうも詩より詩人の生き方のほうに関心があり、邪道だと思いながらも、感銘を受けました」。「『海のエスキス』海は内面化（他者化）された海で、それは世界であり、詩であるのでしょう。この詩は詩論ともなっていて、〝複雑さの中の決定的な線〟を引く瞬間ともなっています。詩としてのイメージの深化と構成・表現のふくらみが感じとられます」。「私もリアリズムの大切さを感じているのですが、私の場合のリアリズムは、どう考えたらよいのか、ご高著に接し、あらためて考えねばならぬとの課題を背負わされたような状態です」。「状況は変わっても状況に対する考え方は変わるはずのないもので、その意味で賞味も消費期限もない一冊でございました。一三二頁の御文章も以前に読んで、とても記憶に残っています。『私』と『他者』の接点はむずかしいですね」。「この表紙の筆の力強さが、原さんの作品の力強いリズムと呼応しているような予感を与えます」。このように、装丁・表紙についてもたくさんの人々から好評をいただいた。出版が、酷暑の夏であったことも幸いして――。川中実人さんに、再度お礼を申しあげたい。

（二〇〇八・三）

気ままに詩論5

恐ろしい想像力

東日本大震災と東京電力原子力発電の原発事故から、半年が経過した。震災と津波の後片づけは、現地の行政と人々のなみなみならぬ努力と活動で、遅々とした状態だが進んでいる。この間に、民主党の政権で総理大臣が交代するということも起こったが、国の復旧・復興策がなかなか進まない。原発事故の収束は、先が見えていない。国民の原発からの撤退を求める世論は、日増しに高まっているが、国策として原子力発電所に対する「脱原発への道筋」も明らかではない。

ところで、詩の世界では、「COALSACK」六九号で、震災原発特集を、「火曜日」一〇七号で、東日本大震災特集を、「詩人会議」一〇月号で、なくそう原発特集をそれぞれ組んでいる。個々の詩誌でも、ほとんどすべてに、こうした東日本大震災や原発事故について作品を載せている。それについて、柴田三吉さんは「詩壇」(二〇一一年八月二九日付「しんぶん赤旗」)で、最近送られてきた詩誌の次のような「後記」を紹介していた。

震災を素材にした詩作品をさまざまな詩誌等で目にすることになったが、それらの詩は、作品の体を成していても、なぜか隔靴掻痒の印象を免れなかった。(略)筆者は現在のところ、震災を題材に詩を書こうとは思わない。書こうとしても言葉が出てこないからである。震災の惨状を見て心を痛めたが、筆者は自分の言葉に無力感を覚え、距離感を掴めずにいる。（略）想像上の絶望を書いても仕方がないと思った。（「山形詩人」七四号・無署名）

柴田さんは、「だが論理の帰結にはうなずけなかった」と言い、そして、「書いても仕方がないのなら、どんな詩も意味がなくなるだろう」、「希望も絶望も、人の想像から生まれてくるものだ。想像力が現実に働きかける場所でこそ表現も成り立つ。目の前の現実と向き合い、自らの言葉で希望や絶望に触れることからそれははじまる」と。少し長い紹介になったが、これからも震災の詩作品を考える場合に相対する考えと言えるのではないだろうか。

詩誌「めらんじゅ」（二〇一〇年一一月一五日、Vol. 12）に大橋愛由等さんが、エッセイ『「神戸震災文学」を考える』において、神戸文学館において行われた「シンポジウム　神戸震災文学を語る・・詩・短歌・俳句・川柳」の企画と司会を担当した者として次の一文を書いている。

一九九五年一月一七日に発生した阪神・淡路大震災は、神戸の歴史や文学に大きな断層を生み出した出来事です。この震災が、神戸の文学のありようにどのように変化させていったのかを検証しつづけることが、神戸に生き、生活している者の大きな仕事であり続けると思っています。（略）そして今回あえて「神戸震災文学」という名称を使用することにした。こうした名称を定立することで、もういちど震災に向かう自分のありようを、考えてみたいと思ったのである。

大橋さんは、一四年たってようやく震災と文学について語りはじめたといっているが、安永稔和さんの「火曜日」一〇一号は、阪神大震災一五年特集なのである。

大橋さんの続きの文を、先の柴田さんの文と重ね合わせてみたいと思う。

震災や戦争など大事態に対して、実際に体験した者と体験しなかった者の作品の差異についてである。体験者は、その場その時にいた者でしか書けない実感をもとに表現しているために、作者側は『特権性』を自覚することがある。また、その場にいなかった者の方が、文学として表象する想像力を当初から持ち得ることも指摘された。（略）もうひとつ面白いテーマだったのが、『機会詩』についてである。『機会詩』とは、大事態に対して、作品に書き留めておこうとする〈その場を記録すること〉と、周年や周忌という機会をとらえて再度その事態に立ち向かうことで作品化して、〈記憶の反芻〉を果たすことにある。（略）詩は、時や場を描くことに先行する形で、言葉、表現、に向かうありようを徹底して自問する態度が、震災など大事態に対しても現れ、その詩的言語・表現の問いつめの深さが、震災詩をおおく表出するのかどうかの結果に結びついている、とわたしなりにまとめてみたい。

こうした発言のなかに、共通するのは文学として表象する「想像力」のありようではないかと思う。

ここで、少し各詩誌の作品に添って考えてみたいと思う。勿論前提として震災の作品は、『機会詩』であると理解して、体験者でも非体験者でも書く方法は可能であると考えている。

まずは、谷川俊太郎さんの詩（二〇一一年五月二日付「朝日新聞」五月の詩）「言葉」である。

何かも失って／言葉まで失ったが／言葉は壊れなかった／流されなかった／ひとりひとりの心の底で

言葉は発芽する／瓦礫の下の大地から／昔ながらの訛り／走り書きの文字／途切れがちな意味

言い古された言葉が／苦しみゆえに甦る／哀しいゆえに深まる／新たな意味へと／沈黙に裏打ちされて

この作品のなかで、震災を想いおこす言葉は、「失って」と「流され」「壊れ」もそうだが、具体的に震災を表す言葉は「瓦礫」のみである。谷川さんは、この短い作品においてタイトル（あるいはテーマ）の「言葉」を巧みに生かして、被災者の心情を読者に想像させながら、読者が被災者に寄り添う心情を持ち得る作品として書き上げている。

もうひとり、安永稔和さんの作品である（「詩人会議」七月号掲載。「火曜日」一〇七号再掲載）。四篇のうちの一篇「一本の木・陸前高田　高田松原」。

押し倒されて／引きちぎられて根こそぎ／なにもなくなった浜に。／それでも立っている／人のねがいの一言のように／たったひとりで。

※長さ二キロの浜に七万本の松が続く名勝。

安永さんの作品は、阪神・淡路大震災を詠った作品にも共通するが、難解な表現はなくて、短い作品でもって読み手に凝縮した記憶のイメージを投げかける手法を、しばしば取っている。浅く理解するか、深く理解するかは読者に委ねられているように思える。この作品でも、「人のねがいの一言のように」と、松が形象しているのは、安永さんの文にあるように「一本の木は被災地の人々の記憶の目印となり、さらに被災地を囲む人々の記憶に目印になろうとしている。家族・住居・仕事……なにかもなくした人々にとって記憶の目印が大切だ。泥のなかからやっと見つけだしたぬいぐるみとか。海水につかった一枚の写真とか。阪神大震災での私自身の体験から言っても。焼け焦げた木からそれでも吹き出した新芽とか」と書き添えている。

幾つかの詩誌に載っている作品も見てみたいと思う。詩作品は、勿論、一篇全行の言葉で表現されているわけだから、その何行かを抜き書きしても、当方の考えが読みとってもらえないかもしれないが（字数の関係で）あえて許していただきたい。

地震と津波と原発事故は、分けて考えるわけにはいかないのだが、一応分類的に紹介してみたいと思う。
今回の地震は、マグニチュード九・七という日本で起こりうる最大級の地震であったことの衝撃である。

東北三県の太平洋沿岸を中心に／地震と津波襲来　ともに例の無い巨大さ／翌三・一一　TV画面をみて絶句／蹂躙された戦場だ／　幼児は映すな　ぼくの画面がくもる（現代詩神戸・児玉勅顕）

ゆれ　揺れて／逆立つ波弾け　壊れて／絶句　して叫び／すべてを奪ったマグニチュード九.◯／／あなたは瓦礫の山に押しつぶされ／あなたは肉親や家屋を失くし／あなたは浜辺に打ち上げられ／あなたは燃えさかる炎にやかれ／あなたは取り残され／あなたは放射能をかぶった。（ラビーン・並河文子）

どうしてなんだ。／なぜなんだ／地面がゆれる。／地球がゆれる。／海もゆれる。／山もゆれる。／川もゆれる。／木もゆれる。／なんでもかんでもゆれる。／ゆれる。（PO・根本昌幸）

にれの樹／ねむの樹／大木達は全身でふるえた／百の脚で大地にふんばり／／電柱／街灯／暮らしの柱達も根本からゆれた／千の指で空につかまり（兆・清岳こう）

山肌は崩壊して人を喰らい／大海は山をなして人を浚う／大地は割れて人を埋葬する／大風は竜となって人を巻き上げる／季節が姿を変えて人里をおそう／梅雨の雨は放射線量を地下に溶かし込み／一粒の水滴もない日照りが畑を焼く

（千年樹・早藤猛）

東日本大震災、東京電力原子力発電所爆発／地震で街は壊滅状態／瓦礫とかした街は大戦で焼かれた町を思い起こさせ／瓦礫と黒くこげた大地が広がる

（三重詩人／加藤英雄）

海は穏やかに微笑んでいた／凪は絹のスカーフのように／首元で遊んでいた／船は陸にのぼり／街は海に消えた

（侃侃・船田崇）

ちぎれた　アルバム　ランドセル／真っ逆さまの車　割れたかまど／放射能降りそそぐ　無人の村の山吹　さまよう犬／すこし泣き顔の　地蔵尊

（兆・石川逸子）

タガが緩み　延び切った昼下がりの時間のなかに飛びこんできた　三陸沖地震発生の一報　津波に呑み込まれていく漁港や集落の町並みが　激しく揺さぶられる映像に映し出されていた　音もなくひたひたと押し寄せる水は　生活のすべてを押し流し　なぎ倒していく刻刻と伝える　その様に為すすべもなく釘付けになった　無言のままの時間が過ぎ　あの遠い日の教室　見知らぬ地名に紡がれたあこがれが　私の耳元で　よみがえる傍から画面を押し流す水の渦に巻き

込まれ　漂う記憶の断片となって彷徨いはじめるのだった
（多島海・森原直子）

波は盛り上がり／エネルギーを炸裂させながら／内陸の奥へ奥へと走った／地上の日常を悉く壊していった／怪獣のような波を前に／蟻のような車や家いえ／民話の中の力持の男なら／波が陸に這い上がる前に／押し返すことができたかもしれない
（石の詩・谷本州子）

体験した者も、体験しなかった者も、映像や記事や、緊急に出版された本などから、あるいは、現地の人からの情報で、震災の大事態に対して『機会詩』として書かずにいられなかったのである。確かに、その惨状をリアルに捉えているのだが、それは書くという行為の最初の動機づけに過ぎない。まだこの段階では、事態の本質に表現が届いていないのである。「文学として表象する想像力」としては、未だ不十分ではないだろうかという思いをもった。「想像力」という意味からいえば比喩を用いた作品もあった。

一頭の白い馬が走ってくるのが見えたという／雲よりも白い馬が数千頭／走ってくるのが見えたという／こちらに向かって／たてがみをたてて
（ガイア・中西衛）

漆黒の／馬／駆ける／／たてがみ／振り乱し／駆ける
（詩ん風・熊井三郎）

こういう比喩は、津波のイメージとして生きていると思うが、そのシーンを、読者に詩的に伝えても、その次の大惨事の事実にどう結びつけ、より深く描いていくのかを、別の詩的要素をもって展開していくことが必要になってくる。
もうひとつは、鎮魂の詩として書くことである。

開け放された入り口／足を踏み入れると／一瞬／後ずさりする光景だった／／たくさんの遺体が横たわっていた／／最後の言葉は何を残したかったの／心残りはないの／こんな理不尽があっていいの／死は突然来て／気がついたら／仰向けに寝ていたというの
（千年樹・わたなべえいこ）

いつの日か／よみがえれ　よみがえれ　と／いのちを　生んで　育んで　いくのを／なくした多くの言葉の代わりに／黙々として祈る
（詩人会議・磐城葦彦）

ウミドリたちが幻のよう／ほほえみかえす海に飛ぶ／／この海にたくさんの人の命が悲鳴とともにさらわれ／この海に寒い大地をへばりついて生きてきた人たちの涙がながれた
（銀河詩手帖・青柳悠）

北国の遅い春を待って咲きはじめる／さくらの花の見ることもかなわず／あなた達は逝ってしまった／やっと歩けるようになった幼児も／働きざかりの若い父親も　老いた婆も／固いつぼ

みの枝を抱いたまま　　　　　　　　　　　　　　　　　　　　　　　　（ネビューラ・田尻文子）

窓からのぞくと／桜は満開だった／／淡々と過ぎてゆく季節／／津波で根こそぎ倒された桜が／地面に　はいつくばりながらも／花をつけた／という　　　　　　　　　　　　　　（環・若山紀子）

多くの人々の不慮の死に対して、鎮魂の言葉を捧げるのは人として当然のことである。それが詩の作品であっても。これからも、その思いは続いてほしいと思う。

ところで、この原稿を書いている最中に、浅井薫さんの「独行」二八号が届いた。そのなかに「『現場』と『作品』化への想像力」という一文があって、これまでの論旨と関係するので、その部分のみを紹介したい。

浅井さんは、前号で、「今回の巨大津波の凄まじさを伝えたテレビの映像は、圧倒的といえるものであった。こうした映像メディアと拮抗し得る詩作品は、いかにしたら書けるのかを改めて考えさせられた。そのためには、これまでにない視点、方法、表現の追求がなされなければならないのであろうが、それは事実の巨大さや凄まじさを表面的に追うことではできない。その土台は、やはり詩人の内部にふかく下された錐が外部現実にスパークし、生み出されるイメージの構築であり、読者の想像力を喚起するものでなければならないとおもう」と書いた。浅井さんの「その土台は、やはり」以下の文脈を、詩を書いている人は、どのように受け止め、理解するだろうか。幾らか議論を深めたいところでもある。

浅井さんは、続けて「このわたしの危惧は、やはり危惧に止まりはしなかった。勿論、すぐれた作品も見られるが、わたしが目にした詩誌の作品は『事実の巨大さや凄まじさを表面的に追う』ものがじつに多いのである。詩人の思いが大きければ大きいほど、激しければ激しいほど、言葉が事態の大きさ・激しさを後追いし、状況説明に終わっている感が強い。状況の巨大さ・強烈さに呑み込まれて、「作品」化を投げ捨てさせられている、という観で、文学的営為の敗北ともいえる。」と。

確かに、浅井さんが指摘しているように、現実の状況を、人間の認識が後追いすることは当然のことで、その認識を深化させようと努力するのも同じ人間の行為であると思う。そこで詩人として、表現行為に挑戦する意欲をもち続けることこそが、「文学的営爲の敗北」にならない方法ではないでしょうか。この議論は、多分これからも続くと思う。大橋さんらの「神戸震災文学」の議論が一五年も続いているように。

次に、原発事故に関わる作品を見てみたい。

三月一一日　M九・〇／直後水道止まる　灯油タンク倒れて油、流失／離れ部屋の壁が落ちる半壊／電気灯り　テレビ映る／大津波三陸地方を襲う／／三月一二日　福島原発一号機水素爆発／放射線量一五五七マイクロシーベルト観測

（禱・江田恵美子）

三月十二日／震災第二日午後三時三十六分／東京電力福島第一原発一号機で水素爆発が起きた

／また二号機四号機でも冷却機能が失われた／午後七時四分／福島第一原発からの半径二〇キロ圏内の住民に対し／菅首相は圏外への避難を指示した

（いのちの籠・若松丈太郎）

東北・関東巨大地震／大津波で壊滅的被害／原発爆発で住民被ばく／高濃度放射能飛散／毎日のテレビや新聞は被災の状況を伝える／大津波にのまれ破壊された瓦礫の街は／あの八月六日の原爆直後の広島に似ている

（風・山岡和範）

中央制御室では机上の書類や文具が散乱し、いすが床を走り回る／職員たちは椅子をよけながら床にはいつくばるしかなかった／炉心部では核燃料が連鎖的に核分裂を始めた／猛烈な熱と大量の放射能を出しながら

（沃野・岡田忠昭）

最も怖しい言葉だった／メルトダウン／何食わぬ顔で／スルリと表舞台に／五月一六日のこと

（トンビ・真田かずこ）

地は揺れ／空と海に広がり続ける／放射能／油断した私の手から／これからの命に／降りそそぎ続ける放射能／あの日から

（ヒロシマナガサキを考える・青山晴江）

レディ・ガガの臍の十字架に／セシウムがへばりつく／レディ・ガガのまる見えの尻に／セシ

ウムが呻く／ガレキには魚がいる／ガレキには人がいる／ガレキには猫がいる　犬がいる／レディ・ガガの指先の奥に／うすむらさきいろの人や魚や犬や猫が／腐っている（極光・斉藤征義）

最後の斉藤さんの作品は、変わっているが、おおむね大事故の捉え方は、記録的表現と言えると思う。これは大橋さんが言っていた『機会詩』としての「作品に書き留めておこう」、「その場を記録すること」にあると思うが、ここで、浅井さんが紹介している稲沢潤子さんの指摘について書いておきたい。それは現場を取材した古川日出男さんの「馬たちよ、それでも光は無垢で」にふれて文中、浅井さんが共感したところである。それは、「モチーフが強烈ならばどうしても記録に向かう」、「ことばの過剰が読者の頭から想像力を奪い、集中力を奪っていく」というところである。

おおむね私たちは、すべて体験できるわけではないので、二次的なマスメディアの情報に頼り、詩を書こうとする。そこには体験的な感情の動きは当然伴わないから、想像の力を借りて疑似体験することで、感情を引き出そうとする。そうした感情を伴いながらの言葉探しをしては、思うことを形象として表現しようとする。

この場合、本人の知識力が不可分にかかわってくると思える。二〇一一年七月二〇日付「朝日新聞」のインタビューに載った国際政治学者の坂本義和さんの発言に注目させられた。知識人の役割について答えた部分である。「知識人には二つの軸が不可欠だと思います。ひとつは現状に対する批判力。もうひとつは構想力。構想力とは、間違った現状を超える、まだ存在しない社会のあり方を積極的に想像する力といえます」。ここでいう二つの軸こそ詩を書こうとする人にも求められているものと思ったからである。私は、芸術的「形象」と、科学的「概念」はそれぞれ別の認識の仕方をもっていると考えているが、一人の人間の認識の中に存在し、統一されて総体としてあるものと理解している。したがって、表現力は、坂本さんの言う二つの軸の知識力に裏打ちされたものとして、その力を発揮しなくてはいけないのではないでしょうか。

　ところで、坂本さんの言葉にもある「まだ存在しない社会のあり方を積極的に想像する力」も、大橋さんの「その場にいなかった者の方が、文学として表象する想像力を当初から持ち得る」という「想像力」も、まさに人間の素晴らしい特性であるが、また恐ろしい想像力でもあると思う。それは、先日ドキュメンタリー映画「一〇〇、〇〇〇年後の安全」を観て思ったことである。

　フィンランドのオルキルオトで、世界初の、高レベル放射性廃棄物の永久地層処分場の建設が進められている映像である。それは固い岩を削って作られる地下都市のようなその巨大システムは、一〇万年間保持されるように設計されているといわれるものである。映画は、その地下五〇〇《メートル》で、掘削する機械の映像が、繰り返し映し出され、その間に、関係者の学者や電力会社の経営者、政府の責任者等が、入れ代わり立ち代わりコメントを繰り返す映像が続くのである。そのコメントの趣旨は、「一〇万年後、そこに暮らす人々に、放射能廃棄物の埋蔵場所の危険性を確実に警告できる方法があるだろうか。彼らはそれを私たちの時代の遺跡や墓、宝物が隠されている場所だと思うかもしれない。そもそも、未来の彼らは私たちの言語や記号を理解するのだろうか」という問題を巡って、発言をするのである。一〇万年後を想像するという思考は何なんだろうか。恐ろしい想像力としか言いようがない。私は映像を観ているうちに、だんだんと恐怖の感情が強まってきていた。
日本では、使用済み核燃料から生まれる「高レベル放射性廃棄物」の処分は、青森県の六ヶ所村に深さ三〇〇メートルより深く、数平方キロの範囲に、総延長二〇〇キロのトンネルを巡らせ処分することになっている。日本は地殻変動の激しいところで、断層がずれ動くと壊れて、どうなるか予測できないのである。いまから一〇万年前というとアフリカで生まれた現人類が、世界に広がりはじめたかどうかというほどの昔のことである。一〇万年後はどういう人類の世界なのか、貴方は、想像できるだろうか。
「トイレなきマンション」と譬えられる原子力発電所を、これ以上運転を続けさせていいものだろうか。

私たちは、これからも、こうした大事態に対峙して、詩作品を書き続けていくだろうと思う。フィンランドの人々ほどの恐ろしい想像力は持ち合わせていないかもしれないが、「まだ存在しない未来にむけて、想像力を深めて」詩的言語・表現を執拗に求める営為を続ける以外にないのではなかろうか。

（二〇一一・一二）

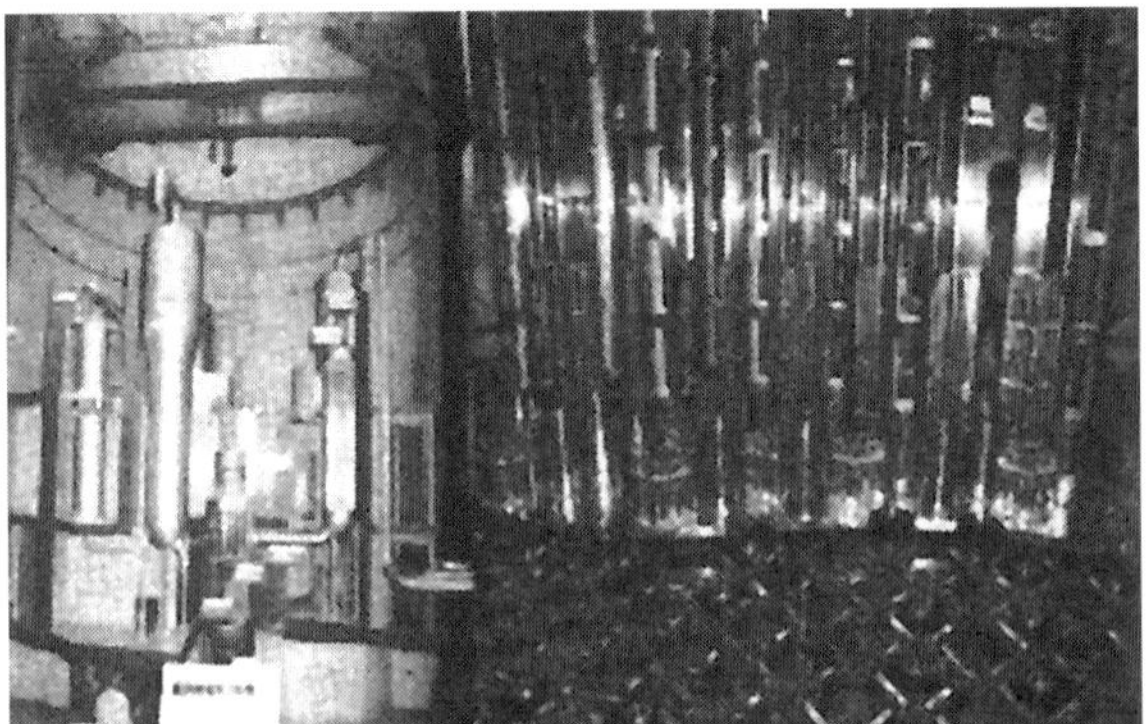

美浜原発原子炉模型　撮影 西村恒男

気ままに詩論6

詩集『水の世紀』から幾つかのこと

過日、詩人会議全国運営委員会において、ミニ講演を行った。その時のレジメに沿って書くことにする。

一、自作を語る

詩集『水の世紀』から、「含みみず」、「枯れみず」、「みず祭り」、「そらのオシッコ」の四篇について、作品解説を行った。（「気ままに詩論3　水の世紀の作品について」〈本著二八頁〉参照）

二、詩の想像力について

判りきったことだが、想像力は文学・芸術の分野だけでなく、科学の分野でも、他の分野でも重要な役割をはたす人間の（認識）能力である。それは人間のみがもつ優れた能力である。これが基本である。

では、詩を書く行為で、想像力はどのような働きをするのだろうか。人間は、直接体験をきっかけに文学的表現を試みることができる。しかし、詩を書く場合、その直接体験は、あるテーマ性のなかで動機づけとはなるが、それでは表現行為として完結できないので記憶のなかに、あるいは知識としてストックしている間接体験からも、主題にあったものが選択され、題材化されて、作品のなかに取り込まれる。内田伸子著『想像力』では、「想像の素材となる経験はまず、解体され、これから構成しようとする想像世界の文脈にあわせてとり出され、さらに連想の力を借りて統合や組み合わせをおこない、一定の表像（イメージ）がまとめあげられていく」と書いているように、「連想」や「空想」も含めてそれは成立しているのである。

その表象世界を、言葉によって表現しようとする行為がつまり文芸作品であり、詩作品なのである。

私は、北条元一著『文学・芸術論集』から、次のフレーズを引用した。「（想像は）事実の束縛をたち切って、事実につきまとう偶然性を除去し、想像の力をかりて必然性にせまり、現象の背後にある本質を把握することができることとなる」。詩を書こうとするとき、まずきっかけをつくった事実を素材として取りあげようとするだろう。しかし、事実は真実にあらずということはよくあることである。その出来事は、偶然であっては、物事の本質かどうか見極める必要が生じてくる。それで、同じような現象をあれこれと探りをいれて想像することで、共通する本質に辿り着くことが可能となる。こうした表現活動を進めることは、文学的な典型を可能とするわけである。もうひとつは、「感覚の場合とちがって、眼の前の現実から解放されたこと、記憶の場合とちがって、事実から解放されたことによって、想像は、広い展望をえて現実をより深く反映することができる」ということころである。このフレーズは、人間の感覚的認識は、眼の前の事実に囚われ過ぎて、誤認することがあり得るということ、記憶の場合は、なかなか事実を否定することができないが、現実や事実から解き放たれた状態のものとで、想像力を使う行為は拡がり、現実を深く理解できることが可能だと言っている。この指摘は、想像力の効用について重要なことを言っていると思う。

最後に、一九八九年「詩人会議」三月号の「テーマをなくした現代詩」に書いたことだが、「想像力こそ、（略）詩の言葉の魔術をうみ出し、詩的体験の弁証法としてはたらいて、読み手を高める（感動をともない認識を変革する）役割をはたす。それはいまだ現実体験しえなかった詩的体験の世界である」ということだが、ここに想像力の値打ちが上手にまとめられていると思う。つまり、書き手と読み手の本来の関係が想像力を介在して作品を通じて成立しているのである。その詩作品を読むことで、「いまだ現実体験しえなかった詩的体験の世界を得て」、作品が読み手に感動を与え、読み手の従来の社会的認識を変革するのである。

北条元一は、こうした想像のはたらきについて同じ著書で次のようにまとめている。

芸術が事実から解放されて、想像の世界に入り、想像による作品をつくることが、芸術にいったい何をあたえ、どんな利益をもたらしたかが明らかになったと思う。その第一は、現実のうちにひそんでいる本質をそれによってあらわすことができるようになった。第二に、統一性、完結性を、事実の制約にくるしむことなく、十分になしとげることができることである。第三に、実際に離れている事実を結びあわせることによって集約性をうることができることである。

想像力のはたらきなしには、芸術表現が成り立たないことを語っていると思う。

詩人の新川和江さんは、事象の奥に真実の言葉を求め、生活から『詩が生まれるとき』の文に、「詩作の際、十文字法と名づけた方法を用います。十文字の横の一を空間軸、縦の一を時間軸に見立て、できるだけ大きな十文字、つまり空間と時間を詩の中に描くのです」と詩法について書いておられたが、おそらく新川さんの十文字軸のなかは、想像力が、縦横にはたらいている詩の世界ではなかろうか。

三、詩の抒情性について

短詩型文学としての詩には抒情性がつきもののように言われている。ところが一九四九年に刊行された、小野十三郎著『詩論』において、短歌的抒情の否定を述べたことから、詩の抒情性がしばしば議論の対象として、話題となってきた。『文学用語辞典』によると、抒情詩とは、「感情にみちた人間の言葉をみごとに伝える詩形である」と書いてある。

島崎敏樹著『感情の世界』では、「『感情とは何か』をひとおもいにははっきりとらえることはらくではない。それは私どもの心のなかで（あるいはむしろ、身のなかでというべきかもしれない）うごくなんらかの意識である」、「よろこび、かなしみ、怒り、恐れることが、愛し、憎むことが私どもの心の『生きた』はたらきだと感じないひとはない。感情、情緒、情熱とよばれるあのあたたかいものの、あついものが、私どもの存在の底でもえて私どもをうごかしていると思うのはいたって自然である」と書いている。

以前に、私は「ヒロシマ・遺言ノート⑥」（本著三五四頁）に松尾静明さんの「『ヒロシマ（情況派)』そして『反ヒロシマ派(芸術派)』」(「詩と思想」二〇〇〇年八月号)について、対立的意見の一つとして書かれた次の文にふれた。「心の表面を描いたものは多くの他者の反響を得るかもしれないが、心の深部を描いたものこそが、確実にひとりの他者につながるのだという芸術の基本がない」というところである。

「心の表面」とか、「心の深部」という分け方は、いわゆる「感情」の質の違いを意味しているのだろうが、あまり意味のない分類である。その作品にリアリティがあるか、ないかの違いだけのように思える。感情の深化は、認識全体の問題だと考えるべきだろう。私たちは、詩を書く場合に生活の現実から、対象を取り上げる。それを、心の中に取り込むが、それが心象(イメージ)であり、言語表現として形象化する過程に、感情が伴うわけである。したがって作者に、人間として豊かな感情が備わっているかどうかが問われてくるのである。私は、詩のみではなく、芸術表現は豊かな抒情性を伴ってこそ、普遍的で、典型的なものとなることができると考えている。

日本の美意識のなかに、風や水にかかわるものが、多々ある。辻井喬著『伝統の想像力』のなかに次の一文がある。「大橋良介は『水の美学』という論文で、言葉の考察から『日本の「水」経験』は、自然哲学的でもなく倫理でもなく、『美的』ないし感情的方面で際立つものだ」と指摘している。ここで氏が「自然哲学的」としては西洋の水の扱いを指し、「『倫理的』とは中国のそれを指していると考えていいだろう」、「それに比してわが国の場合、水は感性を表現する素材として存在しているように見える」、「では水によって表現される感情とはどういうものであろうか。それは流れる、移ろう、風景を映して澄む、濁る、ということである」、「そうした水の思想に、近世になって垂直的な動きが現れてくる。それは水の、滴る・落ちるという動きである。このことは伝統的美意識を育ててきた感性が、時代によって、その本質を残しながらも変化することを示している例であろう」。感性もまた、時代によって変化していくのである。

私の「水」は、古典的感性を表現するものではない。だが、「水」という文字・言葉のもつ伝統的美学の本質は否定しない。現在でも日本人は、決して「水」への感性をまったく失っているとは思えない。今日、水の変容は著しいものがある。そのことを考慮に入れて、私は今回の詩集『水の世紀』のテーマを設定したのである。抒情は、「水」の伝統的美学のなかで活かされて、今日的な主題をもつそれぞれの作品に結実していると考えている。

四、東日本大震災・福島第一原子力発電事故（三・一一）以後と作品

この大震災と原発事故は、当事者は「想定外」と言い逃れしようとしてきたが、歴史に残る大惨事であった。未だに政府の方針は、「脱原発」には定まらない。あれだけの大多数の「原発をなくせ」という集会が、繰り返し行われているにもかかわらずである。詩人は、淡路・阪神大震災の時以上に、この大事故に向き合って詩を書こうとしている。

そこで話題となったのは、数多くのマスコミで取り上げられた和合亮一の『詩の礫』である。本の帯文に「ツイッターで放つ言葉の力、福島在住詩人の咆哮を聞け」とある。

これが詩なのだろうか？　「放射能が降っています。静かな夜です。二〇一一年三月一六日四・三五」。私は、この『詩の礫』を読んで、なんのリアリティも感じなかったたし（勿論、詩とも思えなかっ

た）、あの大震災と原発事故の臨場感が迫ってこなかった。この本には、さまざまな意見があることは承知している。「詩と思想」二〇一二年一・二月号で「現代詩ここ一年をふりかえって」でも取り上げられているからである。なかでも痛烈な批判を述べているのは、荒川洋治である。「詩と思想」二〇一一年一一月号において、「今回の東日本大震災のあとも、なんとかいう詩人が三、四冊本出して言葉だ、とか言っているけれど、状況が状況だけに誰も判断できない。それをいいことに垂れ流しの、節操のない言葉を出しつづける。まわりも支持するから、ますます増長。あれで、詩だといわれてもね。かえって『詩』が被災するね。その人の詩の問題だと思う」と書き、同様の趣旨を、「朝日新聞」東京版（二〇一二年一月二四日付夕刊）にも書いている。もうひとり「詩人会議」二〇一一年一〇月号の葵生川玲の「花の旅——フクシマという現実」のなかの部分である。「『新しい時代の詩』と評価する向きもあるようだが、和合亮一氏の『詩の礫』『詩ノ黙礼』『詩の邂逅』の三冊が次々に出て、野家啓一氏が三冊の書評を書かれていて、『大震災の相田みつお』といった評価もありえよう。ともあって、その類型的な語句やリフレインの多用、荒削りで陳腐な表現にも触れられているが、確かに中原中也賞、晩翠賞を受けた詩人のものとは思われない。ツイッターという情報メディアとの関わりが目新しいだけのことではないか」。

幾つかの新聞記事によると、詩人の谷川俊太郎さんや、吉増剛造さんが語ったり、短歌や俳句のジャンルでも、歌集や句集が、震災後出版されている。なかでも、谷川さんのこの言葉に、強く共感させられた。「震災後の世界で、詩がそれほど役に立つとは思っていない。詩は無駄なもの、役立たずの言葉。書き始めた頃から言語を疑い、詩を疑ってきた。（略）詩という言語のエネルギーは素粒子のそれのように微量。政治の力や経済の力と比べようも無い。でも、素粒子がなければ、世界は成り立たない。詩を読んで人が心動かされるのは、言葉の持つ微少な力が繊細に働いているから。古典は長い年月をかけ、この微少な力で人間を変えてきた」。現代美術家の村上隆さんも、同趣旨の発言をしていた。「でも、普通に考えれば、芸術ごときで世の中は変わらない。芸術なんて、この現代社会の中では無能、無意味です。だけど、やり続けるしかない。僕らがもだえ苦しみながら活動している姿を見て、鼓舞され、勇気づけられる人たちが絶対にいるはずだからです」。

（二〇一二年一月一七日付「朝日新聞」）

社会学者の見田宗介さんは、「僕は、これまで日本の戦後を、敗戦から六十年ころまでを、人々が『理想』に生きようとした『理想の時代』、高度成長が完成した七〇年代前半までを『夢の時代』ポスト高度成長期の九〇年代前半をもうリアリティを愛さない『虚構の時代』と分析してきました。その後は何の時代か、よく尋ねられました。『バーチャル（仮想）の時代』だと考えています」と、そして「仮想世界に居直ったバーチャルな時代の中で、リアリティというか、古典的な現実への飢えが、この国に充満しはじめた」として、「生きるリアリティを充実する仕方を見つけることができれば、もう一つの新しい時代が開かれると思う」と、リアリティの時代の到来に期待感を示している。

これからの詩作は、時代の転換期として、リアリズムの方法が要求されてくると思う。これまでも文学の手法としてのリアリズムについて、三浦健治さんの「詩のリアリズム」（「炎樹」第四五号掲載・二〇〇四年）を紹介したが、一例にすぎない（詳しいことは、今回省略させていただく）。

五、結びにかえて

最後に、橋浦洋志の「地震・津波と原発　この相容れぬもの――詩と哲学のための考察」（「ERA」第二次八号、二〇一二年四月三〇日）から結びのような一文を紹介したい。

「ところで、現代日本において、もっとも求められているのは、他ならぬことばの厳密性である。ことばを厳密に使おうとする、ことばへの真摯な姿勢である。東日本大震災における原発事故は、日本社会のことばがいかに脆弱で、ご都合主義に陥っているかを痛感させられることになった。

曖昧で詐欺的とも思えることばが、政治家、官僚、企業人のトップのみならず、学者の思考をも占拠し、利害と保身の道具と成り下がっているのは、まさに日本社会における真っ当な思考の欠落を目の当たりにした感がある。これは、知識の問題ではない。人間の生活を真摯に認識しようという態度の問題、換言すれば『生活の厚み』への想像力の問題である」。

「ことばを厳密に使おうとする真摯な姿勢」こそ、まさにリアリズム文学の立場と言える。そして、「人間の生活を真摯に認識しようとする態度」もリアリズムの思想的立場である。また、「『生活の厚み』への想像力の問題」は、社会の本質を含む対象世界を、よりリアリスティックに表現するための方法である。

リアリズムの方法こそ、東日本大震災・福島第一原発事故の本質に迫ることのできる文学の方法である。

（二〇一二・一一）

'93夏の詩学校　パネルディスカッション

自分にとってよい詩とは－書き手として、読み手として

〈パネラー〉仲　玲央／原　圭治／草野信子　〈司会〉編集部

司会　パネラーの方それぞれ詩風も違いますし、年代も若干ですが（笑い）ずれていますので、詩に対する考え方も違うんではないかと思います。テーマとしては「自分にとってよい詩とは、読み手として、書き手として」ということで、詩を書く前に読者として詩に求めていたものと、実際に書くようになってどのようなことを求めて書いているか、といったことをお三人それぞれの違いや共通点を話し合いながら進めていきたいと思います。今後皆さんが詩を書く際のヒントになればと思います。まず、仲玲央さんから報告をお願いします。

報告①　仲　玲央

仲　今回の報告は、まず第一に自分が影響を受けた作品、二つめに読み手と書き手の問題、三つめに自分が理想とする詩について、ということで進めていきたいと思います。資料に「習作時代

の作品」ということばを使ってますが、「おまえ、今も習作やないか」といわれますので（笑い）、これは消しておいてください。

わたしが詩を書き始めたのは、今から一六年前、中学三年の頃、日記のつもりで日記のような詩を書いていました。その頃、最初に影響を受けた作品は、「バナナ畑」という大野曽根次郎の詩です。大野曽根次郎は、ご存知ないと思いますがわたしの祖父で（笑い）、「三重詩人」から一五年ほど前に遺稿集が出ました。「バナナ畑」という詩は、戦争にいってバナナ畑で人を殺したという詩なんです。当時、一五歳のわたしにとって、優しいおじいちゃんが戦争とはいえ人を殺したという事実はショックでした。その時、わたしの心の中に「祖父が犯した過ちを自分は繰り返したらあかへんのや」という意識が芽生え、このことが反戦とか社会的なテーマを追い続けるきっかけとなり、同時に、人に何か伝えたいという、それまでの日記的な作品から脱皮するきっかけになったように思います。しかし、その作品はスローガン的なものが多く見受けられました。

仲　玲央氏

そんなときに出会ったのが、小野十三郎さんの「燈の帯」という詩です。朝鮮戦争で、真っ暗な朝鮮半島に爆弾を落とし、日本の基地に帰ってくる米軍パイロットが見る日本列島は、さながら光の帯だ、という内容のものなのですが、まるで作者がその爆撃機に乗っているかのようなリアルな描写、叙情を排して淡々と目に見えるであろう事実だけを描いているにもかかわらず、目に見えない日本社会の現実、すなわち、日本の基地が米軍によって、我がもの顔で戦争に使われているという事実を鋭く抉りだす手法、こういう書き方があったのかと一六歳のわたしは感動したわけなんです。この作品と出会ってからは、客観的な描写によって見えない社会の現実を抉り出すような詩を書くことに、意識的に取り組みました。そして、自身なりに納得できる作品が書けるまでに、二年ほどかかりました。そのひとつが、ポルポト政権による銃殺刑のことを書いた「反逆者」という作品で、「詩人会議」の本欄にも載りました。小野さんのように徹底的に叙情を排することはできませんでしたが、それはまぎれもなく状況描写によって社会の現実を描こうとした意欲作でした。この二年間は、すべての面ですごい成長があったと思います。そのあと成長が止まっているという話があるんですが（笑い）。

その後大学へ進学したものの、空手部なんかに入ってしまい、四年間の詩作の空白を経て、また詩を書き始めました。社会に出て、哲学との出会いがありました。俗にいう「科学的社会主義」というものです。それをいろいろと勉強してショックを受けました。階級闘争が歴史を作る、いまわたしたちは支配されているんやと、そういう概念がそれまでの自分の考え方を変えてしまいました。それは、少年期に比べてより深く社会の現実を知ることができるようになりました。しかし、反面、本などで理解することと自分の目で見て感じることとは違います。なんとか詩によって社会を表現したいと思いながら、どうしても頭のなかでことばをこねくり回すだけの詩しか書けず、「詩人会議」に投稿しても「没」が続きました。そんなときに起きた事件が「天安門事件」でした。この事件の映像や写真で、殺される学生たちの姿を見たとき、怒りで心のなかがいっぱいになりました。そして、その怒りを何かにぶつけたい衝動に駆られました。傷口から血が流れるように心のなかからことばがあふれ出しました。それが、「詩人会議」に載った「北京二題（銃声・密告者）」という詩です。その前後の詩はまったく駄作続き、これだけがぴたっときた。なぜか、それは心の強さです。哲学書のことばで詩を書いたのではなく、心のことばで書けたからだと思います。

続けて時代は東欧の激変を迎えました。世界的に「社会主義・共産主義は崩壊した」という宣伝が流されました。そう言っている人たちに対して、「それはちがうんや、自由と民主主義への陣痛なんや、それは歴史の必然なんや」と反論を加えたい気持ちと、何も知らない人たちにそういうことを教えたいという、青年なりの純粋な願いというか、そんな心が膨らみまして「独楽」という作品が生まれました。これは詩人会議のアンソロジー『二十一世紀へのメッセージ』にも載せました。この詩を書くにあたって手法として影響を受けたのが、金子光晴の、天皇制の暴力的な本質をうたった「灯台」という詩でした。壺井繁治はこの作品を「メタモルフォーゼ、空想的イメージから現実的イメージへの急角度の転換」というふうに解説していますが、わたしはこの作品全体の、比喩を重ねながら書いてきて、最後の最後に具体的な目に見える現象によって、強烈な現実をさらけ出すという手法に、ものすごい衝撃を受けました。「独楽」は、手法的には多分に「灯台」の影響を受けました。

それからわたしにとって見過ごせないのは、「北京二題」と「独楽」という作品を通じて浅尾忠男さんと出会ったということです。浅尾さんに教えていただいたことは、作品を書こうとした動機、モチーフの強さ、気持ちの強さを大切にしなければだめだということ。それから普遍性をもった作品を書かなければならない、自分のテーマを書いても読まれたときにみんなのテーマとして伝わらなければいけない、自分と自分のまわりにしかわからない作品ではだめだということでした。残念ながら、これらはただいま追求中ですので、どうやって乗り越えたかはまだお話しすることはできません。

以上が影響を受けた作品についてです。次に読み手と書き手の問題ですが、わたしは他人の詩を読むとき、書き手として読んでいると思うのです。感動したいと思って詩を読んだり映画を観たりするのではなしに、結果的に感動した作品から何を盗むか、何を得るか、そういう視点で見つめていると思うんですね。これについてはあとの討論のなかで深めたいと思います。

最後に自分が理想とする詩についてですが、それはフランスの詩人ポール・エリュアールの「自由」という詩です。しかし、わたしにはこのような、洗練されたことばやロマンチックなことばで、それも定型で書かれた詩は書けません。それでわたしがなぜこの詩を理想とするのか、それは手法とか表現とかにあるのでなく、この「自由」という詩が第二次大戦中に果たした役割、詩と民衆がひとつになり、ファシズムに勝利する力となった、そういうところに理想とする詩の姿を見るわけです。ヒットラーに占領されたパリで、地下から地下へ、あるいは人々の口から口へこの詩が伝えられ、時には空から連合軍の飛行機がこの詩を印刷したビラをばらまいた。この詩と出会った人々が、ファシズムに崩されそうな心を励まされ、この詩のなかに、旋律に、希望の光を見いだしたわけです。この詩は大きな歴史のうねりの中で、人々にファシズムに屈せぬ勇気を与えたのです。こんな詩が自分にとって理想とする詩です。本当に、いつかはわたしもこんな詩が書きたいと思ったわけです。以上、わたしの報告とさせていただきます。（拍手）

報告② 原　圭治

原　圭治氏

原　今回のパネルディスカッションの三つの柱は、詩の話としてはオーソドックスな筋立てですのでどういうふうに話したらいいのか、まず入り口の問題として詩の技法としてでなく、詩の理念として話したほうがいいのかなと思ったんです。結論から申しますと、政治、経済、文化、いろんな分野をとってみても、だれの目にも明らかなように時代は大きな曲がり角にきている。小さな転換は何年かおきにあって社会とか歴史は発展していくわけですが、今回の場合には根底を揺るがすような大きな曲がり角だと思います。日本の知識人も財界の人たちも政治家も、そう捉えているのではないかと感じます。そういう時期に詩人としてどんなふうに表現にかかわっていけばいいか、これがなかなか難しくて、これから真の詩人と言われる人たちは少数者にならざるをえないだろうと思っているんです。いろんなものに書かれているように、詩を書く人も詩の出版物もふえています。しかし詩人たちのなかでは詩の衰退ということが言われたり、詩が役に立つのだろうかということが言われたりしているわけで、そういう状況のなかで、本当の詩人、かくあるべき詩人というのは少数者とならざるをえないのではないでしょうか。言い換えれば、真の知識人といわれる人の存在が少数者となっている。

というような前置きをしておいて、ふりかえって詩に何を求めるかということですが、先般、犬塚昭夫の詩について「詩人会議」にエッセイを書きましたが、詩に何を求めるかは、端的にいって生きる力、人間の存在を賭けた生きる力だと思っています。生きる力は、自己に目覚めた人が、自分自身の変革を通して他者の変革へと進んでいく、その過程で積極的な生きる力を獲得していくというふうに思っているんです。個から出発して、それが社会的な存在として社会全体、歴史全体を変革する大きな力になっていくのが、詩の根源的な役割だと思います。

詩に何を求めるか、もうひとつは、想像力ということをとりわけ詩に求めたいと思っています。ビートルズのジョン・レノンに「イマジン（想像しろ）」っていう歌がありますね。歌詞は単純な繰り返しですが、執拗に想像しろと言ってるわけです。それが今の若者に、勿論音楽性もともないますが、すごいインパクトを与えている。詩人であるならば、まさにこの時代、そういうものを想像しろと言いたいわけで、その想像の世界は大きければ大きいほどいいと思っていますし、その想像なしには先のことがわからないだろうと思っています。想像力の在り方についても、想像力を横に広げるということと同時に、縦に広げることも大事だと思います。横に広げるというのは、狭い自分の住んでいる暮らしの中だけではなくて、日本の社会とか世界とかに広げていくということであり、縦に広げるというのは、時代を歴史的にさかのぼって過去へも未来へも広げるということで、そういう想像力が求められていると思うのです。

三番目には、ぼくの願望みたいなものですが、詩に呪術的な、多くの人たちを揺り動かすような、おまじないのような力がほしいなと思っているわけです。以上の三点を詩に求めています。

次に理想とする詩はどういう詩か、ということですが、以前「テーマをなくした時代詩」というエッセイを「詩人会議」に書いたんですが、テーマがしっかりしている詩が理想の詩である、というふうに思っています。ことばを換えていえば、作者の思惟がはっきりしている作品です。予告や予知をするようなそういう詩があればいいなと。テーマがしっかりとしているという意味で今いちばん関心をもっているのは、戦争を批判した詩というか、うたった詩です。お渡しした資料に水谷なりこさんの「馬の死」がありますが、水谷なりこさんは一九二七年に広島で生まれた方です。この詩について出版記念会のときにある青年が、自分たちには戦争体験がないのでわかりづらいと言いました。なるほど体験という点から見ると、こういう戦争をうたった時というのは五〇代以下の方にはわかりづらい面があるかもしれません。わかってほしいけれど、そう簡単にわかってもらっては困るのではないか、と心のなかでは思っているんです。次にあげた「儀礼」の山田博さんも、一九二二年生まれ、「トマト」の大崎二郎さんも一九二八年の生まれで、こういう六〇代、七〇代の方が、執拗に頑固に戦争を作品にしていくということに、注目をしているところです。次にあげた以倉紘平さんは少し若くて、一九四〇年生まれです。先だってH氏賞を受賞されました。白旗をかかげる少女というこのテーマでいろんな方が書いていますが、以倉さんの「子供の魂」は、かなり美的な表現で迫っていると思います。大崎二郎さんのように、非常に凄惨な、リアリティのある作品と少し違うところがあると思ったりしますけれど。さきほど仲さんが言いましたけど、若い方で体験がなくても戦争というものに迫ってほしいな、という希望があるわけです。それはなぜかと言いましたら、ワルシャワ・ゲットーの反ナチ蜂起五〇周年記念式典が四月にあって、ドイツのワイツゼッカー大統領が演説の中で、「過去の遺産は重いものだが、常にそれを思い出すことによって、新しい課題を正しく評価することができる」ということばを声明のなかに盛り込んでいるんです。ドイツと日本の戦犯に対する追及の度合いなんかみても、日本では戦犯が大臣になったりしますが、ドイツでは非常に厳しくナチズムの残虐さ、戦争というものを追及しています。いわゆる新しい課題に結びつくという観点から過去を真摯に学ぶべきじゃないかなと思います。わたしも「詩人会議」の一九九三年八月号に、「天皇の戦争」という詩を載せておりますが、あの作品を書こうと思って考えてたときに、石川逸子さんの『千鳥が淵へ行きましたか』という詩集を読みました。無名戦士のことをうたった作品なんですが、戦争はだれそれという固有名詞のある人間を、まったく抹消してしまう、そこに大きな、われわれが追求しなければいけない問題があると思っているんです。個というものがなくなってしまう、個が確立されて個人に関わる自由とか人権とかそういうものが保障される社会こそ、真の民主主義社会だと思っているので、そのあたりが思想的にも追求されないといけないのではないかと思っています。先ごろの朝日新聞の記事ですが、交通事故の死者は、かつて日本の内地で戦争で死んだ人を上回っているそうです。その中で、「百人の死は悲劇だが、百万人の死は統計だ」とユダヤ人虐殺の責任を問われたアドルフ・アイヒマンという人が言った記事がありました。人間が統計的数字にされるのはいかにも許せないと思っているので、詩を書く場合には個人の尊厳というものが原点になるんじゃないかな、と思っているんです。どんな詩を書いたとしても。

だからわたしが理想とする詩は、テーマがしっかりした詩、できれば未来に対して予知予告できているような作品、もっと平たくいえば、現代の文明批評が中に含まれている作品ということになろうかと思います。

それから書き手読み手の問題ですが、はじめの頃は一生懸命自分が書くばかりで、他人の詩はあまり読みませんでした。最初の動機というのは、高校二年の時、河出書房から『日本現代詩体系』という一〇巻の本が出てそれを買って読んで、北原白秋の作品の物真似ということから始まりました。資料にある「晩夏」という詩が白秋の影響を受けた詩で、次の「よるのうた」というのは、自分でもおごっていまして、ダブルイメージなどと言いながら、真ん中に線をいれて、左右を交互に読んでいくという変わった詩を書いたりしました。これは、萩原恭次郎あたりの詩を真似したんだと思います。そのあとの「朽ちる家」「海の眼」「公園」「口のなかの旗」は第一詩集に載せた作品ですが、このあたりは小熊秀雄の「しゃべり捲くれ」というのが気に入りましてそういう感じで書いた詩です。乾武俊という詩人がわたしの詩について、「原くんには観念のふてぶてしさ」があると書いていますが、まさに観念的な立場で文学に向かっていた時代です。それから、「天空《そら》の棺《ひつぎ》」「消えた夏」「乾いた島」などは、『歴史の本』という第二詩集に載っています。このころ詩人会議に参加をしました。次の「記憶さがしの旅は」というのは、今年の反核詩集に載せた作品で、「遅れた死者たちの」というのはやはり反核詩集に載せた一九九〇年の作品です。

こういうふうに、原爆とか原発とか戦争とか公害とかの問題を追いもとめて詩を書いていますが、最近読み手として、いろんな詩人の詩を読みたいなという気になりまして、読ませていただいています。「楽市」という、大阪で三井葉子さんたちが出している雑誌があるんです。この中の座談会で、読者側の問題として、「読むアクチュアリティっていうのもあるべきだと思う」とか、「読むって非常に創造的な行為だと思う」など言われていますが、これは同感で、強調したいところです。また「詩と思想」八月号で岡田武雄さんという方が提起しているんですが、一般を含めて読み手を意識していたかどうかという点、「読み手の側に寄ろうとすれば詩的衰弱を指摘され、書き手に徹しようとすれば難解の誇りをうけなければならない」、そういう読み手と書き手の関係が今あると思うんです。「楽市」の中で、滝本明さんによると、だいたい書き手イコール読み手で二万人から四万人くらいいるんじゃないかという数字まで出しているわけです。わたしもむかし、大衆としての読み手を非常に意識して、大阪詩人会議で「詩は街頭へ行くシリーズ」というパンフレットを作って、五千部くらいを集会などで売りまくるということをしました。今はできないですが。読み手と書き手の問題では、普及という点で困難な問題を抱えていると思っています。舌足らずですが、そういうことで問題の提起をさせていただきます。（拍手）

報告③　草野信子

草野　どうして自分が詩を書き始めたのだろうというふうに思い返してみますと、その頃なんだか

草野信子さん

とってもさびしかった自分ていうのが、今でも鮮やかに思い出されます。身近な人には、そのことが言えなくて、でもなんかわたしは誰かに、知らない誰かに向かって、わたしはさびしいんだぞって言いたくなったんです。詩というのは、そういう感情をのせていい器なんじゃないかなと思ってました。ただその頃わたしはもう、「もう」じゃないな、その頃わたしはもう、あれ、また「もう」が出てきちゃった（笑い）、その頃わたしは、三〇になっていまして、さびしいさびしいって駄々をこねても、だれもそうかって頭をなでてくれる年齢ではないなあと思いましたので、直接にはそう言わないで、何がわたしをさびしくさせているのかということを書いていこうって思いました。何がわたしをさびしくさせているのかということは、自分にもよくつかめないことだったから。それはつきつめていけば、自分を取りまく社会とか、その社会に到る歴史とか、そんなものに辿り着くことだったでしょうし、それからもっともっとつきつめていけば、何か人間の存在そのものがもっているものに辿り着くことができたんだと思うんですけれども、書きはじめのおぼつかないことばしかもっていなかったので、わたしは自分といっしょに暮らしている人とか、職場の人とか、身近なものを一生懸命書いていました。その頃、だからわたしにとっては、世界というのは、とりあえずはですね、とりあえずはですけれども、身近にいる他者の姿としてあったんだと思うんですね。書いてくなかで、そう、とてもさびしかったのでずいぶんたくさん書きましたけれども、わたしは自分の詩の中で、わたしと同じようにさびしいと言ってる人にたくさん出会いました。おかしいことで、とっても不思議なことなんですが、自分の詩のなかの人が、書いているわたしに向かって、自分も同じようにさびしいって語っていたんですね。で、そのことは、とても大きな発見であって、そのさびしさっていうことは変わらなかっただろうし、そういうものって今も変わらないんじゃないかと思うんですけれども、わたしにとって大きな励ましでした。自分にとってよい詩とは何かっていうことを、今日のテーマなので考えると、これはわたしは書き手としてのわたしも読み手としてのわたしも、まったく同じだっていうふうに言っていいと思っています。さっきからさびしいさびしいということばを頻発してしゃべっているんですけれども、さびしいと感じることが何かよくわからなくて、何かよくわからないということ、それはもっと知りたいっていうことにつながっていくと思うんですけれども、もしかしたら怒りとかそういうものも、人間の欠落した部分から出てくる感情なんじゃないかなって気がするんですけれども、わたしにとってよい詩とは、その自分の中の欠落を、その場しのぎの慰めとかごまかしではなくって、きっちりと埋めてくれる力を持った詩というふうに、とても抽象的ですけれども思います。そういうものによって自分の空洞というのか、欠落した部分というのが、どんどん埋められていく、で、どんどん埋められていくと、それが不思議なことにまたどんどん広がっていくんだけれども、それをまたどんどん埋めていくことができる。非常にきちっと埋めてくれる詩、というのがわたしにとってはよい詩です。で、言い方を換えると、というのか、実は全然違うことを言ってるのかもしれませんが、そのとき何かわたしに、それまで知らなかった新しい認識というようなものを示してくれた詩が、わたしにとっていい詩だったということが言えます。どんな詩がそうなのかというと、それはもうさまざまな姿をしていました。モチーフも、それから主題も表現方法も、本当にさまざまな姿をしていました。とってもたくさんの詩に、わたしは感銘を受けてきたなあと思います。勿論それと同量ぐらい、あるいはそれ以上に心を打たれなかった詩というものも読んできたなあとは思いますけれども、とてもたくさんの詩に感銘を受けてきたと思います。

具体的な詩ということで、わたしがこの七月に何冊か詩集を読んだり、幾つか詩を読んで、その中でいいなと思ったものをコピーをしてきました。木坂涼さんの『小さな表礼』、それから以倉紘平さんの『地球の水辺』、それから増岡敏和さんの『虹の碑』の三冊です。前の二冊は、わたしが本屋さんへ行って買いました。増岡さんのものは同じ詩人会議の者ということで、増岡さんから送っていただけたものです。詩集全体として良くって、どれというのはとても難しかったんですが、一応二篇ずつコピーをしてきました。丁度一枚目にありますので、木坂涼さんの「1：00PM」、この詩はずっと以前に「詩人会議」誌上に掲載されているのを読んで、その時もああいい詩だなって思いました。今回また詩集のなかにこれが収められていて、多少手を加えてあるようですが、再度読んでみてもやっぱりそう思いました。感動というのはまず、有無を言わさずあるものですから、まずそれを受け取って、それからそれはどこから起きてくるんだろうかとか、なぜだろうかっていうことをゆっくりとあとから考えるわけで、それが自分なりの批評ということになると思うんですが。木坂さんの「1：00PM」という詩を読みたいと思います。

「ニューヨークの／市立図書館の木陰で／クラスメイトのドゥンビアと／並んですわった。／／わたしはノートに／日本の家の間取りを／描いた。／／ここが父の部屋。／ここは母の部屋。／／父の部屋には／両手をひろげた父を描き／母にはスカートをはかせた。／／以前は／わたしの部屋だったのよ。／／子供が家を出てはじめて／母親は自分の部屋が持てる。／住宅事情だけでなく／日本の／おんなの姿が／この話にはまざりあっているけれど／今日／スクールで習った／例題に似た英語のセンテンスを使うことで／ふたりは／顔を見合わせて／笑う。／笑うところまで／すすむ。／／いま　日本は深夜／父と母は眠っているだろう。／小さな見取り図の家を伏せると／つぎは／ドゥンビアが／陽差しの強いアフリカのはなしを／はじめた。」

感動は有無を言わさずあるということを言いましたが、「つぎは／ドゥンビアが／陽差しの強いアフリカのはなしを／はじめた」というこの最後の四行を読んだときに、感動がわいてきました。実はそこまで読んでいるときには、ドゥンビアというのは、どこの国の人というのがわからずに読んでいる。で、最後にですね、アフリカの話をはじめた。わたしは、外国でクラスメイトと話をするときに、日本の家の間取りを描いて、父の部屋、母の部屋って描いたというところで、木坂さんという人を好きだなってまず思えたんです。そういう話をする人って好きだな、と思いながら読んでいって、ああきっとこの詩を書くきっかけは、おそらくはドゥンビアが話してくれた、陽差しのつよいアフリカの、アフリカでの彼女の暮らしが、とってもきっと心に残ったんじゃないかなと思ったんですね。そのことをでも今彼女は書かなくって、ドゥンビアがその話をはじめるに至るまでを書いた。たぶん「わたし」がこういう話をしたので、ドゥンビアがアフリカの話をはじめたんだと思いますが、この詩を読んだあとに、おそらくドゥンビアという人が話したであろうアフリカの話というのが、前のほうに「わたし」のした話がそこにあるだけに、わたしのなかにひろがった。このあとに展開されたであろう話に、実はわたしは感動をしたんです。勿論一連目の「並んですわった」というところで、もうすでにとってもいい詩だなと思ったんです。向きあったのではなく並んですわったから、ことばのまだ不自由なお互いが、絵を描きあって見せあったということ。それから、とてもおもしろいなと思ったのは、父の部屋に「両手をひろげた父を描き」というところ。それからさらにもっといいなと思ったのは、「ふたりは／顔を見合わせて／笑う」って、ここまでならだれでも書けますね、でも、「顔を見合わせて／笑う。／笑うところまで／すすむ。」って書いてあります。勿論そのあとの、「小さな見取り図の家を伏せると」なんていうのも、表現としてはとてもいい表現ですけれども、わたしは「笑うところまで／すすむ。」という関係の示し方とか、この詩のしめくくり方に比べれば、「小さな見取り図の家を伏せると」というような言い方はまだ平凡なところだなっていう感じを抱いています。

先ほどわたしは、いい詩とは新しい認識を示してくれるものっていうふうにいいましたが、それは何も特異な体験とか事実をしるしたものとか、初めてのことを教えてもらったということにかぎりません。木坂さんの詩も、以倉紘平さんの詩も、本当に普通のことばで、でもそれはそんなふうに見えるだけで、ことばも構成もしっかりと選ばれて、練りあげられていて、それがいい詩の非常に大きな条件だと思いますが、でも一応は人に馴染みやすいことばで、とくに変哲のないこと、それもやっぱりそのように見えるだけで、実はやっぱりその詩人しか選びえなかったものを書いてると思いますけれども、書かれています。でも、これらの詩を読んだときに、わたしは自分の中に少しだけ何かがぎゅっと押し広げられたなっていう感じとか、新しい世界の方向に自分がぎゅっと背中を押されたなっていうことを、実感することができました。それは、ぱあーと扉が開け放たれたとか、背中をぽーんと押されて、こちらから向こうの世界へ飛んで行けたというようなことではなくて、本当に、少しだけ押し広げられたなとか、押されたなという実感なんですけれども。それはやっぱりいい詩しか持ちえない力なんだ、というふうに思っています。とても抽象的な話になりましたけれども、またあとから三人でお話しするときに、何か話せたらいいなと思います。（拍手）

パネル・ディスカッション

司会　どうもありがとうございました。お三人の話がばらばらですから、これは三人でやってもらうしかないな（笑）、という感じなんですけれども、草野さんの場合には、認識を広げてくれるとか、背を押されるとか、そういうものが書き手としても求めていきたいものだと理解してもよろしいわけですか。

草野　はい。

司会　それではまず、お三人に、質問とか、わたしはちょっと違うんじゃないかとか、そういうのがあれば出していただきたいと思うんですが。他のパネラーの話を聞いていていて感じたことはございますでしょうか。原さん、いかがですか。

原　ありません。（爆笑）

司会　いろいろ疑問などを出しあってもらいたいんですけど（笑い）。それでは、仲さんの場合には、とにかく詩を書きたくなっちゃって、偶然書いちゃったみたいな感じで、原さんの場合には『現代詩体系』をお買いになって、きっとそれは詩を書きたかったんだと思うんですけど、どうして書きたかったのかというのが、草野さんの場合ははっきりわかるんですが、原さん、そのへんはどうなんでしょうか。

原　当時わたしは生物部という高等学校の部にいましてね、日常生活は昆虫採集をやってたんです。自然の中で昆虫を追いかけたりしていたんですが、内面的な状態は、皆さんも通過していると思いますが、なんとなく不安定で、自分自身を探りたいという気持ちがあったり、まあなんとなくニヒリズムというか、そういうことでロシア文学を読んだりしていました。うちに向かって意識が動きはじめるというのがその世代の特徴じゃないかと思いますが、それがまあ動機といえば動機かもわかりません。だから、当時わたしは自分では明るいニヒリストだったと思っていましたけれど。

仲　古い話なんで忘れてしまったんですけれども、自分はとても三日坊主で、今までちゃんと続いているのは、釣りぐらいしかありません。なんか続けようということで、日記を書きはじめたんですが、やっぱり三日しか続かない。日記より短い、その頃詩というのは短いというイメージがありましたんで、詩やったら短いし時間とらへんで長続きするかもしれへん（笑い）、そのへんのところだったんですが。たまたま書いてみたら、こらええわ、短いし楽しいし、これやったら長続きしそうやなった思ったのを思い出したんです。答えになってないかもしれませんが。

司会　詩と認識について報告でそれぞれふれられていると思うんですが、仲さんが、天安門事件のことなど、社会的な詩について語るときに、使命感だけで書いてた頃のことと、その後の怒りとかの気持ちが強い場合素直に書けたというようなことが出てきたと思います。その際、これはちょっと言葉尻をとらえるようなんですが、「何も知らない人たちにも教えたい」というような表現があったと思うんですが。詩というのは正しいことを教えるためにあるのかという、そのへんについては仲さんいかがですか。

仲　教えるということばを安易に使ってしまったんですが、別のことばで言い換えますと、壺井繁治が全集のなかで言ってるんですが、民衆はいろんな支配機構に抑圧されて眠った状態であると、だから本当の民主主義とはどんなものかを知らずに、極端な場合、自分の労働を売ってもらう給料を、賃金でなくてうえからいただくもの、動かしてもらってるものと、そういうふうに本

夏の詩の学校・討論会場にて

当の社会の仕組みをわからずにいる、と書いとったわけです。教えるというのは、たしかに適当ではないんですが、眠ってる人々の心を揺り動かして、本来持っているはずの民主主義への憧れ、切望をよびさますということです。さっき原さんが言われた、個人の変革が大衆、社会の変革につながっていく、そのために、自分も新しい認識をえて、それを作品にして、それを通して眠っている人々を揺り動かすような、そういう詩を書きたい衝動に駆られたというか。そういうことだったんですけれども。

司会　原さんの発言の冒頭に、今大きな時代の転換点であって、真の詩人は少数者にならざるをえないというご意見がありました。一方草野さんの場合は、日常のなかの非常に変哲もないことを書いていきたいということを言われたんですが、詩人が少数者になるということについて、意味あいが違ってもけっこうですが、草野さんはどうお考えですか。時代の転換点をどう捉えるかということ、それと、詩人は少数者になるかというふたつの点について。

草野　わたしは最後に報告をさせていただいたんですけれど、原さんと仲さんの報告はとても納得ができました。先ほど原さんも、質問はありません（笑い）と言われていましたが、わたしも、あ、そこはおかしいんじゃないかなとか、よくわからないというところは特にはなくって、原さんが、戦争とか時代ということを前面に出してお話しされて、それはたぶん、原さんご自身が、書き手としてずうっと追求していくテーマとしておありなので、そういうのを出されたんだと思うんですね。わたしも先ほど、いい詩とはどんな詩かというところで、本当にさまざまな姿をしていたということのなかに、原さんのお話しされたような詩も勿論含まれているので、それで何ら疑問がなかったわけです。で、先ほど仲さんが眠っている人を起こすんだというようなことを言われましたが、それも納得できます。その前にまずわたしは、おまえが眠るなよという感じ（笑い）。眠っている人を起こすんじゃなくて、自分が眠らないように書くんじゃないかって。眠るというのはとても比喩的な言い方ですけれども、自分が本当に眠っていないかというのをずっと自分で確認するために書くんじゃないかと思うんですね。そのことが自分を起こすことであるから、結果的に同時に隣の人を起こすことになるということで、おそらく仲さんも、ことばでは言われなかったけれども実際の営みというか、詩を書いているときには、おそらくはご自分が、しっかりと目をあけているために書いてるんじゃないかという感じがします。で、少数者になるってことなんですが、わたしは少数者にはならないのではないかなと思います。やっぱりいつの時代も、ことばに励まされる人、ことばを信じる人がいて、そういう人たちが、ことばによって、自分を表現していくと思います。たとえば非常に才能のある若者が映像のほうにいくとか、音楽のほうにいくとか、いろいろ表現の範囲が広がりましたから、昔の文学青年みたいに、何かを表現しようっていうときに文学しかなかった時代と違って、詩を書く人口というのか、若者は減っていくかもしれないけれども、それは別に悲観することではないし、ことばを選んだものは、ことばでずっと表現していくんじゃないかなーっていう感じがして。たぶん詩人ということばにこめられた意味が、わたしと原さんとでは、ちょっと違うのかもしれないなあという感じはしてますけれども。

原　詩人というのは職業であるのかないのか、昨夜でしたか言ってましたけれども、詩人でプロとしてめし食ってるやつはひとりもいないっていうことですが、わたしも何かのときには、詩人と名前のしたにつけたりするんですけど、この頃詩人かなあと自分でも思ったりしてるんです。だから知識人と置き換えてもいいかもわかりません。その前提になるのがあるんです。ひとつはですね、今の日本の社会のなかでのいわゆる知識の状態というのが、すごく変わってきていると いうのをまず頭に入れておかなくてはいかんと思うんです。先日ある文化の集いのなかで聞かされてびっくりしたんですが、明治の終わりごろにいわゆる高等教育というのを受けたというか、需要層っていうのは、一%だったらしいんです。その頃、皆さんも記憶にあるかもしれませんが、神経衰弱ということばが知識層のなかに流行ったというんですね。それが今、なんと一九七五年の段階でいっきにふえまして、需要層が三二・四%になっているというんです。量としては非常にふえてるわけですね。にもかかわらず、今の大学生は、『少年ジャンプ』というようなものを読んで、本当の知識を求める学生が少ないということで、大学の先生が嘆いているわけです。詩人の荒川洋治という人が、「詩と思想」のなかで大変おもしろいことを言ってましたので、それを紹介します。荒川洋治のことばを、三橋さんという人が文章に書いてるんですけれども。現代の若者の存在感の希薄さを称して、「ぼくの教えている大学の文学部には、学部の雑誌はあるが、自主的同人誌はない。文学部ですら、文学活動がないのだ。当然読者もない。話題といえば、車、ファッション、アルバイト、スキー、海外旅行、就職、髪型、着るものは同じ、人生設計もほぼ同じ、その画一化は気持ちの悪いほどである」、こう言ってるんです。こういうことは日本だけじゃないと思うんです。アメリカもヨーロッパもそうなんですが、今の知識層の、真の知識の在り方っていうのが、量的にはふえているけれども、質的には非常に大きな問題があるということが、ひとつなんです。もうひとつは情報です。これはもうすごくふえていまして、一九八〇代の一〇年間に、約二倍になっていると言われてます。現在、一年間の情報量は、徳川幕府二六〇年間に匹敵するとまで言われています。しかしまあ、大多数の人は、その情報から何をすくっているかというと、詩を書いてる人が特にそうなんですが、非常に感性的なすくいかたをしてるんですね。正確な情報のキャッチじゃなくて、部分的なすくいかたをしている。ということで、自分自身の認識も含めてですが、果たして自分の考えていることが真実なのかどうかという疑いをもたざるをえない時代にきているということ。そういう状況のなかで、われわれが詩を書いていくということですから、よほど詩を書く前の知識の仕込みをしないと、いい詩が書けないだろうと。ということは、正しい意味での真の知識人になる努力をしなければ、真実の詩は生まれないだろうというふうに、わたしは仮定として考えてるんです。

草野　今のお話とは流れがちょっと違いますが、いいですか。

司会　どうぞ。

草野　仲さんの報告で、詩を書き始めて年月が経ってきたら、人の詩を、この表現はいいなという感じで、書き手として読んでるっていうようなことをいわれて、そのことばがとてもおもしろくて引っ掛かったんですけども、わたしは書き手としてのわたしも、読み手としてのわたしも、いい詩っていうのは同じなんですね。それは自分が書いた詩についてもです。先ほどの仲さんの話で、書き手として詩を読んでいくときって、いい詩っていうのはどういうかたちで現われてくるのか、読み手として読んでいたときと違うのかなというようなことをちょっと思いまして。というのは、たとえば詩を書いてない人と話をすると、わたしは自分が詩を書くひととして向きあいますね。わたしが感動して、ああこれいい詩だ、いい詩だって言っていると、「書き手っていうのは、詩に対してとっても甘いんじゃないか」っていうふうに言われて、とても意外だったんですね。書いてるひとは詩に厳しいっていうのが本当じゃないかなと思っていたからです。詩を読むと、技術的なものとか、ことばの的確さというのが、常に自分が書いていて、どんなに大変かってことがわかってるものだから、自分もこんなふうにかけたらいいな、と思ってしまうのではないか。詩を書かない者にとっては、詩を読んで自分がなにかつき動かされたなんていうことは、そうたびたびあるもんじゃない。だって、いいものっていうのがそんなにそのへんにごろごろ転がってるわけがない。それをわたしは、一日に五回か一〇回、ああいい詩だったと言う、と。一日に五篇もいい詩に出会えるなんていうのは、わたしが書き手だからであって、世間というのはそう甘くはないというふうに言われたりするんですよね。そう言われればそうかなって。あまり簡単にいい詩だって言い過ぎるかなと思ったりするんですが。そういうことがあったので、仲さんが、書き手として読むんだ、そこから何かこうね、盗んでいくっていうことを、多かれ少なかれ誰でもそういうことはあると思うんですけれども、はっきりそう言われたので、そういうふうに詩に接していくと、詩というのはどういう姿で仲さんの前に現われているのかなっていうふうに思いまして。ごめんね、長くなって、わけわかんなくなってきた。

仲　いえいえ。あの、自分が言ったことと、草野さんが読み手も書き手もいっしょやと言うたこと、あれは同じ意味やないかな思うて聞いとったんですけど、よい詩とはやっぱり文句なしに感動できる詩やと思うんですよね。それはもう、自分もそう思うんです。それを、草野さんのことばを借りれば、自分の心の欠落、あるいは詩の技法上の欠落、そういうものを埋めてくれる詩がよい詩、埋めてくれるには、やはり自分が感動せなあかんし、感動させられた作品、そういうことになると思うんですけども。そういうふうにみていくと、詩はどうなるかっていうご質問なんですが……。詩はどうなるか……。やっぱり、詩は詩……やなと（笑い）。うーん、やっぱり、詩は詩ではないかと。感動さしてくれるいい作品……。

原　すみません、いいですか。ちょっとね、ぼく草野さんのことばのなかで、欠落していくものを埋めるという詩人としての作業というかね。これちょっと気になることばなんです。欠落するっていうのは、すでにひとつのフレームがあって、そのなかでここが欠けているという、そういう考え方なんですね。でも、そうじゃないと思うんです。詩人というのは、なんらかの原点を持っているんですよね、自分のなかに。その原点というのは、たとえば、幼児体験であったり、ふるさとであったり、また三〇代のさびしさであったり（笑い）するかもしれませんが、どこを原点に取るかということは、その人の人生の一連の連なりで、原点の位置というのはわかりません。こうだというふうにはいえないと思うんです。それぞれ違う、百人百様だと思うんです。詩が百人百様であるように、ただ、われわれが詩を書くというのは、人間存在として自分自身を見つめていくわけですが、その詩的認識、詩的体験というのは、ぐるぐるまわりながら発展的に、育っていってるんですよ。だから欠けてるんじゃなくて、その発展的に、成長していく部分なんです。

芽の先のようなもの、そういうふうに理解しておいたほうが。何だかはじめにフレームがあって、そしてそのどこかが欠けているから埋めるんだ、というのはぼくはちょっと動きのない発想だと思うてるんです。人間はやっぱり、成長しますからね。それと同時に認識が深まり世界が広がりというかたちになりますから、そういう捉え方をしておいたほうがいいと。だから詩を書く場合には、一〇歳から書く人もあれば、三〇歳になって書く人もあり、五〇歳になって書く人もあると思うんです。これはどこを出発点にしてもいい、というふうに思っています。

仲　わたしは草野さんの欠落ということについて、原さんと違った見方をしたんですけれども。欠落、言い換えれば、三〇代の心のさびしさ（笑い）、心のすきま（笑い）、涙を流したい、泣きたい（笑い）、そういうものを、やさしく愛するご主人のように埋めてくれる、そういう意味で欠落ということばを使ったんではないかなと思ったんですが。

草野　ちょっと違いますけど（笑い）。

司会　今のお二人の意見に対してどうですか、その、欠落問題で（笑い）。

草野　欠落問題は、（仲さんに）心のすきまとか演歌の世界に入らないでください（笑い）。原さんのおっしゃったこと、ほんとにとてもよくわかって、あ、同じことかもしれないなと思いました。ただ、自分のイメージとしてね、人間とか生きてきたイメージとして、そういう感じがあったのでそういういい方をしただけで、表現の違いで、たぶんわたしも今お話をうかがっていて、そうだなって思いました。

仲　わたしの間違いでした。

草野　いいえ（笑い）。

原　もうひとつ、ちょっとクレームを付けます。

草野　はい。

原　さびしさって言いましたけどね。この感情もちょっと、これだけの表現では誤解を受けると思ってるんですよ。さびしさっていうのはあくまでも主体的なもので、自分自身に関わる感情なんですよね。そのあとで、他者との関係をおっしゃいましたけど、要するに人間というのは、ひとりでは存在しえないんですよ。いつも他者を求めているんです。赤ちゃんでもそうでしょ。ひとりぽつんといてるより、保育所に入れて、集団保育のなかでやってるのと違うでしょ。そういうかたちで、生まれたときから人間というのは他者を求めていると思うんです。それのはねっかえりというか、他者を求めているという人間関係のなかのひとつの反映として、さびしさという感情はあるかもしれない。しかし同時に、また喜びとか、悲しみとか苦しみとかいっぱい、そういういろんな感情が、人間として存在しているがゆえに、あるわけです。そういうふうに理解しとかないと、みなさん、さびしくなければ詩が書けないんじゃないかと誤解しちゃあいけないので。

司会　草野さん、今のはいいですか。

草野　いいです。ありがとうございました。

司会　なんか平和裡に解決しましたが、あの、黒田三郎にむかし、『現代史入門』という、結構売れた本があったんですけど、その帯に、「幸福な人は詩を書くな」というのがありまして、ぼくなんか非常にそうだなと思って、読んでくれる人も、きっと幸福じゃないから読むんじゃないかなと思ったこともあるんですね。ただ、今、原さんが言われたのは、人間の成長過程のことですから、まあそのとおりだなと思うんですが、さびしいということばだけで限定されないかもしれないんですけど、やっぱりそういうところから詩を読むひとは多いんじゃないかなとぼくなんか思うんですけどね。それはいいですか？　平和裡におわりました？　それでは、草野さんが、詩の傑作、感動することなんかが、そんなにしょっちゅうあるはずがないというような、詩を書かない方のご意見をいわれたんですが、今日の資料のなかで、以倉紘平さんの「子供の魂」というのを、草野さんと原さんのお二人が出されていました。この詩についてどこがよかったのかを、出しあってみたらおもしろいかなと思いまして、一度読んでみます。

「沖縄に上陸した米軍カメラマンの八ミリフィルムに、たちのぼる白煙を背後にして歩いてくるひとりの少女が映っている。左手に白旗をもち、裸足で歩いてくる少女が。緊張と羞じらいでいっぱいになって、トラックを行進している一年生みたいに。突如、少女はめざとく見つけた肉親に合図を送るかのように、にっこりとほほえんだのだ。前方の〈カメラ〉にむかって。なんという無邪気さ。これが〈白旗をかかげた少女〉として有名な写真だ。／／四十二年後――あの時の少女比嘉富子さんは証言した。／／〈家族の分まで生きるのよ〉匿ってくれたどこかのおじいさんとおばあさんの声が耳許に残っている。おじいさんの六尺をほとんど抜けた歯でおばあさんが切り裂いて白旗を作り、少女にもたせて壕の外に押し出した。少女はたったひとりで歩き出さねばならなかった。樹木や建物のかげにひそむ銃を意識して。ここが母や兄の息たえた土地。姉と別れ別れになった場所。風景をしっかりと目に焼きつけ、重い足どりで。けれども前方の屋上に自分を狙っている〈銃〉がある。〈こわくても泣き声を出すな、笑って死になさい〉父の最後の教えに忠実に、少女は今まさに自分を撃とうとする敵に対し、にっこりとほほえんだのだと。それはけっして無邪気からのものではなかったと。／／ああ、しかし守礼の国の少女よ、あなたは気づかずにこの世でもっとも美しいしぐさをひとつした。手をあげ、やさしくその手をふったのだ。小さな生に、沖縄の海に空に、道ばたの花に、そして自分を狙う敵に。」（「子供の魂」）

これはご存じのかたも多いと思いますが、沖縄が降伏したときに、大人では殺されるんじゃないかということで、少女に白旗を持たせて出したわけです。その場面がフィルムにとられていて、強烈な印象を与えます。そのことをいろんな人が詩に書いています。これはその中でも、お二人が非常にいい詩だなということで取り上げたんだと思うんです。が、どこが良かったんでしょうか。そのへんをちょっとお聞きしたいんですが。

草野　昨日瀬野さんのおはなしで、瀬野さんがたとえば「汗」という詩で、「鶴を孵化させることを書いた六連めまでは全部テレビで見たことです。で、最後に自分の考えが、書かれています」っていう詩を出してくださいましたよね。でもわたしはおそらく同じテレビを見た人に、その内容を語りなさいと言われたら、瀬野さんの詩のようには語れないだろうなというふうに思いました。わたしもテレビを見たり、新聞を読んだりして、それで感銘を受けることがあるんですけど、そこからなかなか詩が書けない。それはどうしてかというと、そのことについてわたしが考えたことが、そこからもう一歩深まっていかないんですね。事実の重さのみがもっと魅力的で、それにもうわたしの解説のつけようがない、というのか。本当はその事実の重さに感動したら、そこからもう一歩自分が、考えを深めていってそちらを詩にしなきゃいけないのに、ついつい思わず、テーマのおもしろさみたいなものだけになって。だから、なるだけそういうのはやめようと思ってたら、昨日瀬野さんが、「これはこういう人のお話を聞いて書いたものです」とか、「これはテレビを観て書いたものです」とか、「これは、千田夏光さんの」とかって話されて。そうか、たとえテレビを観て感銘を受けたものでも、それをどのように表現できるかっていうところで全然違うんだなと思いました。この鶴のテレビは、わたしはその時観ませんでしたけれども、「鶴が大きくなってくると／高橋さんは／飛ぶことを教えねばならない」というところを読んだときに、すごいなあって思って。人がですね、鳥に、大きくなってくると飛ぶことを教えねばならないというところで、もうとても感動して。おそらくテレビを観てた人で、その三行を自分の詩のことばとして、切り取れた人はいないいんじゃないかなっていう気がしたんですね。で、前置きが長くなりましたが、沖縄の白旗の少女っていうことに関しては、わたしはまず真ん中の連のところ、「おじいさんの六尺をほとんど抜けた歯でおばあさんが切り裂いて」白旗を作ったんだっていうのを知らなかったので、おもしろいなと思って、比嘉富子さんが、四十二年後に証言をされたというんですけれども、わたしは、これは以倉さんの証言だなっていう感じがしました。たぶんそのように話されたとは思ったんですが、比嘉富子さんが語ったままを書いたのではなくてね。たぶんに、以倉さんが語ったから、とても明白にわたしたちに伝わったものだなというのがあったのと、手を振りますね、あの少女が。とっても恐かった、「にっこり笑えよ」って言われたからにっこり笑った。そこまでは言われたからだ。無理したからだ。でも壕から出てきて、そちらのほうへ歩いて行ったときに、彼女が手をふったんですね。それをわたしたちもフィルムで見たりしてるんだけれども、その手をふったしぐさに関して見落としちゃってる。それを以倉さんがそのことにちゃんと目を止めて、どんなにおびえていて、子どもながらにいろんな使命をしょわされて、壕から出てきたんだけど、思わず手をふってしまったというのが、「子供の魂」だと言ったことに、それを「子供の魂」と名づけたところに、感動をしたんです。

司会　原さんはいかがですか。

原　おおむね草野さんが言ってしまったのですが、ぼくはこの詩が以倉さんの詩集のなかで、いちばんいいということで取り上げたんではないんです。詩集全体がまずいいなと思ったわけです。でこの詩に即して言うならば、最後から二行めですね、「やさしくその手をふったのだ。小さな生に、沖縄の海に空に、道ばたの花に、そして自分を狙う敵に。」このフレーズっていうのは、おそらく比嘉さんが、このとおり言ったんじゃないと思うんです。以倉さんの気持ちじゃないかなと思ってるんです。そこに、人間味のあるやさしさというのが出ておって、これは以倉さんの全体の詩が非常にヒューマンな作品なんですけれども、以倉さんの資質といいますか、人間的なやさしさっていうのがあります。そういうところが、反戦という大きなテーマと結びついているというふうに思ってるんで、そういう意味でこの詩は成功していると思ったんです。偽善的なというか、お上的なやさしさじゃない、本当に人間存在の根源から出てくるやさしさ、それがこの詩を作らしたというふうに思ってるんです。単にこういう場面だけじゃなくて、以倉さんの詩人としてのモチーフというのがあると。それでいい詩だなと思ったんです。

司会　どうもありがとうございました。今日は読み手として、書き手としてというのがテーマなので、読み手として求めてきたもの、それから自分が書き手として求めている詩、あるべき詩というか、最終的にここに辿り着きたいっていうものをそれぞれお持ちだと思います。変わっていくかもしれませんが。目標と現在の自分を比較して、どの程度実現していってるのか、その辺をちょっと自分で分析してもらいたいと思うんですが。原さんからお願いします。

原　実現はしてません。これから自分の詩をまた変えなきゃいかんかなと思ってます。どういうふうに変えるっていうことはまだ、考えてません。変えなきゃいかんというのは、先ほど話した、現代の状況に即して変えなきゃいかんかなと思ってるんです。どういう手法をもってするかっていうことはまだ確立していません。ただちょっとそういうことと関係してですね、第七回のH氏賞をもらった井上俊夫さんという、わたしと同じ大阪に住んでる詩人がおるんですが「詩と思想」に大変おもしろい詩を書いてまして、ちょっと紹介します。書き手としての立場で書いてるんで。「きみたちが／素知らぬ顔をしているから／突出してしまうわたし／きみたちが忘れたふりをしているから／突出してしまうわたし／きみたちが／どうでもいいと思っているから／突出してしまうわたし／とっくに古稀をすぎた無数の戦友たちよ／きみたちが／若い連中に戦争の話をしたがらないから／突出してしまうわたし／その昔むかし砲煙弾雨の下をかいくぐりながら／こんにちまで辛うじて生き永らえてきた／歴戦の勇士たちも／今や無情の風という名の弾丸に／狙い撃ちされて／次々と斃れていく／日中戦争でわれわれ兵士が／なぜ残虐行為を働いたのか／戦後五十年も経った今時分になって／このことを明らかにするまでは／死んでも死にきれない老兵として／突出してしまうわたし／突出せよ／突出せよ／一段と高く可能なかぎり／高く高く突出せよ／時代錯誤的な突出こそ／わが願い／滑稽で不気味な突出こそ／わが祈り／わが呪い／わが詩」

これは井上さんの今の願いが出てましてね、今日、詩人が本当に突出してもいいいんじゃないかと、それぞれお互いに、もっと、というふうに書き手としては思っているんです。

仲　理想とする詩にどこまで近づいているかというご質問ですが、一目瞭然、まだ全然スタートの段階だと思います。一昨日の浅尾さんの話で、自分自身が自分の独自性、どういう作品が合っているか、そういうところをわかっている人は少ないんやないかという指摘があり、まさに自分は今そういう混沌とした状況のなかにあると思いました。

草野　ちょっと自分の詩のことを今うまく語れません。ごめんなさい。

司会　ありがとうございました。ちょっと自己採点するのはむりな面もあったようです。当然、到達したという人はいないと思っていたんですが、ここらへんまではやれたかなというのを聞けたらなあと思ったんですが、それでは、会場との質疑応答に移りたいと思います。（以下略）

（一九九三・一一）

詩人論

犬塚昭夫著「断腸文庫」詩集完成によせて

生きる力を詩に求めて

犬塚昭夫の断腸文庫詩集は、今夏刊行した『鬼』と『地球』を加え、全八冊がそろった。彼の詩歴は、四〇年にもなろうかと思うが、最初の詩集『銀行襲撃』から数えて二五冊の詩集刊行は、実に多作な詩人ということができる。彼は、小野十三郎の「眼のリアリズム」の影響をうけ、一九六〇年代から社会派詩人として活躍しつづけてきた。

ところが、一九八二年八月の突然の「全小腸軸捻転症」の手術と、その後の困難な闘病生活が彼の詩法に大きな影響を与えた。一年間の病中生活で書いた『病中詩篇』、その後の『苺の味』、『断崖』、『鴉』の三部集に、彼のいう「過去からひきついできた主題に一応の区切り」を読みとることができる。

今回の断腸文庫詩集のシリーズは、大量の詩稿ができたこともあるが、彼自身にこのような少なくない詩の変革と転機があったことが、刊行の発端である。

物のリアリズムとしての『台所用具』(八九年刊)。『鳥のことば』(一九八九年刊)、『魚の言葉』(一九九一年刊)、また『五島の木』(一九九〇年刊)、『農の末裔』(一九九一年刊)などこれらの詩集にうたわれた三十数種の鳥類、五〇種の魚類、五十数種の草木、伝来考にあげられた数々の農作物などは自然と人間が等価的存在として詩的形象化され人間へのメッセージを平易な表現で伝えている。

『断腸』（一九九〇年刊）の、分身としての鴉と鬼もそうであるが、彼のいくつもの詩集は、言うなれば、その存在原点としてのふるさと長崎県五島にむかって収斂されている。

しかし、今夏の『鬼』は、原点は同じでも、ちょっとちがう。人間の生活も、地球環境も、チェルノブイリも、核廃絶も平和も、鬼の話で語られているが、それは「詩の絵本」の世界をつくっている。読んで、どこかほっとし同時に考えさせる詩的情景をもっている。

また『地球』も、少し違った主題へのふみこみを試みている。それは二六篇の「長崎断片」である。彼は、「ふりかえってみると、長崎の原爆について、今まで断片的に書いてきていたけれども、それを主題としてとりくむことはなかった」、「ナガサキが見えるようになったのは最近のことである」と言い、その結果の詩として「朝顔」「鳩」「母」「帰還」をあげている。

「朝顔」は、紺の朝顔の花とともに、原爆で焼死した母子のイメージが強烈である。朝顔の紺色が、何かを感性に問いかけてくる。

「鳩」も原爆死した少女の骨が埋もれるアスファルト道路の鳩をうたい、鳩は平和をついばんでいる。パンの耳の形をした平和を、と平和のかたちを読者に問いかける。

犬塚昭夫は、物のデッサンからすすんで、にんげんの生存の意味を問う主題へと詩的方法をひろげようとしている。それが、断腸文庫詩集なのである。今夏刊行の『鬼』、『地球』だけでなく、全冊を読んで、地球や、平和や反核について、詩のもつ生きる力を読みとっていただければ、本人は勿論のこと、「普及する会」（黒田了一代表）の呼びかけ人一同の喜びとするところでもある。

（一九九二・八）

リアリズム詩　ひとつの軌跡

犬塚昭夫「断腸文庫」詩集小論

犬塚昭夫は多作な詩人だが、詩人会議誌に作品が多く載っているとは言えない。調べてみると一九八九年以降九篇である。そのうち昨夏に全八冊の刊行を終えた「断腸文庫」詩集の作品は、一九八九年一一月号の「レニ村の木」(『地球』)、一九九〇年一月号の「片口鰯」(『魚の言葉』)、一九九二年七月号の「マングローブ」(『地球』)の三篇である。

この八冊の詩集をふくめると、犬塚は最初の詩集『銀行襲撃』(一九六三年刊)より数えて二五冊も出版したことになる。この数は、昨夏二二冊目の詩集『冥王星で』を刊行した小野十三郎に比べられるほどのものである。詩人としては旺盛な活動である。

大阪では、戦後詩の流れは小野十三郎を中心にして動いてきた。そして実に多くの現代詩人たちが輩出されたのであるが、犬塚もそのひとりで、真栄田義功、村上久雄との共著の詩集『大阪周辺考』(一九七八年刊)は、小野十三郎の「眼のリアリズム」を実験した詩集である。彼はあとがきで「小野十三郎から多くを学んだ」と述べ、「小野十三郎は、私たちが知っている最大の眼の詩人であろう。見える物をとおして、見えないものを見る方法論を、想像力の実験をとおして確立した」と記している。

犬塚は、一九四二年、長崎県五島奈留村に生まれ、中学卒業後、漁夫その他の仕事を経て、一九六二年に大阪に来て、中山製鋼社外工になって働くことになる。「大阪へ出て来た時、私は十数冊の詩のノートを抱えていた。二十歳になったばかりだった」、「五島での私は、リアリズム詩への強い傾向の中を、方法的に行きつもどりつしていた。言葉を短かく切って行替えしていく表現法なども、五島での後期の所産だった」(「私的大阪詩史」13)。

大阪に来て、彼は、この五島でのリアリズム詩の自分なりの方法化をもって詩を書くが、そのリアリティの衝撃力が弱いのではないかと不満をおぼえる。「天変地異さえ起こしかねないような、そういう強烈な衝撃力をもつリアリティが詩に欲しかった」(「私的大阪詩史」13)として書いたのが、最初の詩集『銀行襲撃』である。彼は「この第一詩集は私の詩の革命だった」(「私的大阪詩史」14)と述べている。

次のような詩である。

働きに働いた/熔鉱爐にとびこむ皮膚/銀行に貯金した/働きに働いた/肋骨は短い溶接棒/銀行に貯金した/頭は一番低かった/銀行に貯金した/ところが銀行に預金帳簿がないのだ(以下二一行略)とりもどすために銀行を襲撃するが――その時だ/どんでんがえしの床板が落ちた――　(結末の二行)

福中都生子は、彼の詩のめざましい変貌を「大阪の労働者として生きようとするとき、その意識はあたらしいメカニズムへの開眼と現実の矛盾へのはたらきかけを余儀なくさせた」と解説小文に書いている。

農・漁村から都市へ、一次産業の労働者から二次産業の労働者へ、その労働形態と生活を変えることを余儀なくされた現代資本主義社会のしくみに結びつく文学方法の当然の変わりようであったと言えよう。

彼は「私の詩的体験の原景には、二つの時期が考えられる。その一つは五島時代の少青年期であり、詩集『五島灘』（一九七四年刊）に代表される時期である。（中略）第二が一九六二、六三年の中山製鋼時代である」（一九八一年刊、『青春原景』あとがき）と書いているが、実は、こんにちまでの彼の詩的リアリズムの軌跡は、この二つの原風景の間を――つまり故郷と異郷のあいだを――もどりつ行きつしながら、変転してきていると考える。

後年、詩誌「異郷」創刊のとき（一九八二年九月）、その誌名は　小野十三郎の詩集によったものだが、小野は「異郷とは、現在いるところにその人はいないというほどの意味である」と述べていることに対し、犬塚は「その意味するところは『異郷』こそがユートピアであるとする見方と、あるべき姿ではない現実こそ『異郷』であるとする二つの見方をはらんでいる。この二つの見方は、一見、相対立する『異郷』観にも思えるが、実際は同じ現実の表と裏を表象しているといえる」（「異郷」創刊号）と書いているが、彼にとって、五島も、大阪も、どちらも故郷であり異郷であるという、入れ変わる存在としての相互の関係にある。

彼は「すでに大阪で、自分の人生の半分以上を過したが、未だに大阪が自分の肌になじまないで、うすら冷たい異郷だという感じが残っている」（「私的大阪詩史」12）と告白している。そして「大阪に定住しなければならなくなった私にとって、大阪は断崖の裂け目のわずかな土地の広がりであり、私はそこに一茎の首をのばして懸命に生きている鬼百合のような存在であろう」（「私的大阪詩史」12）と言っているが、五島と大阪はこのように彼の内面で意味が往復し、重複して、詩的主題とイメージをもつ。

詩集『断崖』（一九八五年刊）の作品である。

どうしてそんなところに根づいたのか／垂直に切り立つ断崖の中ほどの岩の裂け目／一本の鬼百合が／咲いている／／空から鳥の糞が落ちてくることがあるとしても／土も／水もない／岩の裂け目の／一所定住／／今は一輪の花を裂け目の空いっぱいにささげているが／冬は北風／潮鳴り／鷗／草は／枯れる／／でも／それでいいのだ／生き急ぐとも／生き急がなくとも／生物に永遠はないのだ／おれも腸無しで生きているが／いいのだ／生きものの生きる姿は

彼の詩のリアリズムは、書くことで自分を救うという人生的自己救済の表現として、他者（読者）に、生き方の感動を伝えたいと次第に変わってきた。それはどのあたりからだろうか。

犬塚は、一九六〇年代から七〇年代後半にかけて、ベトナム戦争や沖縄返還闘争、アジアの課題等、次々と政治や社会に積極的に取り組んだ社会派詩人として活躍し、福中都生子と『関西戦後詩史』をまとめるなど、目立った存在であった。彼の出版歴は、書いた作品順に刊行してきたわけでもなく　前後している。詩集のテーマも、『五島灘』（一九七四年刊）、『恋歌』（一九七四年刊）、『青春原景』（一九八一年刊）の自己史的なものから、『母と黄鯛』（一九七五年刊）、『ちいさい荒野』（一九七六年刊)、『今はこんなに平和でも』(一九七六年刊)、『苺の味』(一九八四年刊)のように家族をうたった詩集もある。

多分、転機の始まりは、七〇年代後半からだろうと思う。『ちいさい荒野』のあとがきに「これから自分の主題の深化にとりくもうと思う。リアリズムについても、方法についても、もう少し考えることが今はある」と書いている。

しかし、彼にとって決定的な動機となったのはなんといっても一九八二年八月の大手術「全小腸軸捻転症」と、その後生涯つづく、生存困難な闘病生活である。一年間の病中生活で書いた詩集『病中詩篇』(一九八三年刊)は、死ぬかもしれない極限状態の自己を鴉にたとえて書きとめ、その詩篇は、多くの人々に詩的衝撃を与えたのである。

鴉は/激しく何かに飢えていたので/目のまえの/自分の命を食べはじめた//目のまえに/ぶらさがっている/鰯とも/メロンともつかぬその/自分の/生涯を

それは時には俳句よりなお短い詩として表現された。この時期、彼自身も「詩的創造力が集中的に爆発していた。『病中詩篇』一冊がそれである」(「断腸自注」3)と言っている。

その後すぐ、二年間に三部集の『苺の味』『断崖』『鴉』(一九八五年刊)を矢継ぎ早に刊行する。それは、彼の詩活動にひとつの区切りをつけるようにして。『苺の味』覚書きにこう書いている。「私は、過去からの引き継いできた主題に一応の区切りが置きたかったのだ」と。

このあたりから八〇年代後半にかけて、犬塚の詩は、「人生詩」、「生涯詩」という概念をもって、強く打ち出されてくる。

「現代詩は今まで、方法的意識的に、私的生涯の人生や自己史の形象に正面からいどんだことがあっただろうか」と問い、詩の方法意識の革命が必要だと主張する。第一詩集以来の二度目の彼の詩の革命論である。

徳島によばれた詩の講演のなかで、彼はこう語っている。「詩を書くことによって人生を生きぬくことができる、そういう意味での力が詩にはあります。この詩の力を、自分の詩からくみあげて行けるような詩人でないと、詩の力の現実性は弱くなります」、「詩を書くことは、人生に役立つというのが私の考えですが、書くだけではなく読むことによっても役立ちえるそういう詩が求められているのではないかと思っています」（「詩への希望――生活・人生・詩――」）

そして彼は　詩を豊かなものにする表現技術の問題として、「今まではわかりやすい表現といってきたが、これだけでは技術論にならない。ともかく今は、詩人にも詩を書かない人にも、老人にも子どもにも、いや専門家にも素人にも興味をもたせる。そういう面白さがある詩を書きたいと思う。そういう詩の土台になる表現技術の確立が必要だと思う」（一九八八年、「異郷」三八号編集後記）と主張する。

今回完結させた「断腸文庫」詩集シリーズは、このような考えに基づいて書かれた作品である。「断腸文庫という詩集のシリーズを計画するに至ったのは、一九八八年に私の詩に少なくない変革があったからだが、それは転機でもあり、同時に大量の詩稿ができたからでもあった」（「断腸自注」１）

『病中詩篇』の余波のようなものが残っていて、あまり詩が書けなかった彼は「物のデッサン」から詩作を始める。『台所用具』(一九八九年刊)の詩篇は、こうした物のデッサンから生まれた(「断腸自注」3)、同年刊行の『鳥の言葉』は三十数種の鳥類をとりあげているが、「私は自然と等価的存在として野鳥を選んでみた」(「断腸自注」9)といい、「野鳥は人間に対して、あるいは以前から多くの信号を送りつづけてきたのかも知れない。そうだとしても人間の側に野鳥の信号を受信する心がなければ野鳥の信号、つまり野鳥の言葉はつたわらないのだ」(「断腸自注」5)として、詩作品を、自然の「人間へのメッセージ」を伝える芸術的形象として位置づけている。

これは、五十数種の草木を書いた『五島の木』(一九九〇年刊)や、農業や漁業にこだわりつづけ、「農村や漁村にユートピアの原点を展望したいからでもある」(「断腸自注」16)と、『伝来考』に書かれた数々の農物や、五十種におよぶ魚類などを詩の素材として登場させている『農の末裔』『魚の言葉』(いずれも一九九一年刊)の二冊も同様の手法である。

これらの詩集と少し表現世界を異にするのは、『断腸』(一九九〇年刊)と『鬼』(一九九二年刊)である。ここに登場する鴉も鬼も彼の分身である。この二つの形象は、ずっと以前から、彼の作品にしばしば表わされてくる。負の世界を背負った形象としての鴉、また人間とも鴉とも親しく対話のできる一つの思想として想定されているような存在の鬼――詩の世界で、時に鴉になったり、鬼になったりする彼――「それはわたしという主体がかかえこんだ人間世界の現実の自由の問題であり解放の問題であるということだ」(詩集『鴉』覚書)。

今度の詩集『鬼』は、詩の絵本である。人間の生活も、地球環境も、チェルノブイリも、核廃絶も平和も、読む人をほっとさせ、考えさせる鬼の世界である。今までの鬼とはやや異なる。

それとは別の一冊『地球』（一九九二年刊）の二六篇の「長崎断片」は、新たなる主題へ踏みだしている。

「ふりかえって考えてみると、長崎の原爆について、今まで断片的に書いてきていたけれども、それを主題としてとりくむことはなかった」、「私の存在原点は、ナガサキに近いと思う」、「ナガサキが見えるようになったのは最近のことである」「『朝顔』、『鳩』、『母』、『帰還』などは、ナガサキが見えてきた結果としての詩だといっていい」（「断腸自注」20）。

ここで犬塚は、「眼のリアリズム」から「物のリアリズム」へさらにすすんで、人間の生存の意味を問う主題へとリアリズム詩の方法を展開しようとする。あえて平易な表現で、しかも読むことで生きることや、変革することに役立つように——「鳩」の詩である。

原爆で死んだ少女は／骨だけになって／そのまま／そこにいる／骨は／だれにも拾われないで／気づかれもしないで／／骨の上を／灰がおおい／土がもられ／その上にアスファルトがしかれ／道になり／木も植えられ／（略）その道の下に／少女の骨が埋もれていることは／鳩は知らない／ただ無心に／鳩は平和をついばんでいる／パンの耳の形をした平和を

八冊の「断腸文庫」詩集は、犬塚の生命をかけての新しい読者へ呼びかける詩人としてのチャレンジかもしれないと思っている。

（一九九三・四）

比喩としての分身の自由

犬塚昭夫詩集『自由』について

私は、一九九三年四月に「詩人会議」誌に、犬塚昭夫の「断腸文庫」詩集小論を書いた。それまで「断腸文庫」詩集は八冊刊行していたが、その後も引き続いて、彼は、「断腸文庫詩集」を刊行し続けている。

順をおって列記してみると、一九九四年に、⑨『良寛』、⑩『寒山拾得』を、一九九六年には、⑪『こころに出あう旅』、一九九七年は、⑫『あの山越えて』(山頭火抄)、一九九八年、⑬『峠の歴史』、一九九九年、⑯『友誼』、そして今回二〇〇二年に、⑭『私的生活』、⑮『自由』の二冊が出版された。前年に「この一年間、私は本も読まず、詩も書かず、はり絵にとりくんでいた」と彼は書いているが、長年の仕事を退職して、少しは収入のことも考え、かねてから作品づくりを試みていた「はり絵」という絵画表現に取りかかるのである。

これらの詩集以外に、一九九九年から毎年一冊ずつ、『断腸自注』『晴耕雨読』『詩の方法』という、これまで詩誌「異郷」に書いてきたものを一冊にしたエッセイ集も刊行している。そして、これからの続巻として、あと八冊の詩集を予定している。一九八二年の「全小腸軸捻転症」の手術から二〇年が経ち、体力的にさまざまな障害を引きずりながら、最近は外出も思うようにならない生活であるが、詩作については相変わらず旺盛である。

今回の二冊の詩集のうち、『私的生活』には、一九九四年から九九年までのそうした生活の側面が書かれている。

そこで、もう一冊の『自由』について、評を書かせてもらうことにする。実は、この詩集は、詩人犬塚昭夫の現在の精神的状況と、彼の詩法の特徴が読みとれるからである。

まず詩集の表題である。人間にとって自由は、最大の願望であるし、幸福感の最高条件でもある。自由とはどういうものなのか。ご存知のように日本国憲法には、この自由について法文が明記されている。

私の知るところでは、政党においても、日本共産党の『自由と民主主義の宣言』として、国民が享受すべき自由は、生存の自由、市民的政治的自由、民族の自由の三つの自由を掲げている。このように本来、自由への願望は、人類の歴史的な社会発展のなかで、かなえられてきたものと言えるだろう。

彼のこれまでの既刊詩集の中にも繰り返し「自由」という題の作品を書いている。『良寛』に一篇、『寒山拾得』に一篇、『こころに出あう旅』に一篇、『あの山越えて』に一篇、『私的生活』には二篇がある。

「自由」は既に、歴史的、社会的には定義されてきているが、個人にとって、とおい存在だったり、どこにあるのか判らないもの——すなわち、生きていく軌跡の、途上の常に矛盾する欲望ともいえる。それは生命のもつ必然でもあり、いのちの核《コア》に相当する概念でもある。

ところで今回の『自由』という詩集には表題の作品は五篇しかなく、後の四四篇は「鴉」が表題作品となっている。

不思議な気がしないでもない。この鴉が、犬塚の詩に表われはじめたのは『病中詩篇』（一九八五年刊）からであると思うが、その後刊行した『鴉』という詩集で、鴉を「書いたのは一九七〇年代の初めの頃で」とあり、「鴉を自己の分身として形象化するようになったのは、二十年位前になるかも知れないが、それが本格的になったのは、一九八二年に病気になり、死ぬか生きるかといわれた時である。その頃から私を越えた存在としての『私』を観じるようになり、精神とこころと肉体を別々に客観するようなことがおこり、その結果として分身形象に行きついたといえるだろう」と言っていることで、それまでの潜在した負の意識（社会に対する劣等感）が、詩における比喩として形を成したといえる。

だが、彼はそうした負の存在をあるべき人間の側へ逆転させて、人間の全的解放という立場をとる詩の作用や詩の働きを方法と考えたようである。

鴉は「私」であって「私」でない生きものとして、さまざまな言動を行い、その時の彼の精神性を表象してみせるのである。そこでは現実の鴉のもっている生き物の属性は、およそ問題とならない。一般的な意味性も同様である。

さまざまな鴉の行為は、「自由」への欲望を表象してみせる。分身という解き放たれた心理的な身軽さの故に――。

ところで、私は、フランツ・カフカの『変身』という小説を思い出していた。主人公のグレゴール・ザムザは、ある朝、ベッドで虫に変身して目覚める――ということから始まるストーリーである。カフカは、この小説で、人間の条件の不合理性を描こうとした。

　分身と変身は、心理の根っこは同じだし、不条理な存在に対する願望としての心理的働きも同じ、その願望は、現実に抗しきれないところから、弱い人間（いかにも人間らしい行為）としての抵抗する心理が生みだす働きではなかろうかと思う。

　こうした願望は、実際に行為する人、また演技する人、心の中だけで思う人に分かれるかもしれないが、詩表現の特質として、書くことによって、客体化し、自己完結させるわけで、今回の特集はそういう表現の自由が、本来の自由と重なり合っていると言えるのかもしれない。


（二〇〇三・一）

心に残る一篇の詩

萩原朔太郎の「旅上」

高校生の頃、詩を書き始めたが、北原白秋の模倣から始まった。当初は、日本近代詩をもっぱら読み、萩原朔太郎や萩原恭次郎の詩を、なんとなく真似てみて青春の未熟な感情を書き留めていた。それから高校を卒業して、地元の捺染工場に就職し、現場労働者として働き始めたが、精神の行き場として、詩作の行為があった時期に、この作品に出会ったのである。それが萩原朔太郎の次の作品である。

旅上

ふらんすへ行きたしと思へども
ふらんすはあまりに遠し
せめては新しき背廣をきて
きままなる旅にいでてみん。
汽車が山道をゆくとき
みづいろの窓によりかかりて

われひとりうれしきことをおもはむ
五月の朝のしののめ
うら若草のもえいづる心まかせに。

この作品は、大正一四年八月に新潮社から発行された『純情小曲集』に収められている。詩集は、「愛憐詩篇」と「郷土望景詩」の二つに分けられている。処女詩集『月に吠える』から数えて第四詩集にあたるが、それまで、大正一二年に第二詩集『青猫』と、第三詩集『蝶を夢む』を刊行して、三七才にして詩人の地歩を得ていた。

私が、この詩にひかれたのは、当時の生活が、一日一〇五円の労働で拘束されているという日常の現実から抜け出たい思いがあって、よく駅に行って、旅行用の宣伝ポスターを見ては旅をすることを想像していたからである。

最初からの四行が、その願望に同感できるフレーズだったからである。勿論、当時は「ふらんす」などに行けるなどとは、到底考えられないことであったが――。

今日、青年をはじめ多くの労働者は、派遣労働という非正規労働者として、憲法二十五条をないがしろにする非人間的状況におかれている。その時、一篇の詩が心を癒し、生きる力を与えるとしたら、あの頃の萩原朔太郎の「旅上」に共感した私に重なるのではないかと思う。

さて、朔太郎が、この詩で言う「ふらんす」は、七才年上の永井荷風があこがれたヨーロッパの多分に芸術的な理想主義とエキゾティシズムと同じ感触であり、「ふらんすはあまりに遠し」という距離の感覚は、不可解な故にますます高まっていく朔太郎の憧れの感覚とも言える。

この作品は、大正二年五月、「朱欒」に「みちゆき」（のち「夜汽車」と改題）ほか五篇が掲載されたうちの一篇である。これが詩壇への本格的な第一歩であった。

外国行きを父に拒まれたとき、「きままなる旅にいでてみん」とうたった「旅」は、朔太郎にとって願望から現実の世界に向かって心を動かすフレーズとなった。

朔太郎の詩には、「夜汽車」のイメージがよく登場するが、この作品は、山道をゆく「みづいろの窓」の汽車であり、われひとりうれしきことをおもはむ「旅」でもある。

しかし「夜汽車」のイメージはその後の朔太郎の歩みを象徴して、『新しき欲情』に収められた散文詩ふうの「夜汽車の窓に」の「真っ暗な恐ろしい景色を貫通する」、「いづこへ、いづこへ、私の汽車は行かうとするか。」と行方の判らないニヒルな暗欝さとして描かれている。

このように、朔太郎の詩の世界には二元性があると言われ、この二元性を、彼自身次のように言っている。「詩人としての出発以来、私は常に二つの文学を対立的に書き続けてきた。一は『月に吠える』『青猫』等の抒情詩であり、一は『新しき欲情』『虚妄の正義』等のアフォリズムである」。

この二元性は、同じ詩においても、『月に吠える』や『青猫』があり、他方に『郷土望景詩』や『氷島』があることにも表れていると言う人もいる。

「ふらんす」には行けないが、「せめては新しき背廣をきて」と言うとき、不可解な願望から、可能な現実に意識を転化してしまった朔太郎の心理は、「郷土望景詩」の「望景」に、「希望」と「絶望」の双方の「望」が多分に含まれているといわれることに相通じるものがあるかもしれない。

ともかく、大正から昭和にかけての「良き」時代に、近代詩の旗手として活躍した萩原朔太郎という詩人の詩作品には、私は、悩める魂をもった人間の魅力のようなものを感じ、好きな詩人の一人として掲げてしまうのである。

（二〇〇九・一一）

心に残る一冊

『自選　谷川俊太郎詩集』

谷川俊太郎と言えば日本を代表する詩人だから、これまで百冊近い詩集などの著書を刊行しているのではないかと思う。そのすべてを読んでいる人はと言えば、稀有な存在と言えると推測する。今回、岩波文庫から出版された『自選　谷川俊太郎詩集』は、まさに自選なので、谷川さんのファンなら、読むべき恰好の一冊となるだろう。私もその一人としてこの岩波文庫を手にしたのである。

谷川さんは、関西にはなじみの深い詩人だ。大阪芸術大学教授の山田兼士さんの招きで、二〇〇〇年一〇月から、六回にわたり芸大の文芸学科の特別講義を、山田さん、田原さん、学生たちと行っている。また、大阪文学学校においても同様の催しを行い、これには、私も参加させていただいて、二〇〇七年一〇月の時などは、谷川さんの最初の詩集『二十億光年の孤独』を持参して、サインを戴いた。また、豊中の市民会館で開かれた、国語教育の研究大会に、谷川さんが講師で来られるというので、出かけたところ、駅の公衆トイレで、ばったり顔を合わせ、会場までご一緒したこともある。谷川さんは、本当に飾り気のない気さくな詩人で、「ココルーム」の詩人、上田假奈代さんとも、あいりん地区釜ヶ崎を歩いて『路上』という作品を書き、朗読もしている。何度かお会いして、親しみの湧く詩人というのが、私の印象である。

今回の『自選　谷川俊太郎詩集』は、五八冊の詩集から自選で一七三篇の詩を選んでいる。冒頭に、一九五二年刊行の最初の詩集『二十億光年の孤独』の作品が載っている。続いて『一八歳』（一九九三年刊行）と『62のソネット＋36』（二〇〇九年刊行）の作品を挿入しているが、後は刊行の年代を追って作品が載せられているから、谷川さんの多様な作品の変化のようなものも、合わせて読み取ることができると思う。

さて、どの作品を紹介するか、字数の少ない原稿では無理なので、テレビのBS朝日が「世界人間旅行・あの人に逢いたい」で谷川俊太郎さんを訪ねる番組があって、ナビゲーターに杏さん、俳優の竹下景子さん、雅楽師の東儀秀樹さんが、谷川さんの詩を読む番組が放映されたので、その作品を列記する。「十二月」「ありがとう」「ごちそうさま」「私たちの星」「さようなら」「闇は光の母」である。朗読の後の谷川さんの受け答えが、とても興味深い。また詩集の解説を書いた山田薫さんの文も同様に興味深い。

（二〇一三・八）

書評　明珍昇著『小野十三郎論』

巧妙でキューヴィックな詩人論

詩人小野十三郎を、この本のように包括的に論じたのは初めてではなかろうか。

小野十三郎は、現代詩入門書や、作品鑑賞、詩人論などに登場する代表的詩人のひとりであるし、この大阪の戦後詩をふり返ってみても、関西圏から輩出した詩人たちは大抵小野十三郎とのかかわりで出発している。

明珍昇著の『小野十三郎論』は、常套的な自伝的資料、詩論その他エッセイ、詩集、他者の著述文の四つの素材を使いながら、文献的、並列な構成でなく、一〇章におよぶ命題をたてて、それぞれの論旨にあわせ、自伝的な生いたちや、風土や、社会や時代、また詩人の詩業などを巧みに抽出して、核心を明らかにするまとめ方をとっている。それは、幾つもの論理の塊を形成して、一冊に組み立てているように思える。

ところで本論は、当初「関西文学」に連載されたが、今回出版するにあたり、連載時の配列を変え、内容部分も相当に削除、加筆して、分類的課題に小題をつけて、非常に本としてはゆきとどいたかたちに仕上げている。

それ故、この『小野十三郎論』は、読者にとって、興味深く、読みやすく、理解しやすい一冊と言えるだろう。

明珍氏はまず小野十三郎という詩人像を、「日本的伝統の世界に対決する日本現代詩の成立の基盤をさぐってきた詩人」だと規定する。そして一〇章に分けて、その証明を行うわけだが、それぞれを容易に解説できるわけでもないので、私は、読者の立場から、この十三郎論のマスター・キイのようなものを抜き出してみたい。それは全体を貫いている基軸のような問いである。

大方の人々は、ご承知のように、小野十三郎は「短歌的抒情を否定し、歌とは逆に歌に」を世間に宣言した詩人である。

明珍氏は、それに対し「小野十三郎はなぜ『歌』にこだわるのだろうか」と問うのである。

小野十三郎の不滅の名著といわれる『詩論』で、十三郎は「『歌』で仕事をしている詩人の芯の弱さ。」(『詩論』70)と書き、次項から、いわゆる「短歌的抒情の否定」論を展開している。

本では、小野十三郎の文学的人生の軌跡から、これを解き明かそうとして、大杉栄のアナキズムなどへの傾斜、東京遊学、「赤と黒」との出会い、新興芸術派とその影響など書きすすめている。そして、もうひとつの面では、詩集『風景詩抄』の作品分析、風景論の形成(『詩論』30・31)、また十三郎の戦中詩への自省と、戦後の詩集『大海辺』にいたる作品論を展開して、「歌」にこだわる反面性として確立されてきた小野十三郎のリアリズムの詩法にふれている。

明珍氏は、小野十三郎が、戦前、戦中の社会や文学とのかかわりで「自己をとりまく時局の弾圧の下で、物としての瞳を据え、夢や虚構を呼び込む賭けとしての詩的リアリティの獲得——メタフォアとしての物質への潜入をめざす」ことで、詩法が確立してきたと論じ、実証するのである。

「その詩と詩論はつねにその歴史の現実の中で培われ、時代者としてその摩擦の痛みに自己を課すことによってその詩的世界をますます強固に尖鋭に構築する受難としての前衛の姿であった」とまとめている。これが「歌」にこだわった小野十三郎の姿なのである。

もうひとつの基軸となる問いは、小野十三郎はなぜ「大阪」にこだわるのか、である。

明珍氏はこう書きだしている。「小野十三郎と『大阪』の生涯的とり合わせとして、これくらい因縁的で即物的なものは、またとあるまい」。

このこだわりの論理を、明珍氏は詩集『大阪』の作品分析にとどまらず、大阪を離れたり戻ったりの生いたちから、詩人の内面形成で、いかに「大阪」は心象風景たり得たか。そして、思想として成熟させた風景論、風土感。その敷衍するところの「十三郎の郷土感」から、「旅」や「土着」の意識にまで視点がおよぶ。つまり「大阪」は、小野十三郎にとって、生涯かかって形成してきた論理のよりどころであると解析する。それは「東京に対抗する俗を含めて、反権力の土壌の基点なることに誇りさえもちえた」場所なのである。そこに居るからこそ、リアリズムの詩法をつくりだすことができたとも言える。

明珍氏は「大阪」の分母的役割を担うものが「葦」であるという。

「この葦こそ、わたしが自分の眼でもって発見した最初の植物」、「わたしはこれを発見（！）するために、実に三十年の歳月を要したのだ。」（『奇妙な本棚』）

明珍氏は、この比喩的な存在物が、十三郎の詩では、どのように表現されているかを、多くの作品部分を引用しながら、実に丁寧に論じている。このあたりも読者にとって興味深く教えられるところであろう。

読者は、小野十三郎の「歌」と「大阪」へのこだわりの解答をぜひこの本から読みとってほしいと思う。

話は変わるが、私は一九五五年に小野さんの家を訪れたことがある。その時、例のピカソの「ゲルニカ」が飾ってあったのが印象に残っている。それは『日は過ぎ去らず』に小野さんが記述しているように、詩人池田克己からもらったものである。

数年前に再び訪れたとき、改装された応接間兼居間に、鉛筆やコンテで描かれた青木業平氏の樹木の作品とともに、やはり「ゲルニカ」がかけられていた。小野さんはこのピカソの絵が大変気に入っていたようだ。

なんだか私は、小野十三郎の詩業は、この「ゲルニカ」と同じではないだろうかという気がしている。ピカソのエスプリと、リアルだがキューーヴな表現方法と詩法に共通すると思うのである。

この明珍氏の『小野十三郎論』も、そうした詩人の全体像を表すため、まさに詩人論としての組み立てを、キューーヴィックに構成して成功したと言えるのでないだろうか。

（一九九六・八）

哀悼・小野十三郎

小野さんのその先のリアリズムへ

小野十三郎さんに最初にお会いしたのは、私が大学生の時で、一九五五年秋、学内での詩の講演を依頼するため、阪南町のお宅を訪ねた時である。

当時、私は詩を書き始めていたが、小野さんの詩論も詩集もまったく読んでいなかった。

一九五七年二月の私の日記に、その前年に出版された小野さんの評論集『詩と創造』を読んだと記述しているが、この時が初めてであったと思う。一九五六年四月に小野さんの第九詩集『重油富士』が出版されている。長谷川龍生さんが追悼文で述べているように、小野さんの詩法は、一九五二年の詩集『火呑む欅』から、この『重油富士』を経て、一九七四年の詩集『拒絶の木』により「ほぼ革新の仕事を成しとげるに至った」という円熟期に、私は、小野さんにめぐり会えたということだった。

日記によると、一九五七年六月一七日に「現代詩」の初の関西会合がユマニテ書店でもたれ、報告者は井上俊夫氏と書いている（この書店は道頓堀角座近くにあった本店で（小野）十三郎の足だまりの一つとなり、のち浜田知章編集『山河』の発行所にも短期間宛てられた。／寺島珠雄編・小野十三郎年譜より）。

この「現代詩」研究会は、一九五八年に梅田の郵政会館に会場を移しているが、日記に、小野さんがこの研究会に出席したことを書きとめているのは、一九五九年四月六日で、出席者は、小野さんの他、乾武俊、菊地道雄、金時鐘、清涼信泰、関根宏、谷川雁、井上俊夫、浜田知章、港野喜代子などとなっている。

この時は特別な会合だったのかもしれない。

私の日記に小野さんの名前が記されているのは他に、一九五七年六月二一日と一二月三〇日で、場所は喫茶ルルで、小野さんに会ったと書いている。当時私はルルへよく行っていたが、小野さんは「法善寺の水かけ不動の筋向いにある列車食堂みたいな小さな細長い喫茶店で、ここを私が根城にするようになってからなんと二十年になる」(「サテン文化人」一九七二年九月)と書いている場所である。

詩人小野十三郎さんとの出会いは他にもあるが、詩作品からの影響は漠然としていて、唯々、リアリズム詩人の巨きな存在として見ていたのかもしれないと思う。

今は、小野さんの「眼のリアリズム」から「映像のリアリズム」、そして、その先の方法論へと受けついで、いかにそのリアリズムを発展させるかが私の課題となっている。

(福中都生子編/著『子供たちに贈る二十一世紀への証言』一九九七・八・一五)

小野十三郎「大怪魚」

昭和の名詩と言えるか判らないが、小野十三郎の作品から挙げるとなると幾つもの選択が考えられ、結局私の恣意によった。それが、小野さんの長い詩歴の第三期と言われている詩集『火呑む欅』に掲載されている「大怪魚」である。これはネーデルラントの画家ブリューゲルの銅版画「大きな魚は小さな魚を食う」の寓意を作品にしている。

この詩を書いたのは、おそらく一九五〇年か五一年だと思う（犬塚昭夫）。当時は朝鮮戦争の最中で、アメリカ占領当局は警察予備隊の創設、海上保安隊増員などを行い、旧軍人などの公職追放を解除し、占領政策を再軍備の方に大きく舵を切ったときである。同時に国内ではレッドパージやさまざまな弾圧事件が相次いでいた。

アメリカ帝国主義を大怪魚とすれば、そこに飲み込まれていく国民がいたという当時の権力の構図を、小野さんは超現実的形象にして「大怪魚」を書いた。小野さんは間違いなく時代の本質を、ブリューゲルの絵の不気味な夢につなげて、この詩を書いたという。だから、作品の終連「いまだに／死臭ふんぷんだ」というフレーズは、時代の本質が変わっていないこんにちでも当てはまる。

（二〇一一・五）

金時鐘と「長いものを書く会」前後

詩人、金時鐘と知り合ったのは、一九五〇年代の後半である。私は一九五三年に和歌山大学に入学して、サークル詩運動を始め、その前年に詩集『面』を出版していた詩人、乾武俊の「Q」という詩誌の人々と交流を始めたばかりであった。そして一九五五年秋に大学祭に、詩人小野十三郎を招いて文学祭を開催した。その翌年は、機械詩集の詩人、田木繁を囲んで現代詩座談会を行った。そして一九五七年に、私の自選詩集の年譜に書いているように、いつ頃からかはっきり判らないが、「現代詩」の和歌山研究会が発足していたが、大阪に出ることも多かった関係から、確か、乾武俊のさそいがあってのことと思うが、六月に、大阪の「現代詩」の会合が行われて、そこに参加した。日記によると、一九五七年六月一七日に「現代詩」の初の関西会合がユマニテ書店でもたれ、報告者は井上俊夫と書いている（この書店は道頓堀角座近くにあった本店で小野十三郎の足だまりの一つとなり、のち浜田知章編集「山河」の発行所にも短期間宛てられた【資料1】／寺島珠雄編・小野十三郎年譜）。乾武俊は勿論、「山河」の井上俊夫、木場康治、「ヂンダレ」の金時鐘などが出席していた。したがって、恐らくこの時が金時鐘との最初の出会いではなかったかと思う。

金時鐘は既に一九五三年二月に「ヂンダレ」第一号を創刊し、三月、六月、九月、一二月とたて続けに二号から五号まで刊行していた。翌年の五四年にも、六号から一〇号まで刊行しているし、五五年には、一一号から一四号までを刊行していて、かなり旺盛な活動をしていた時期と推察される。金時鐘は、この翌年（一九五六）の二月一九日に詩集『地平線』を出版し、出版記念会を、東成区東小橋北之町二丁目六〇番地にあった「朝鮮人会館」大ホールにて行った【資料2】。会費は五〇円だった。金時鐘は病院をぬけだして出席した。この第一詩集は、八〇〇部限定・定価二五〇円。序文小野十三郎である（金時鐘著『原野の詩』掲載の年譜〈野口豊子編〉）。小野十三郎は、この詩集のことをこう書いている。「ここに収録された金時鐘の詩は、まぎれもない日本語で以って書かれた詩であるが、そのどの一つを見ても、それは金君の母国朝鮮が今日たどってきた歴史の苦渋の皺にきざまれている。しかし、その韻のひびきは、私がこれまで感じていた朝鮮民族詩独特の一種言うにいわれぬ哀調とはややちがった性質のもので、どこかからっとして明るいのである」。それに対して金時鐘は、あとがきで「みなさまのお陰で、私の処女詩集をだすことができました。心からお礼を申しあげます。詩集とは申しましても、ごらんの通りの寄せ集めのものばかりですし、その中のほとんどは、もう何らかのかたちで発表ずみのものばかりです」、「なお集録された作品は、一九五〇年から今年九月までの四七編となっていますが発表した当時の基準において、ほとんど手を加えないままここに上梓していますので、（中略）因みに、表題は希望と望郷を託すつもりで、『地平線』としたことを申しそえておきます」と書いている。

この第一詩集『地平線』が出版された当時の時代背景や表現について、呉世宗著『リズムと抒情

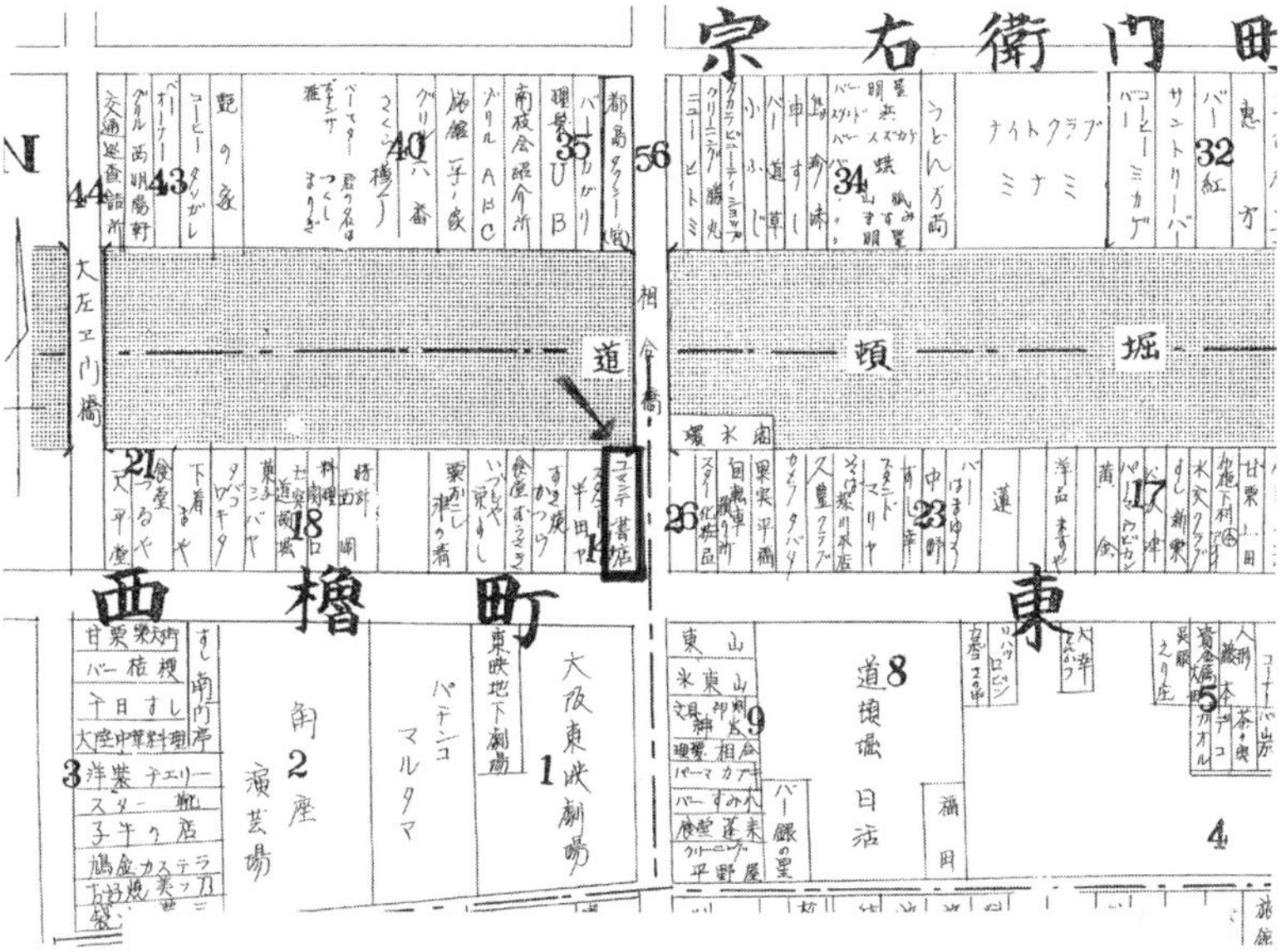

▲【資料１】
現代詩大阪研究会の会場となったユマニテ書店（書房とも書かれた）。
筋向かいには、角座演劇場、大阪東映劇場があった。

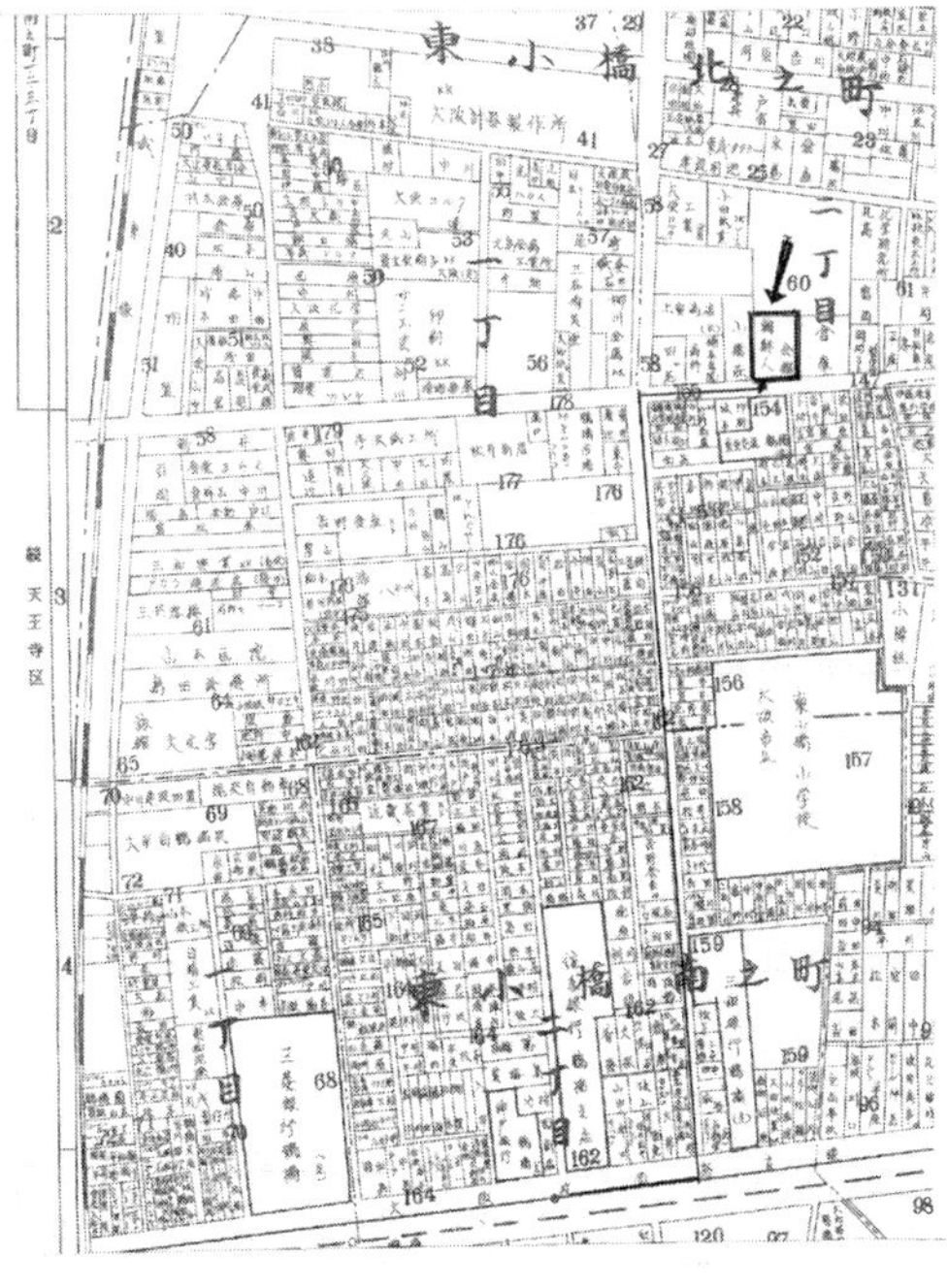

◀【資料２】
金時鐘詩集『地平線』の出版記念会会場となった「朝鮮人会館。『ヂンダレ』の公開合評会もこの会場でおこなわれた。市電「鶴橋本通り」下車、東小橋派出所とくすり右剣堂のあいだを北にいったところ。

の詩学――金時鐘と「短歌的抒情の否定」』のなかに、かなり詳しく書かれている。まずこの詩集が出版されたときは、「野口豊子による詳細な年譜によると、金時鐘は心筋障害のため生野厚生診療所に一九五四年二月から約二年半入院している。『地平線』は金時鐘の闘病資金と余命を気遣ったために、八百部限定で出版されたという」と。そして、当時の日本共産党の政治路線の動向と、一九五二年の吹田・枚方事件、「破壊活動防止法」の公布・施行によって、実質的に文化闘争へと転換を余儀なくされる経緯にふれている。「また朝鮮戦争が膠着状態となり、共産党は反米・反李承晩・反吉田の機運を高めるために民衆の声を集める必要もあった。『ヂンダレ』はこのような方針転換と組織的戦略の要請から、一九五三年二月一七日に創刊されることとなる」（呉世宗『リズムと抒情の詩学』）。

金時鐘自身は、「ヂンダレ」創刊の経緯について、「シンポジウム　いま『ヂンダレ』『カリオン』をどう読むか」（ヂンダレ研究会編『在日と五〇年代文化運動――幻の詩誌「ヂンダレ」「カリオン」を読む――』所載・人文書院刊）で語っている。

詳しく引用しないが次の部分を紹介しておこう。

「ヂンダレ」創刊号は、私が肺炎による危篤状態をようやく脱した数日後に、日本共産党の党籍を持っている「ヂンダレ」メンバーの友人四人が学校の宿直室の私の枕元に来て、編集しました。ガリは、「西の地平線」を書いた朴実君が私の枕元で三日がかりで切ってくれました。創刊号を出したあとには、私は配置転換になって学校を離れ、民戦大阪府本部に詰めながら、大阪の各地に五〇くらいのサークルを組織し、その連合体として大阪朝鮮文化総会を作る、という仕事をやるようになります。そのような経緯ですから「ヂンダレ」を始めてみたものの、何人か物を書いたことのある人がいるという程度で、あとはずぶの素人さんばかりでした。

その後の「ヂンダレ」を巡る批判などについては、先の呉世宗の本に詳しく書かれているので、省略したい。ただ、「『地平線』においては、『新潟』で開花することになる思想やモチーフが、既に萌芽的に散見される」と書かれていることを紹介しておく。また金時鐘が参加した「吹田事件」についても、長編の詩集『新潟』の作品とのかかわりがあるが、これについても金時鐘が、「吹田事件・わが青春のとき」において語っているので、読んでいただきたいと思う（金時鐘著『わが生と詩』岩波書店刊）。勿論、何回か講演もしている。最近では、「吹田事件」六〇年を記念した集いで金時鐘は、「今なぜ回想するのか『吹田事件』」と題して講演を行っている。新聞記事では、金さんは「爆弾兵器を積んだ軍用列車を一時間遅らせると、祖国の同胞が一千人助かると言われ、必死の思いでデモに参加した」と話していると書かれていたが、金時鐘の生涯では、恐らく一九四八年の済州島四・三事件と合わせて人生観を決定づけるほどの体験だったと思われる。

ところで金時鐘は、どうして詩を書こうと思うようになったのか。

年譜（野口豊子編）によると、一九四八年に「たまたま立ち寄った大阪難波の古書店『天牛』で小野十三郎著『詩論』を手にいれる。詩人小野十三郎の思考秩序が切り開いて見せる抒情の科学との衝撃の出会いだった」。この天牛書店は、宗右衛門町四〇番地にあった。道頓堀川が後ろを流れている場所で、道頓堀筋をはさんで、向かいに中座や松竹の浪速座などがあった【資料３】。私もよくこの店で古書を購入したが、当時の店主は、今の社主の祖父にあたる天牛新一郎で、店は一九七九年まであり、その後周防町に変わっている。そして一九八八年に、現在の江坂に移転した。

　年譜（野口豊子編）によると、一九五〇年五月二六日の「新大阪新聞（夕刊紙）」に詩作品「夢みたいなこと」が掲載されたのが、最初の作品となったとある。それは新聞で、「働く人の詩」の募集があって、金時鐘は、工員林大造の氏名で投稿していて、選者の一人に小野十三郎がいたことが、そのきっかけだった。その作品は、第一特集『地平線』に収録されているが、日本語による最初の作品となった。その詩作品「夢みたいなこと」を紹介しておきたい。

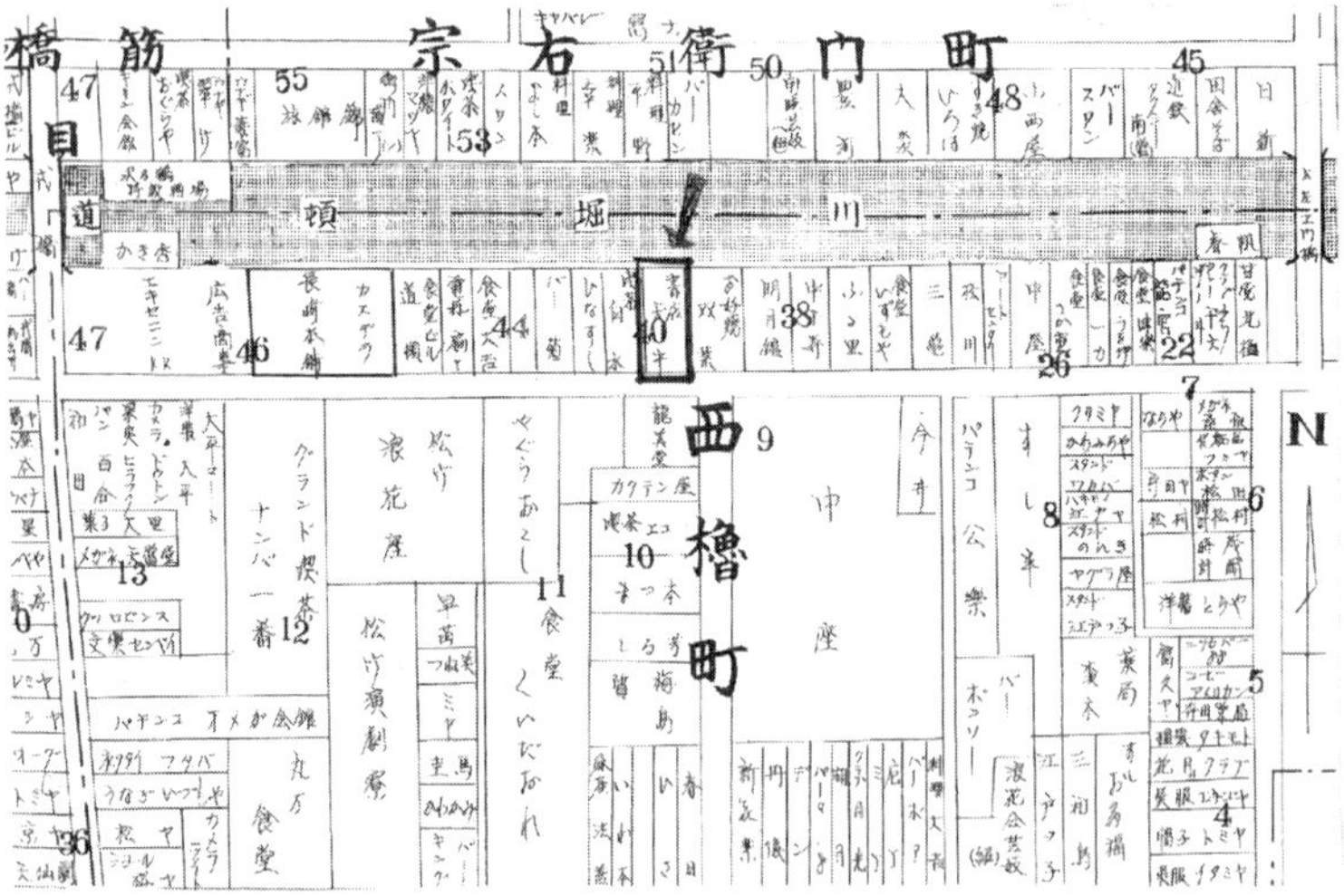

【資料３】
筋向かいには、松竹浪速座があり、隣りに大阪名物「粟おこし」を販売していた「やぐらおこし」の店があった。その並びに中座があった。

ぼくがなんかいうと／じきにみなが　笑ってかかる／「夢みたいなことをいうな」と／ぼくまでもが／そうかなあと　思ってしまう／／それでも　ぼくは／あきらめられないので／その夢みたいなものを／ほんきで夢みようとする／／そんなことで／もう友らは　ひやかしてもくれない／「またか！」というようなもんだ／それでも夢を　捨てかねて／ぼくは一人で　もちあぐんでいる　（全文）

金時鐘は、小野十三郎という詩人と終生、詩の先達として付き合うようになる。詩集『地平線』の小野十三郎の序文は、小野の金時鐘にたいする温かな文章から始まっている。「金時鐘君は、私の大阪の友人の中では一番若い。そして家内や子供たちからも最も親しまれているわが家の賓客である。仕事をしているさいちゆうでも、彼がやつてくると、とりつぎに出た子供は、私の気持ちをよくしつていて、『お父さん、金さんや、上つてもらおな、金さんどうぞ』と心得たものだ。私は、私の子供たちにとつて、はじめて接した異邦の詩人が、金君のようなぼくとつで、且つむしようにに人なつつこい若者であつたことを、たいへんうれしく思う。私たちのあいだに、こうして生まれた人間的な親愛感は、必ず、子供たちの将来の生き方にい、影響をあたえるにちがいないからである」。

また「ヂンダレ」の活動においても、一九五三年一二月に詩人鄭仁と知り合うが、その鄭仁が、毎週土曜日午後七時から舎利寺朝鮮小学校で開かれていた研究会においてチューターをつとめたときにテキストとして小野十三郎『現代時手帖』（創元社、一九五三年刊）が使われたということでも、小野十三郎との深いかかわりを伺い知ることができる。

金時鐘が、生野厚生診療所に入院していた年の一九五四年七月に、新日本文学会詩委員会が、独自の機関紙として「現代詩」を創刊する。詩委員会の代表は岡本潤で発行人は後藤彦十郎、発行所は百合出版株式会社とある。年譜（野口豊子編）によると、この時期、編集者だった黒田喜夫、関根弘らと知り合うとある（「現代詩」の売値は、五〇円）。

当時大阪では、小野十三郎が校長を務めることになる「大阪文学学校」が同じ七月に開校され、第一期生が入学した。この文学学校は今でも続いているが、その後、「小野十三郎賞」の事務局の役割を果たしている。

金時鐘が「現代詩」誌に作品を掲載したのは、一九五五年五月号で「期待」と「富士」という作品である。この二篇は詩集『地平線』に収録されている。

次に、金時鐘の詩が「現代詩」に掲載されたのは、一九五六年八月号で、「哄笑」という作品である。この作品は、金時鐘が次に出版しようと考えていて、果たせなかった詩集『日本風土記Ⅱ』に掲載する予定となっていた。この幻の第三詩集については、浅見洋子が「復元と注釈の試み」（暫定版）で次のように書いている。

『哄笑』場面・核戦争で破壊し尽くされた未来像の空想。生き残ってしまった「私」がラクダに乗って砂漠のような荒野をさまよう。「私」は渇きに耐えられず、水が貯えられているというラクダの瘤にナイフを突き立てるが、傷口からは水ではなく、「哄笑」が湧きでる。背景・アメリカによる原子力原料の独占（特にベルギー領コンゴ）

注釈では、「アメリカ合衆国の核開発は四二年六月に発足したマンハッタン計画からはじまるが、マンハッタン計画では、ベルギー領コンゴのウラン鉱石を主体に原爆が製造された。四五年に広島・長崎に投下された原子爆弾の原料にもベルギー領コンゴ産のウラニュウムが使われている」とある。金時鐘は、空想的な暗喩の方法をこの作品に使っているが、おおむね金時鐘の詩は、判りやすい作品ではなく、詩表現の背後には、その時代の出来事や社会の現実が比喩されていると言ってもよい。

一九五七年の「現代詩」一月号に、「木靴」を掲載しているが、同号には、同じ大阪にいた牧羊子の「罠のひびき」という作品も掲載されている。この「木靴」は、詩集『日本風土記』に収録されている。同号には、清涼信泰「人夫」、木場康治「愛と死と革命」や、井上俊夫のエッセイ「個の成長と全体のたかまりと（サークル詩の評価基準について）」で、大阪・吹田で刊行されていた詩誌「ながれ」について書いているし、清涼は、「現代詩」の一二月号の全国サークル特集について書き、浅尾忠男は、堺で「堺現代詩の会」を結成、一九五六年一月から月刊詩誌「郡」を発行しはじめ一年が経過した、という記事もあり、この頃から、大阪の詩人たちは、「現代詩」とのかかわりが少しずつ、できてきていたようだ。三月号には、港野喜代子「報告書」、長谷川龍生「瓦斯タンクと船」や、牧羊子が井上俊夫詩集『野にかかる虹』の書評を載せている。乾武俊や浜田知章なども作品を寄せているが、金時鐘は、六月号に「的を掘る」を掲載している。この作品も『日本風土記』に収録されている。「現代詩」はこの号から発行所が変わり、「新制作社（旧緑書房）」となる。五月一八日に、井上俊夫詩集『野にかかる虹』（三一書房）が、H氏賞を受賞している。

ところで、この六月号に、「『現代詩大阪研究会』、今月から次のように大阪における研究会をひらきますから多数の御参加を希望します。時、六月十七日（月）午後六時、所、大阪郵政会館、テーマ、現代詩六月号の作品とエッセイ・その他、報告者、井上俊夫」と掲載されているが、私の日記では、場所は、はじめに書いたように、ユマニテ書店なのである。

「現代詩」七月号に、「現代詩大阪研究会」は「七月十五日（月）夜六時、ユマニテ書店、道頓堀文楽座前、司会井上俊夫、報告浜田知章、現代詩の読者なら誰でも遠慮なく出席して下さい」と掲載されている。それからしばらくは、この研究会は継続されることとなる。この七月号に井上俊夫が「大阪の詩運動について」を書いている。当時の状況が記録されていると思うので全文を紹介しておきたい。

大阪にはどんな文学グループやサークルがあって、どんな雑誌が出ているのか。もしも君がこんなことを知りたかったら、大阪駅のちかくにある関西国民文化会議と大阪文学学校という二つの団体の事務所のドアをたたいてみるがよい。関西国民文化会議には浜田知章という詩人事務局長がいつも座っていて、小説屋でござれ映画屋でござれ、花生屋、詩屋、芝居屋、短歌屋、俳句屋…こと大阪の文化運動に関することなら、交通公社のガイドにまさるともおとらぬ整然さでリストをみせてくれるし、御希望なら資料も提供するし講演会の相談にものってくれるという便利な仕組になっている。同じ建物の中にある大阪文学学校は、校長が小野十三郎で関西の作家、詩人、評論家のほとんどが講師として参加、基礎的な文学の学習をすすめる本科（約一五〇名）は目下第七期生が受講中、小説科・現代詩科・児童文学科（約百名）も併設されている。こうした二つの団体が出現したことにより、混線状態にあった戦後の大阪の文学運動もよほど機能的になり、各グループ、サークル間の横の連絡もつくようになった。だから昔のように「地方」といった言葉で、おのが街を捉えて、いたずらにメトロポリスを羨望するといった必要もなく、一種のあくどさをもったその風土性ともあいまって、大阪は、文学的にも決して不毛の土地ではないとの確信をもって、みんなは仕事をしているわけだ。ところが、それでは大阪における文学運動の特色はなにかときかれると、つい返答に窮してしまわなければならないというところに、つまり往年の武田麟太郎や織田作之助、小野十三郎といった人たちがうちたてた、いかにも大阪とよぶにふさわしいほこりにまみれた文学運動の龍巻きが、今の大阪の街のどこにもみられないというところに、この街のむなしさとさびしさがあるわけだ。

たとえばこれを詩の運動にかぎっていえば、さすがこの国二番目の大都会だけに、チョイとばかりあかぬけのしたスタイルで出されている同人誌やサークル誌の数は決してすくなくないが、さてそれらを手にしてまず感ずることは、どれもこれも仲良しクラブといった感じだけが先に鼻について、芸術運動としての明確な目的意識をもった雑誌は皆無である。それは仲間ぼめというものだとのそしりを覚悟で書くとするなら、ただわずかに関西における社会派詩人の拠点としての『山河』が、長谷川龍生、牧羊子がそれぞれ勤め先の都合によって東京へ転出したあと、編集部を小野十三郎、港野喜代子、浜田知章、井上俊夫で再編成し、その名も『山河第二次』とあらためてより明確な民主主義的詩運動を展開しようとしている動きがあり、これとは対抗的ないわゆる芸術派の詩人のグループとして充実した仕事をしているのは『ブラックパン』で、山村順、右原尨、吉川仁、天野美津子等はいつも大阪で集まっている。また朝鮮人の詩人集団である『ヂンダレ』の金時鐘等の仕事も大阪的なユニイクな存在である。郵政関係の「詩人ポスト」「ランプ」国鉄関係の「枕木」阪神電鉄の「夾竹桃」大和銀行の「ともしび」大阪府庁の「府職文学」長尾病院の「詩のなかま」といった職場、病院関係のサークルをはじめ、大阪文学学校卒業生のサークル「あした」「火山」「はこべ」「つながり」「都塵」から、「ながれ」「ひると夜」「どぶ川」「げら」「あすなろう」「淀川」「青い足音」「蝶」「えんとつ」といった地域的サークルに至るまでその数は実に多い。また越智一美が独力で出している「芽」という個人詩誌がはなつ強烈な匂いにも注目してよい。また今後定期的に開かれる予定の「現代詩大阪研究会」はこれらの詩人たちのよき交流の場となるであろうし、有名無実の新日本文学会大阪支部の仕事もこうしたところから基礎構築をしていかなければならないとかんがえられている。

ここには、当時の大阪・関西の詩活動の状況が語られているといってよい（「現代詩」八月号は紛失しているので、不明）。

「現代詩」九月号には、大阪研究会は、「八月十九日（月）夜六時半、ユマニテ書店、道頓堀大阪東映前、現代詩九月号について、報告、作品　乾武俊、エッセイ　木場康治」となっている。そして「六月研究会は同月十七日夜、『山河』の井上俊夫、木場康治、『ヂンダレ』の金時鐘、『農民文学』の妻下正義、乾武俊ら三十名が参加。乾氏の「現代詩の底辺」報告（長谷川龍生）、分析、作品批評がおこなわれた。なお同会は在阪詩人読者のたのしい交流の場としてあり、雑誌サークル誌の交換などもやっています。」という短い報告も掲載されている。最近のサークル・グループ誌欄には「ヂンダレ」一八号が紹介され、金時鐘の「盲と蛇の押問答」ほか鄭仁のエッセイ、趙三竜、朴実、梁正雄等の作品、と記載されているが、この金時鐘のエッセイに繋がる「ヂンダレ」論争については、ヂンダレ研究会編『「在日」と五〇年代文化運動――幻の詩誌「ヂンダレ」「カリオン」を読む』（人文書院刊）に、宇野田尚哉が、「ヂンダレ」論争の背景として、一九五四年から五五年にかけて、東アジアの国際共産主義運動の再編にふれて、「ヂンダレ」論争の文脈を明らかにしている。それは、「詩運動においては『朝鮮人は朝鮮語で祖国を歌うべきである』とされることになる」ことから、「日本語により創作していた『ヂンダレ』は恰好の攻撃対象とされ、民族主体性を喪失している、民族虚無主義に陥っている、といった批判を蒙ることになった」（宇野田尚哉）ことである。

金時鐘の「盲と蛇の押問答――意識の定型化と詩を中心に――」（「ヂンダレ」第一八号・一九五七年七月）において、次の部分を紹介しておきたい。

　私は日本語で詩を書いているということについて、久しく疑問を強いられてきました。それは多分に、〝詩を書く〟という具体的な行動以前の問題として、民族的なあり方の問題だったようです。朝鮮人が日本語で詩を書くということが、とりもなおさず、その詩人の民族的な思想性の浅さだと指摘されやすいところから、私自身がいつの間にかそれを一つの定義として受けとるようになっていました。それで、私は努めて言語の移植ということを試みてみましたが、〝朝鮮の詩〟らしい詩は一向にかけませんでした。私の煩悶はここから始まったと言っていいでしょう。(中略)最後にくりかえして言う。詩を書くということと、愛国詩を書くということとは、まったくもって関係がない。日本語の詩を書くからといって、国語の詩に気がねをする必要は少しもない。「在日」という特殊性は、祖国とはおのずから違った創作上の方法論が、ここらへんで新しく提起されてこなくてはならないとおもう。

そしてこれらのことについて、「シンポジウム　いま『ヂンダレ』『カリオン』をどう読むか」で金時鐘は「私は『ヂンダレ』『カリオン』の活動を通して、「在日を生きる」という命題に出会ったわけですが、固有の文化圏から隔たっている在日が、本国に似せて生きるんじゃなくて、自前の在日朝鮮人として生きる生き方を考えたらね、私たちの統一の問題にも大きな展望がいっぱいあるんですよ」と語っている。そして「やはり組織統制が個々人の表現にまで立ち入るのは誤りだってことをね、五〇年を経て言えるとおもいます」、「『ヂンダレ』からかろうじて今日に引き継ぎうるものがあるとすれば、私たちは及ばずながらそういう画一的な組織統制に順応はしなかった、それで四散した、ということが今伝えられることかなと思います」と付け加えている。金時鐘がこの体験から学んだことは、文学者として、創造者として、身をもって得た真理であったと言える。

私の日記によると、九月一四日にも、ユマニテ書店にて、現代詩研究会が行われ、和歌山から、岩本健、宮崎三知子が来て、乾武俊、浜田知章、木場康治、金時鐘、鄭仁、港野喜代子などが出席している。話はおもしろいが、作品はつまらないと記している。

「現代詩」一〇月号に、大阪研究会は、「十月七日夜六時半、ユマニテ書店、現代詩十月号、報告乾武俊、エッセイ 木場康治。同号の現代詩短信欄に、大阪で現代詩講演会。「山河」「ぶらっくぱん」共催、国民文化会議講演、会場大阪郵政会館で八月七日開催。小野十三郎、長谷川龍生、井上俊夫、木原孝一らが講演」とある。

また九月二〇日にも、小野十三郎、井上俊夫、乾武俊三人の講演会があって、盛会だったと私の日記に書かれているが、場所や何の講演会であったのかは不明である。

一〇月九日、私の日記に、現代詩研究会が開かれ、金時鐘、木場康治、井上俊夫らがおり、井上俊夫の詩について話が弾んでいたと書いているが詳細は不明である。

一〇月二〇日には、富岡多恵子が詩集『返礼』を山河出版社から上梓していて、この詩集は、翌年の一九五八年五月に、井上俊夫についでH氏賞を受賞する。

金時鐘は、一九五七年一一月三〇日、第二詩集『日本風土記』（国文社）出版。定価二五〇円。『日本風土紀』については、浅見洋子が「論潮」第二号（二〇〇九年）に注釈の試みを掲載しているが、ゆきとどいた論となっている。

金時鐘の第二詩集となる『日本風土記』は、一九五七年一一月に国文社から刊行された。第一部「犬のある風景」と第二部「無風地帯」から成るこの詩集には、扉詩も含め、三二編の詩が収録されている。第一詩集『地平線』からは三篇の詩が再録されており、それ以外は一九五六年から一九五七年にかけて新聞や雑誌に掲載されたもののようである。

それぞれの作品の注釈については、省かせていただく。この詩集の出版記念会は、一九五八年二月に大阪・郵政会館にて開催された。この会場となった郵政会館は、「詩人ポスト」（全逓大阪中央郵便局支部の清涼信泰を中心に発行されていた職場サークルの詩誌）の人々が用意した。そこに在阪の主だった詩誌のメンバーが参加して盛大なものであった（鄭仁記）ということである。この会館は梅田の太融寺にあった。曽根崎から東の方向へいった所である。【資料4】

「現代詩」大阪研究会、一一月四日（月）夜六時半。ユマニテ書店。現代詩一一月号について、報告、作品、鄭仁、エッセイ　草津信男、この号には、乾武俊、牧羊子、井上俊夫、浜田知章の作品も載ってい

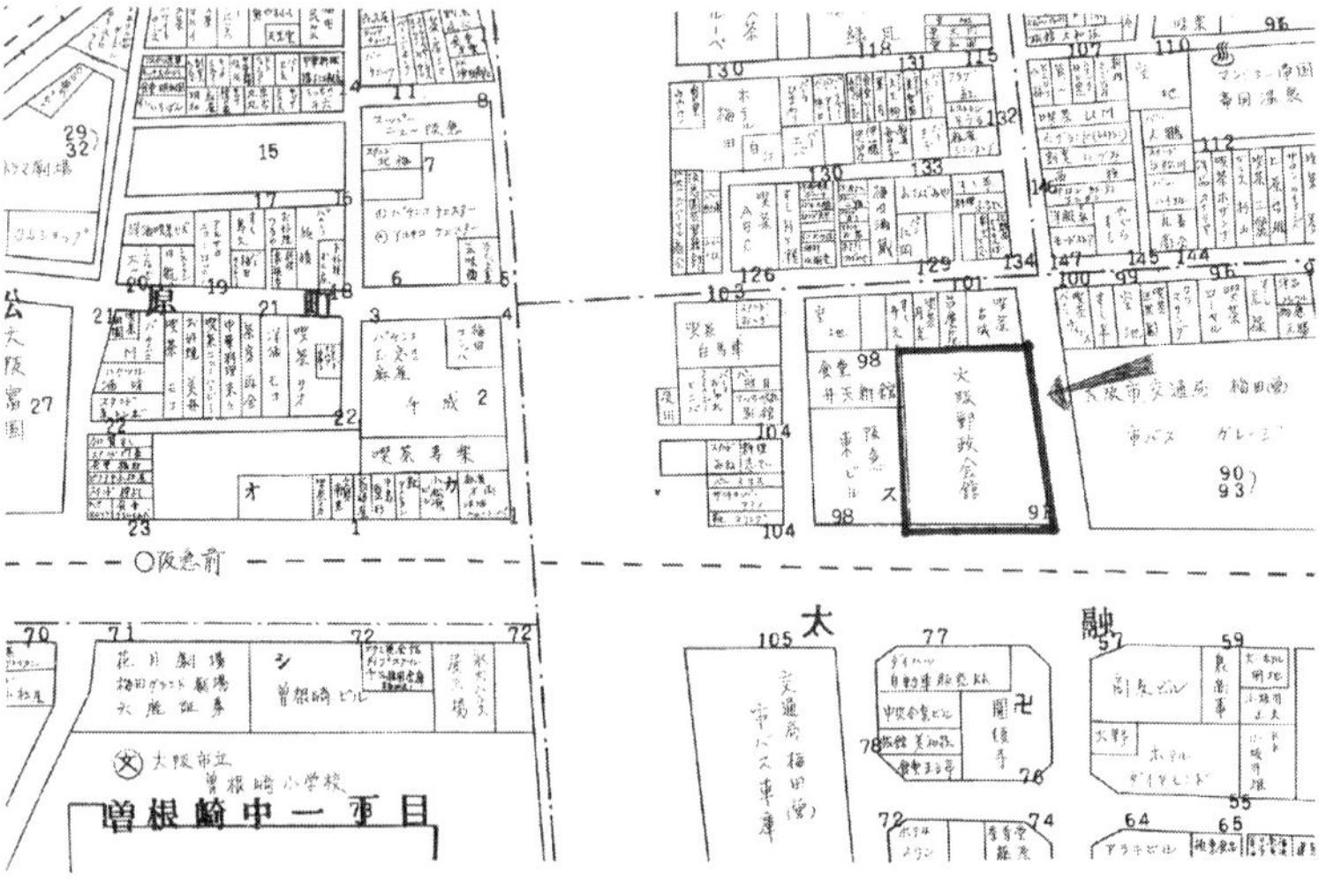

【資料4】
梅田の阪急百貨店から東へ行ったところに「大阪郵政会館」があった。
金時鐘詩集『日本風土記』の出版記念会もここで行われた。

る。金時鐘詩集『日本風土記』の広告も掲載されている。

ところで、「現代詩短信」欄（「現代詩」一九五八年一月号）には、「十一月例会は、喫茶ドガで開催。港野喜代子、乾武俊、草津信男、鄭仁、のほか『あした』『熱帯魚』『大阪文学学校』などの各グループの人びと二十数名が集まった。討論は『現代詩』十一月号中の大阪の詩人の作品を中心におこなわれたが、浜田、井上氏の作品がマナリズムにおちいっている」との批判があり、関根弘の連載エッセイが好評であった。この会は、前回予告のユマニテ書店ではなく、急遽、喫茶ドガに変更したようである。この喫茶店は、店内にドガの踊り子の絵（勿論、イミテーションの作品）が掛かっていて、画家や詩人、劇団の人など、芸術家気取りの面々がたむろしていたところで、道頓堀川にかかっている戎橋を渡ったところを西へいった場所にあった。そこの店主は、油絵を描いていた鷲北雅一という人で後に廃業してから、私たち堺文化の会で展覧会委員長を勤めてもらったこともある。

この時、どうして会場が変更したのかは不明であるが、ユマニテ書店から、この喫茶店はそう遠くなかったので、急遽変更になったのかもしれない。

「現代詩」大阪研究会、一二月九日（月）夜六時、ユマニテ書店、現代詩一二月号、報告、エッセイ　清涼信泰、作品　金時鐘、同号の現代詩短信欄に、「大阪朝鮮詩人集団ヂンダレの金時鐘、鄭仁、梁正雄の三氏が、このほど上京。本誌編集部と懇談したが、そのあと新宿『志田伯』二階で東西唄合戦を開いた。参加者は西軍、金、鄭、梁三氏の他に壺井繁治、高山きく子氏等、東軍は玉井五一、江原順、内山昭二、岡田憲一氏と本誌編集部の長谷川龍生、大井川藤光、黒田喜夫等で、審査の結果は僅少の差で、西軍が勝ったことが認められた」という興味深い記事があった。この号には、玉置昌一、伊勢田史郎、谷田寿郎など、関西の詩人の作品が掲載されている。

この夜は、和歌山から玉置昌一、嶋弘、乾武俊も出席していた。会が終わったあとで、喫茶ルルへ寄った（法善寺横丁にあって、小野十三郎がよく立ち寄っていた店）。

一九五八年、現代詩大阪研究会は、一月一三日（月）、午後六時、ユマニテ書店、会費一〇〇円、「現代詩」新年号のエッセイと作品、詩運動について、出席者　小野十三郎、港野喜代子、浜田知章、井上俊夫、乾武俊、金時鐘、その他大勢。

この会合は、三〇人余り集まり盛会であった。ウイスキーを飲んで互いに喋りあったようだが、私の日記には、なかなかおもしろいが、少し不満がある、と書いている。

この一月号には、井上俊夫のエッセイ、浜田知章と天野美津子の対談、鄭仁、牧羊子の作品が掲載されている。

二月は、大阪研究会が開催されていないが、先に書いたように「大阪郵政会館」で金時鐘詩集『日本風土記』の出版記念会が開催されている。会の詳細は判らない。

「現代詩」四月号に、神戸・現代詩をよむ会の二月例会記録が載っていて、末尾に「大阪から出席したＩ氏から、近い機会に現代詩大阪研究会との合同の勉強会をもちたいという伝言がもたらされ、みんなそれを喜んで受けることにした（大江昭三）」と、載っているが、それは、三月二四日で、神戸新聞会館で行われた。会合には、井上俊夫、港野喜代子、神戸からは、大江昭三、谷田寿郎、小林さん等が出席していたが、討論はあまり、活発ではなかったと私の日記にある。

大阪研究会は、三月一〇日夜六時半、ユマニテ書店にて開かれた。「現代詩」二月号、司会は井上俊夫、報告　エッセイ　石井習（熱帯魚）、作品　三原秀雄（大阪文学学校研究科）、小野十三郎他執筆者出席。小野十三郎の続・詩論、清涼信泰の作品、井上俊夫のエッセイ、現代詩第一回新人賞選定報告に、倉橋健一の名前もある。

三月号には、小野、井上のエッセイが続き、富岡多恵子、梁石日の作品が掲載されている。四月号は、四月一四日（月）午後六時、ユマニテ書店、報告、川原よしひさ・洪允杓。司会、井上俊夫。小野、井上のエッセイは前号の続き、金時鐘は「穴」という作品を載せている。この作品は、幻の第三詩集『日本風土記Ⅱ』に掲載された。浅見洋子による復元と注釈の試み（暫定版）によれば、「この詩集は、金時鐘が左派在日朝鮮人運動組織から厳しい政治的批判を受け、一時は一切の表現活動からも遠ざからなければならなかった状況のなかで、長く闇に葬られてきた」もので、「不明の詩が九編もあるので、暫定版にせざるをえない」といった復元である。

「現代詩」の編集長は、この号から長谷川龍生から関根弘に引き継がれる。

この四月の研究会で、私は次の五月号の報告者になった。帰りに乾武俊、井上俊夫、ヂンダレの金時鐘、その他の人びととうどんを食べて別れたと日記にある。井上さんの詩集『野にかかる虹』を分けてもらい、早速読んで興味深い本だと書いている。

五月の現代詩研究会は、五月一二日夜、道頓堀ユマニテ書店の階上でもたれた。特集「生活詩、職場詩指導理論をめぐって」について、「ながれ」の菊地道雄が報告。「北大阪文学会」や「大阪文学学校」等の会員たちが活発に討論した。作品については、和歌山から参加した原圭治が報告。編集ノートにある「舟方一の詩を、無条件に労働者的だとかんがえる……文学的日和見主義者があとを絶たないかぎり……わたしたちの本当に進むべき道を照らしだすことはできない」という関根弘の考えを認めたうえで、では、それを克服するかのようなゼスチュアで提出されていると思える今月の一〇数篇の作品には、舟方の詩とはまた異なった意味で、僕等が否定しなければならない弱点があるのではないか、との意見を開陳して共鳴をえた。討論は、木村日出夫、草津信男二作者の詩に集中される結果になった。出席者の多くが若い女性でしめられ、「ながれ」「あした」「火と狼」「えんとつ」「ヂンダレ」「牙」等の各グループからも多数の参加者があった。盛会。（「現代詩」六月号・現代詩短信より）

ところが「現代詩」六月号には、五月一六日、現代詩研究会、ユマニテ書店、報告、梅原康夫・谷本正子、司会井上俊夫、テキストは六月号、と載っているから、上記の記述と合わせてみると、日時についてはいささか不確かである。

ところで、この六月号には、金時鐘は「第二世文学論——若き朝鮮人の痛み」を掲載している。「このエッセイは、在日朝鮮文学会の代表的詩人、許南麒、姜舜、南時雨の三氏によって編まれた『祖国に捧げるうた』という朝鮮語版の詩集であるが、この三人詩集を祖国の朝鮮作家同盟では大いに評価する」が、金時鐘は、「テーマが社会主義的であれば、その政治的効用性だけを力説して終る評価基準には、祖国の文学が志向して止まないという社会主義リアリズムのかけらすら認めることができなかった。これは不幸なことである」として「去年『ヂンダレ』が在日同胞内部の問題として、定型化してゆく意識の〝不安〟さについて発言したとき、こぞって『ヂンダレ』内部の『主体性』の軟弱さを指摘したのは、ほかでもなく在日朝鮮文学会の指導的立場にあるこの人たちであったわけだが、自ら朝鮮文学の正統派をもって任じるこの人たちの『主体性』がどの程度の『主体性』であるかは、この三人詩集の内容が自然主義的方法をもって一貫しているという事実でこと足りるだろう」と厳しく批判した。そしてエッセイの後半において、許南麒の作品を挙げて「戦後の日本における民主主義詩運動に多大の功績を残している許南麒氏が〝十歩先に立つ〟どころか、三十歩もあとへ下がった地点で何故こうも〝祖国〟と〝自己〟を観念的なものにしていっているのだろう」と述べ、結びにおいて「一口でいうなら日本における私たち若い朝鮮詩人の方法論的命題は、未だかつて顧みられたことのない私たち世代的谷間に光を当てることと、その谷間に充満している亡命意識のノスタルジーの排除にある。そして私は意を強くして次のことを叫ぶものである。〝新芽のような二世文学よ起これ！〟」と書いている。

七月一二日（月）、現代詩大阪研究会、ユマニテ書店、報告、草津信男、菊地道雄、司会、井上俊夫。七月号には、天野美津子、倉橋健一の作品と、小野十三郎の「続・詩論」が載っている。なおこの七月号の「現代詩短信」欄には、「富岡多恵子氏、H氏賞受賞のため五月二十八日上京した」とあるが、五月一日に詩集『返礼』で受賞したことによる。

八月一八日（月）、現代詩研究会、ユマニテ書店。報告田中日出夫、鈴木哲。司会、井上俊夫。富岡多恵子、右原厖、有馬敲の作品。「現代詩」は七月号から発行所を、パトリアから飯塚書店に移している。

この大阪研究会の前日、八月一七日（日）に、和歌山で、現代詩講演会が開かれた。「現代詩」八月号の予告では、金時鐘は、演題未定となっていたが、チラシでは次のようになっていた。「一九五八年（昭和三十三年）現代詩を語る夕べ、とき八月十七日日曜、午後六時半、ところ、和歌山市民会館中会議室。一、現代詩おとぎばなし、乾武俊。二、詩の眼はどこについている、港野喜代子。三、詩の楽屋、富岡多恵子。四、流民の記憶、金時鐘。現代詩和歌山研究会。なお右講演会を記念して現代詩和歌山研究会では全員のアンソロジーを刊行する」。私の日記には次のように書いている。「当時、私は教組の青年部として、教育現場に起こっていた勤務評定反対闘争のなかにいて、新宮までオルグにいった帰りであったと思う。和歌山市で、日教組が勤評反対の臨時大会を開催し、デモなどの行動を行っていた。そのデモに弾圧が加わり、不当逮捕が行われ、現代詩講演会の会場であった市民会館の隣りが警察で、その前の道路を埋めて、抗議の人波が渦まいていた」。

金時鐘が、この時話した内容は、他の三人も含めて記録として残っていないが、おそらく、詩誌「ヂンダレ」の詩的実践によって、構築された理論を話したのではないかと推論する。それは金時鐘が、終生の課題とした「在日のはざまで」ということにつながるものであったと思われる。「わが生と詩」の中の「人間と差別を考える」の藤田敬一との対談で、「在日を生きるといいだしたのは、実はかなり早くて、一九五八年ぐらいにはもう文章に書いています。コォンチャさん、裏話をすればね、実際は『在日の実存を生きる』といいたかったんですよ。ただ『在日の実存を生きる』というのは、キャッチフレーズとしては長ったらしいので、それで『在日を生きる』。『在日を』というのは、日本で生きとおさねばらない。否応もない生活実態、つまり『在日であることの実存を生きる』ということです」と語っている。【資料5】

この時のアンソロジーの冊子には、乾武俊「車窓」、港野喜代子「ろうまんす」、富岡多恵子「エンゲージ・リング」、金時鐘「籤に生きる」の講師をつとめた詩人の作品を始め、和歌山の十七人の作品が載っている。この金時鐘の「籤に生きる」という作品は、幻の第三詩集『日本風土記Ⅱ』に収録された作品である。

九月号の現代詩短信欄に、七月一四日に開かれた大阪研究会の記事が載る。「エッセイの報告は草津信男が、作品の報告は菊地が担当した。司会は、井上俊夫が途中からB・Kへ所用のため出向いたので、木場康治が代わりをつとめた。出席者は『ながれ』『詩手帳』『ヂンダレ』『火と狼』『えんとつ』他、文学学校学生等で二八名でした。エッセイは『特集　大衆にかける橋』五篇を草津が主旨説明し、主として、吉本隆明の『芸術運動とは何か』に討論を集中させた。作品は大井川藤光、倉橋健一の二作品にふれたが、『えんとつ』『詩手帳』と『ながれ』『ヂンダレ』の意見がはっきり対立した。前者はリアリズムの詩をとなえるために、わかり易い表現より深い内容をめざすのに対して、後者は主として下意識、無意識、無意識の世界をも是認し、

【資料5】
和歌山・現代詩を語る夕べ。和歌山市民会館にて。
左から港野喜代子、富岡多恵子、金時鐘、乾武俊。後ろ向きは原圭治。

イメージの造形性及び、観念の構築すらを、実験的にやっていこうとする根本的な、詩作上の対立にまでなり果て、時間切れで幕となった」（菊地道雄）。

現代詩大阪研究会、九月一五日（月）午後六時半、ユマニテ書店。報告、エッセイ、轟春夫、作品、田原瑞穂。九月号には、浜田知章、向井孝、相馬大、港野喜代子の作品が載っている。この号に、「現代詩の会」が結成され、新日本文学会から独立したということが掲載されている。新運営委員は一五名である。

「現代詩の会」結成について。「詩誌『現代詩』は新日本文学会の詩部門の機関紙であることを止め、あらたな独立構想の下に刊行を続けていくことになりました。（中略）ところで去る八月十日、日本出版クラブに於いて在京の詩人、評輪家、画家、作曲家、数十氏を、『現代詩の会』準備会に招聘いたしまして、第一回結成懇談会を持つに至りました。勿論全員『現代詩の会』が発足することについては異論なく、関根弘編集長の経過報告と今後の方針説明がなされました。その説明点は、ぼくらは詩壇ジャーナリズムという形態でなく、一つの運動母体を真剣に考えてみたい。イデオロギー的な規定を特につよく出していないのはそのためである。つぎに、大衆、マッスの問題を詩の根源的なものにまでさかのぼって考えたいということ。さらに綜合的な芸術の効果を考える。運動そのものを面白くしていきたいという考えがある。という風なことで、次の三点が方針に集約されました。A、現代詩の会は、過去における詩人の工芸的な創作習慣を否定し、戦後文学のエネルギーをつねに新しく汲みあげ、芸術革命の母体を構成する。詩の上での創造と変革をとおして、日本文学の新しい位置づけを行う。B、現代詩の会は、下からのエネルギー、大衆のなかに眠っている文化一般のエネルギーを把握し、詩以前の問題をアクチュアルにとりあげ、大衆のなかで、詩の社会的な活動をおしすすめ、詩の技術上の革命を支持し、現実を変えていく。C、現代詩の会は、他のジャンルと交流して、大衆のなかにおける批評の観点を高めていく。とくに現在、日本のあらゆるジャンルにおける芸術の方法を再検討する。以上です。（中略）選挙の結果『現代詩の会』新運営委員は次の方々です。鮎川信夫、岩田宏、池田龍雄、大井川藤光、大岡信、且原純夫、木島始、黒田喜夫、菅原克己、関根弘、瀬木慎一、壷井繁治、長谷川四郎、長谷川龍生、吉本隆明、会計監査壷井繁治」。言うなれば、この時点から現代詩運動が始まったと言えるのかもしれない。

九月の現代詩研究会は、私の日記によると、満員の出席者であったようである。その会のあとで、金時鐘、鄭仁、洪允杓、木場康治氏らと私も含め、長編の会を結成しようという相談をしたとある。それが、一九五八年一一月一〇日発行の「長いものを書く会」の創刊号となったのである。これについて九月二四日にも草津信男宅（大阪市東住吉区）へ、「長いものを書く会」の話し合いに行くと私の日記にある。

現代詩短信の記事（「現代詩」九月号）を紹介する。「九月十五日、ユマニテ書店地下室で行われた。出席者は回を重ねる毎に増加の一途を辿り、今回は出席者総数三十八名、主な出席者は、草津信男、金時鐘、木場康治、田原瑞穂、鄭仁、轟春夫、菊地道雄等である。恒例に従い、エッセイの報告は轟春夫が、作品の報告は田原瑞穂が行い、司会は井上俊夫が病欠のため代わって菊地道雄が行った。特集企画『現代芸術と青年の意識』について、大井広介の論文は詩論以前だし、政治論文としても不十分だと報告された。そこで『現代詩の会』が、今後も行おうとする『芸術革命の母体』たらんとする本意を金時鐘らが説明、出席者の諒解を得た。そして、組織外の大井、組織内の安東仁兵衛の二論文を同時発表する民主的な編集者の態度には讃辞が呈せされた。エッセイ報告者は、小野十三郎の『続・詩論』に討論を集中させようとの意図のもとに報告されたので、討論も従って、小野詩論に集中された。討論を明確にするために、轟春夫、田原瑞穂が主として否定的な立場に立ち、草津信男、金時鐘らが肯定的な立場に立った。詳細は報告し得べくもないが、大阪研究会で従来から尾を引いている『作品評価基準論争』は、現代詩の紙面を提供してもらって、主な二つの相反する二論文を同時掲載する必要がある。それは、とりもなおさず、東京と大阪とで、『現代詩研究会』を意義あらしめるものだと思う。作品については、まったく悪評であった。今月のベスト・スリーで、井上俊夫も指摘しているように、現代詩編集部が、原稿を依頼して発表する従来の建前を精算して、編集部が、充分推薦に値すると思うものを、少数であっても発表していくようにすべきだ。これは、大阪研究会出席者の百%に近い声だ。例えば、巻頭を飾る浜田知章の『体温』という作品一つを例にとっても、革命戦線の真只中で歌った、浜田知章第一詩集のあのダイナミックな、力学的エネルギーは第二詩集で、発展を遂げていないのではないか。革命戦線統一のための一歩後退は、二歩前進の屈伸運動ではないのか。だからこそ、僕たちは、傷ついた自己を、その内面にさらけだしているのではないのか、しかるに浜田の『体温』という作品に於ける自己追究の皮相さ、『未来の労働英雄よ』『プロレタリアである女たちよ』った甘さはなんとしたことだ、と鋭く洪允杓、草津信男、金時鐘らから述べられ、殆ど全員肯定し、意見の一致をはじめてみた」(菊地道雄)。

現代詩大阪研究会、一〇月一三日(月)午後六時、郵政会館。報告、エッセイ、倉橋健一、作品、梅原康夫。この時から、会場がユマニテ書店より郵政会館【資料６】に変更することになった。この号には、有馬敲のエッセイ、丸本明子の作品、小野十三郎の「続・詩論」が載っている。この一〇月研究会の報告は「現代詩」一一月号に、前回同様、菊地道雄が書いている。「会場を変更して今後は郵政会館でもたれる。一〇月一三日、郵政会館第一回の研究会がもたれた。今回は会場変更などが災いし出席者は前回を下廻った。主な出席者は、富岡多恵子（山河）、坂東寿子（あした）、奥山富江（ながれ）など」（以下省略）。

　この会場変更の原因は、何らかの理由で、ユマニテ書店が使用できなくなったのだと思うが、そのことに関連して、次の鄭仁の「シンポジウム、いま『ヂンダレ』『カリオン』をどう読むか」で発言した部分を紹介する。

「大阪ではいろんなサークル活動がありまして、そういうサークルのメンバーとの交流はやってましたね。『ながれ』（菊地道雄を中心に吹田で発行されていた地域サークル詩誌。一九五一年創刊）というグループと合同合評会（一九五八年三月）をやったりね。それからユマニテ書店というところで現代詩研究会というのをやっていまして、そこで大阪在住の日本の詩人たちと交流したりしていました。ほかにもそういう場所はありましたしね。金時鐘の『日本風土記』（国文社、一九五七年一一月）の出版記念会（一九五八年二月）

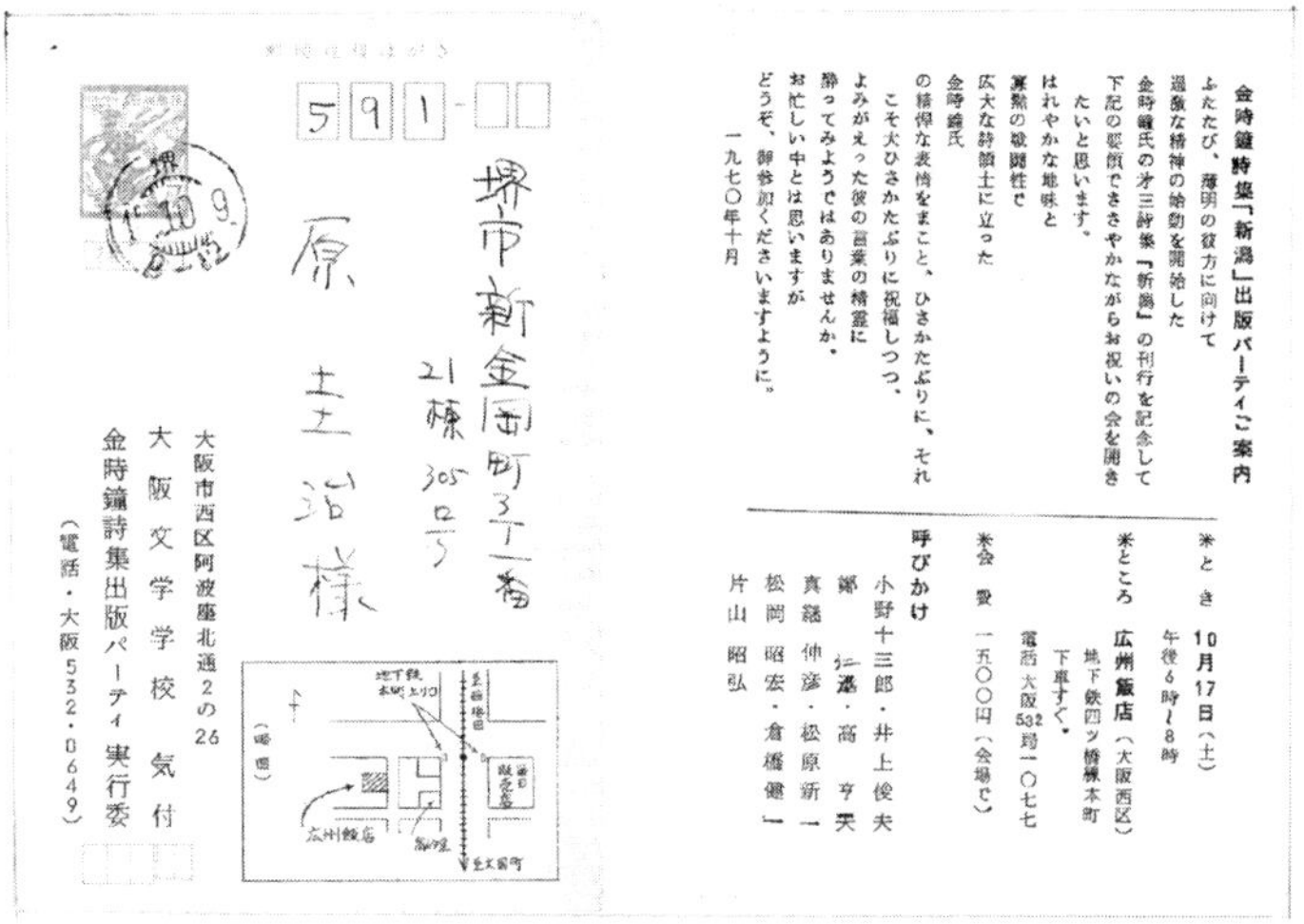

金時鐘詩集「新潟」出版パーティご案内

ふたたび、薄明の彼方に向けて
強靭な精神の始動を開始した
金時鐘氏の才三詩集『新潟』の刊行を記念して
下記の要領でささやかながらお祝いの会を開き
たいと思います。
はれやかな地味と
寡黙の戦闘性で
広大な詩領土に立った
金時鐘氏
の精悍な表情をまこと、ひさかたぶりに、それ
こそ大ひさかたぶりに祝福しつつ、
よみがえった彼の言葉の精霊に
酔ってみようではありませんか。
お忙しい中とは思いますが
どうぞ、御参加くださいますように。
一九七〇年十月

※とき　10月17日（土）
午後6時〜8時
※ところ　広州飯店（大阪西区）
地下鉄四ツ橋線本町
下車すぐ。
電話大阪532局一〇七七
※会費　一五〇〇円（会場で）

呼びかけ
小野十三郎・井上俊夫
鄭　仁・高　亨天
真継伸彦・松原新一
松岡昭宏・倉橋健一
片山昭弘

591-
堺市新金岡町3丁一番
21棟305号
原　圭治様

大阪市西区阿波座北通2の26
大阪文学学校　気付
金時鐘詩集出版パーティ実行委
（電話・大阪532・0649）

【資料６】金時鐘詩集『新潟』出版パーティご案内の葉書。

には在阪の主だった詩誌のメンバーが参加してくださり、盛大なものでした。会場となった郵政会館も『詩人ポスト』（全逓大阪中央郵便局支部の清涼信泰を中心に発行されていた職場サークル詩誌）のメンバーが手当てして下さいました。そんな具合な交流がありました」。新しい会場への変更は、清涼信泰の手配によるものであったと思う。

ところで、「ヂンダレ」は二〇号をもって一〇月に終刊となる。

金時鐘年譜（『原野の詩』掲載〈野口豊子編〉）によると、「大阪総連」「盲と蛇の押し問答」が組織的批判にさらされたうえ、さらに「第二世文学論――若き朝鮮詩人の痛み」の一部回収という事態が生起。これを契機に在日朝鮮人運動の組織の現場から離れていく、と載っている。

金時鐘が「詩が救われたわれらの人生」で、梁石日と対談した文のなかで当時のことを次のように語っている。「ぼくは文学、とりわけ詩をやっているからということもあるけれど、組織の持つ画一主義とか官僚主義、政治主義に我慢ならんことがあって、それはほっきり見えてきた北共和国の虚像への反発でもあったんです」。また別のところで、「盲と蛇の押し問答」の文章について「私が盲で、蛇というのは組織のことや（笑）。共和国を蛇に譬えたいうて、えらいことになった」とも語っている。

こうした当時の政治と文学の状況のなかで、金時鐘は、在日朝鮮人として「流民の記憶」を文学表現の底流に置くようになる。「ここに私の主要な詩の発想の場がある」と言っている。宇野田尚哉はシンポジウムで、「『ヂンダレ』『カリオン』は、朝鮮戦争とその後の政治的激動のなかで、政治の落とし子として生まれ、思わぬ成長を遂げたところを、再び政治によってその芽を摘まれてしまった無残な雑誌でありますが」と述べているが、「ヂンダレ」は、一九五九年二月に解散し、金時鐘は連日、暴飲に明け暮れたということだったようである（野口豊子編・年譜）。

「ヂンダレ」終刊から解散までのこの期間に、実は、九月に相談していた「長いものを書く会」の創刊号が発行されることになった。編集者は草津信男、発行者は金時鐘、発行所は大阪市東成区東小橋北之町二ノ一四九金原方、定価五〇円。同人は、原圭治、井上俊夫、木場康治、菊地道雄、金時鐘、洪允杓、草津信男、松本一也、越智一美、梁石日、清涼信泰、鄭仁、の一二人である。これまでの「ヂンダレ」との違いは、私たち日本人詩人がともに参加している点である。このことは、「現代詩」一九五九年一月号の現代詩短信に短く紹介されている。

この創刊号に、作品を掲載しているのは、菊地道雄「日本の雨季」、草津信男「暴力教室」、鄭仁「生れる」、金時鐘「天気図」、梁石日「城」の五人である。

私は、この「長いものを書く会」創刊号を保存していたので、もう少し詳細なことを知りたいと考え、連絡のつく当時の同人に手紙を書いて、返事を戴いたところである。

それを到着順に紹介させていただくことにしたい。まず、鄭仁さんより「拝復、ご健勝のことと存じます。さて、お尋ねの件ですが『長いものを書く会』創刊号のコピーを戴き、虚をつかれる思いが致しました。すっかり失念しておりましたので…。同人メンバーの名前に接してもただ驚くばかりでした。そういえば当時、長いものを書くべきといった議論が『ヂンダレ』でもあったような気がしてきました。雑誌発行の経緯など全く憶えがありません。何にせ自分の作品も記憶にない始末です。かえって貴兄からお話を伺いたいものです。貴兄のご期待に添えなくて大変申し訳ありません。取り急ぎ用件のみにて失礼いたします。ご自愛ください。二〇一二年九月二十八日　鄭仁」、次に、松本一哉さんより「ようやく涼しくなったようですが、お元気でいらっしゃいますか。金時鐘についてですが、何分、時間が経っていますが、『在日』二世で、達者な日本語力をもち、明るい性格で、当時の日本の詩について、前衛的な発言をする人だったと記憶しています。どこで、どんな会合だったか、覚えていませんが。昭和二十五、六年から、三十年位にかけて、でしたでしょうか。とりあえず、私の知るところを申し述べました。では、お元気で　松本一哉」。松本さんは、「長いものを書く会」についてはふれておりませんので、記憶に止まっていなかったのかもわかりません。最後は、梁石日さん「略敬　一九五四年といえば、私は詩誌『ヂンダレ』に参加していましたが『長いものを書く会』の作品についてはまったく覚えていません。あしからずご諒承下さい。不一　梁石日」。

ここでは、金時鐘の作品のみを、紹介しておきたい。

天気図（第一回）

第一部

Ⅰ

太古に海があつたってのは
ありや嘘だ。

握られた札たばの重みにほくそえみなから
先導のポリスがしずかにあとじさつたとき
敷きつめたギヤマンの一角がひび割れて
忽然と
海が噴出したのだ。
戒厳令下の未明。
どくどくと
海は島を侵し
手繰りこまれた魚類どもの喘ぎを呑んで
陸への運行が始まつた。
仕切られた方舟の中で
ジブテルスの変形した鰾が欲する
茫洋たる空気。
だが
俺の肺が肺としての機能を保持できるのはまだまだ先のことだ。
蓋は閉じられたまま。
雑居するクリマチウスに
コツコスチアス。

セファラスピスの
ものうげな政治亡命。
いたんだ甲冑のかけめから血が糸をひいても
まだ誰も
ことばになるうめきをもたなかった。
ただ沈黙。
この背後でひたひたとゆれて鳴る海。
俺の創世記にようやく風がさしはじめる。

この作品は、第一回としているから、おそらく長編指向の作品の最初と思っていいのだろう。しかし書き続けて完結したのだろうかは、金時鐘に聞かなければ判らない。

金時鐘の長編志向は、長編詩集『新潟』によって実現するが、それ以前からあったということが、詩集『地平線』のあとがきにみられる。「私はかねがね、詩集というものについて一つの抱負をもっていました。例えば、許南麒さんの詩集『朝鮮冬物語』のように、一つの主体（主題）に連なる作品集、一貫したテーマをもっていることは、私にとってたまらない魅力なのです。私も一生懸命勉強して、いつかはまとまった一つのものを書いてみたいと思っていますが」と書いている。呉世宗も、『地平線』の表現について、「確かに『新潟』と『地平線』の間には表現的にも方法的にも質的な差異がある。しかしもう一方で、『地平線』においては、『新潟』で開花することになる思想やモチーフが、既に萌芽的に散見されるのも事実である」、「作品『秋の歌』は、そのような季節感の異化の試みだけでなく、金時鐘がもつ長編志向を示す作品ともなっている」と書いている。詩集『新潟』は、一九七〇年に出版されたが、その作品は十年にもわたりあたためてきた作品ということである。「当時、在日朝鮮人組織から著者が事実上の『執筆禁止』の状態に置かれていたためである。その間、原稿の散逸・破損を恐れて、金時鐘は小型の耐火金庫を購入し、そこに大切に保管していたと言われている。まさしく伝説的な作品なのである」（細見和之「金時鐘詩集『新潟』論」）。

現代詩大阪研究会、一二月一六日（火）六時～九時、郵政会館二階松竹の間、現代詩一二月号、エッセイ　井上俊夫、作品　金時鐘、会費二〇円。この号には、関西の詩人の安水稔和の作品が掲載されている。この時は特集として、鮎川信夫の「パステルナークの悲劇」が掲載されていて、そのことで議論が弾んだようである。また浜田知章の東ドイツ訪問の報告もあった。金時鐘が作品の報告をしたが、活発な討論にならなかったと私の日記にある。

ところで、私の日記によると、一二月二三日に草津信男から私宛に葉書が送られてきた。「長いものを書く会」は、早くも破綻をみせた。止めてしまうよりしかたがないだろうと書いているが、その理由は書かれていないし、今もって思い出すことはできない。

一九五九年、「現代詩大阪研究会」は、一月二二日（木）六時～九時、郵政会館二階松竹の間、報告　浜田知章。関西の詩人の作品として、中江俊夫が載っている（二月号は、欠けている）。この二月に、「ヂンダレ」は、解散した。三月に金時鐘は、「大阪経済通信社を退社し東成区東小橋北之町二の一四九に移転。朝鮮総連からの「反組織的、主体性喪失」の批判は、組織を挙げての政治批判にまで高まり、金時鐘は連日、暴飲に明け暮れた。鄭仁、梁石日らと深夜まで飲みまくって喧嘩騒ぎを起こし、何度となく警察に留置されたりもした。妻の姜順喜は身元引受人として幾度か深夜の留置場を訪れた。大成診療所に入院し、腸閉塞の手術を受ける（野口豊子編・年譜より）。

三月号には、大阪研究会は、日程が締切時間までに到着しませんので、掲載できませんでした、とある。そして現代詩短信にも報告も載っていない。この号のガヤガヤ欄に、東京・伊豆太郎が「井上俊夫様。現代詩大阪研究会が毎月三〇〜五〇人の人々があつまり、その盛大さにくらべ、その中身はいたって貧弱だというお話をききましたが」と書いていて、「どのようにしたらならば中身のある楽しい研究会をもつことができるかを話しあうことが大切だと思っています」と結論みたいなことを述べているが、おそらく研究会は、マンネリに陥っていたのだろう。この三月号には、関西の詩人、倉橋健一の作品「マルクスのゆいごん」が掲載されている。

私の日記に、四月六日、梅田・現代詩研究会へ。とあって、当日の出席者は、乾武俊、菊地道雄、金時鐘、清涼信泰、大井川藤光、小野十三郎、関根弘、谷川雁、大江昭三、井上俊夫、浜田知章、港野喜代子、和歌山から、寺田、笹、新宅などが参加した。とあるが、この会合は、福中都生子編著の『大阪戦後詩史年表』には、五月五日となっているから、私の日記の日付は、ひょっとすると五月の間違いかもしれない。

この研究会は多分、関根弘が東京からやって来て、臨時に開かれたもののようである。翌翌日の五月七日にも、神戸トアロードの社会事業会館で「サークル詩とアヴァンギャルド」を主題とする現代詩懇談会がもたれている。井上俊夫の「幕末の詩人」、乾武俊の「現代詩のイメージ」、富岡多恵子の「詩劇について」、浜田知章の「サークルの問題」、関根弘の「最近のアヴァンギャルド芸術批判の問題点」について、それぞれが発言した。主催は、神戸詩話会と兵庫国民文化会議準備会と現代詩短信に載っている。

大阪研究会、四月一三日（月）六時。大阪郵政会館松竹の間、報告　草津信男。この号に井上俊夫が、先の伊豆太郎へ返事を書いている。「告白すれば、私たちは確固たる方針のもとに、この会を続けてきたのではない。自然発生的な運営に身をまかしてきた。うまくいかないのは当然であった。しかし弱点を意識することは半ば以上それを克服したに等しい。問題の所在をあきらかにするため、私のイメージにある現代詩の会にとって必要と思われる三つの組織を、その重要度から順に書く。第一、文学運動に専念するごく少数の詩人による中央編集部。第二、中央編集部に協力する有力な全国詩人網。第三、読者大衆の同情と支持にとりまかれた広範な研究会」。「大阪研究会はつまらぬと言われながらも、新人賞に入る有望な新人も出てきた」。

現代詩大阪研究会は、五月一四日（木）六時、大阪郵政会館松竹の間、報告、木﨑栄。この号には、関西の詩人の作品は、富岡多恵子、福中都生子、乾武俊、金時鐘が載っている。金時鐘の作品は「海の飢餓」である。この作品は、幻の第三詩集『日本風土紀Ⅱ』に掲載されることになっていた。詩の背景は、「日本社会のマイノリティとしての在日朝鮮人の暮らし」（「論潮」第三号・二〇一〇年七月二〇日・浅見洋子）である。

六月号は紛失していてないが、私の日記には、六月二二日に、大阪現代詩研究会が開かれ、出席は、浜田知章、井上俊夫、金時鐘、富岡多恵子、草津信男、清涼信泰、鄭仁、坂東寿子、等三〇人ほどで、あまり討論も発展せずに、スーパーマンの空想的要素と実在的要素についてその大衆性というところからメスをいれてみることはよいが、分析不足である、と書いている。

ところで、「長いものを書く会」は創刊号で終わってしまったが、六月二〇日発行で、「カリオン」が金時鐘、鄭仁、梁石日によって創刊される。「カリオンとは、朝鮮の伝説の中のたて髪だけが黒い白天馬のことで、ヂンダレが教条的な政治主義に無批判にひきずられていった自己を嫌悪するあまり『朝鮮人』という自意職をも曖昧なものにした一時期のヂンダレに対しても冷厳な批判を加え、なお将来の朝鮮文学の一つの捨て石となって生きることを信じて疑わない信念のもとに『カリオン』は発行された」(野口豊子編・年譜)。

現代詩大阪研究会、七月一三日(月)六時、大阪郵政会館松竹の間、報告　松本利昭。なお七月号には、長谷川龍生から事務局長が菅原克己に代わったことが載っている。この号には関西の詩人は足立巻一が作品を、井上俊夫、富岡多恵子がエッセイを載せている。

現代詩研究会、八月一〇日(月)六時〜九時、大阪郵政会館松竹の間、報告　清涼信泰、草津信男。(九月号は紛失)、今年になってからは、現代詩短信に大阪研究会の報告がまったく載らなくなったことから考えると、その運営が上手くいってなかったのではないか。

現代詩研究会、一〇月一二日(月)郵政会館亀の間二階、報告　倉橋健一、坂東寿子。この号に、井上俊夫の「詩人ノート」が載っていて、当時の関西研究用原子炉の設置にかかわる記事を書いている。「私の住む町のあちこちで開かれる『原子炉に関する公聴会』に出席すると、日本でも一流どころをもって任じる京都・大阪大学の教授連中が、苦虫をかみつぶしたような顔で、原子力の平和利用とかなんとかしゃべっているが、どうひいきめにみても彼らの想像力は貧弱である」。井上は、関西原子炉事件の抵抗運動の指導者たらんとした。現在の原発事故を考えると興味深い。関西の詩人の作品は安水稔和である。

現代詩研究会、一一月一三日（金）六時〜九時、大阪郵政会館松竹の間、報告　倉橋健一。この時期に、京都でも研究会が始められた。

この一一月二九日（日）午後二時より、大阪の現代詩研究会で活躍してきた菊地道雄、草津信男、清涼信泰の三人の詩集出版記念現代詩講演の夕べが大阪郵政会館集会室で開かれた。この三人は、この年の三月三〇日に菊地は『ジャンプ考』、清涼は『コックの指』、草津は『記憶のある場所』という詩集を共に「六月社」から出版していたのである。

一一月号の現代詩短信に掲載されたプログラムを紹介しておく。①祝いの言葉、小野十三郎、②「現代詩と社会主義リアリズム『山河』の歴史を中心に」浜田知章、③「サークル・ダイナミックス」菊地道雄、④「日本革命とわたくし」草津信男、⑤「詩人廃業」清涼信泰、⑥「原子の火もえず。関西原子炉事件の真相」井上俊夫、⑦特別賛助講演「ソビエト・フランス紀行」日共中央委員・山田六左衛門、⑧映画「暗殺計画『チュートンの剣』映画による論証（NATO中央最高司令官シュバイテルの犯行をあばく東ドイツDEFニュース・記録映画）、会費一〇〇円。この号には、二月に創刊された詩誌「大阪」の三人の作品が載っている。坂東寿子、福中都生子、前川十志男であるが、後に歌人となった前川の詩が載っているのがおもしろい（一二月号も手元にない）。

この菊地、清涼、草津の三人はいずれも「長いものを書く会」のメンバーだったから、当然、金時鐘は、出版記念の会に参加していたと推測される。参加者の記録はない。

さて金時鐘は一九六〇年、東阿朝鮮人商工会に再就職する。この年に、第三詩集になる予定だった『日本風土記Ⅱ』の出版を企画するが、組織批判が厳しく中断。その後原稿が散逸する（野口豊子編・年譜）。この幻の詩集は、金時鐘の研究を進めている浅見洋子の努力によって、暫定版として、復元と注釈の試みがまとめられたことは、前述した。

私は、一九五〇年代の大阪における「現代詩」研究会のことについて、手持ちの詩誌「現代詩」からここまで書いてきた。それは改めて振り返ってみると、金時鐘という詩人が、在日朝鮮人の詩誌「チンダレ」と「カリオン」の中心的な活動家として、詩を書いてきたのだが、その困難を伴った活動を仲間として支える役割を果たしていたのは、「現代詩」に集った大阪や関西の詩人たちではなかったのか、という思いがあったからである。

戦後詩史として、「社会派」詩人の拠り所となった詩誌は、大阪では、一九四七年四月創刊の「山河」（一九六〇年四月終刊）があり、東京では、一九五二年三月創刊の「列島」（同年六月に浜田知章によって「列島」関西センターが守口市に設置される。一九五五年三月終刊）。一九五四年七月に「現代詩」が創刊されたが、その前年に「ヂンダレ」が創刊されて、活動が始まっている（『一九六四年一〇月「現代詩」終刊）。そしてそれを引き継ぐのは、二〇〇一年六月創刊の「新・現代詩」から「新現代詩」となっている。「現代詩」からのもう一つの流れとして誕生したのは、壷井繁治が初代運営委員長となった「詩人会議」で、一九六二年一二月に創刊された。昨年一二月に五〇周年記念を迎えた。

二〇一二年三月に、高見順賞を受賞した金時鐘の詩集『失くした季節』には、「詩人会議」誌に掲載した四篇の作品も含まれている。こうして現代詩を書き続けてきた詩人たちが、社会や政治のもつ課題とかかわりながら、今日まで詩運動の流れを構築し、継続してきた様子がよく判ると思う。「ヂンダレ」から「長いものを書く会」の一冊を挟んで「カリオン」へと繋いできた、一九五〇年代からの金時鐘たちの詩運動は、「カリオン」三号をもって終わる（一九六三年）。この号には、金時鐘は、作品「猟銃」を掲載し、高亨天がルポルタージュ「新潟」を書いているが、一九五九年一二月に始まった在日朝鮮人の北共和国への帰国にかかわって、司会（細見）「帰還船が新潟港から出ていくそのときに、高さん、梁さん、鄭さんが三人で現場に行かれていた。そのときのルポルタージュです。あのときは、金時鐘さんは新潟には行っておられなかった？」、金時鐘「批判にさらされていたさなかでね」と答えたことに関係するルポである。しかし、この一二月に金時鐘は、詩集『海の記憶』を計画していたようだが、これがのちの長編詩集『新潟』の下書きとなった（野口豊子編・年譜）。そして、「カリオン」が終刊した一九六三年には、『新潟』の原稿はすでに完成していたということである（野口豊子編・年譜より）。

その詩集『新潟』が発刊されたのは、一九七〇年八月一日である。東京港区の「構造社」が発行所である。跋文・小野十三郎、装幀・片山昭宏、定価壱千円。

この詩集『新潟』については、細見和之が『新潟』論を書き、金時鐘を研究している浅見洋子が「論潮」創刊号（二〇〇八年六月刊）に『長篇詩集　新潟』の注釈の試みを丁寧に行っているので、それ以上のことは私には不可能なので、それらをお読みくださることをお願いする。最後になるが、この詩集『新潟』の出版パーティは、一九七〇年一〇月一七日（土）午後六時～八時、広州飯店（大阪西区・地下鉄四っ橋線本町下車すぐ）。会費、一五〇〇円。よびかけ、小野十三郎、井上俊夫、鄭仁、高亨天、真継伸彦、松原新一、松岡昭宏、倉橋健一、片山昭弘、である。この出版記念パーティのことは、覚えていないのが残念である。ともかく盛大なパーティであったのではないかと想像している。

その時、金時鐘から戴いた詩集『新潟』の署名入りの本が手元にある。それ以来私は、最近までかなりの長い間、金時鐘に会う機会をなくしてしまったのである。

（二〇一四年一月）

【参考文献】
金時鐘『集成詩集　原野の詩』（立風書房　一九九一年一一月）
金時鐘『わが生と詩』（岩波書店　二〇〇四年一〇月）
ヂンダレ研究会編『「在日」と五〇年代文化運動』（人文書院　二〇一〇年五月）
呉世宗『リズムと抒情の詩学』（生活書院　二〇一〇年八月）
梁石日『アジア的身体』（平凡社　一九九九年一月）
福中都生子編著『大阪戦後詩史年表』（ひまわり書房　一九九六年八月）
「特集　戦後関西詩」（『現代詩手帖』　思潮社　二〇〇三年六月）
浅見洋子「金時鐘『長篇詩集 新潟』注釈の試み」（『論潮』創刊号　論潮の会　二〇〇八年六月）
浅見洋子「金時鐘・幻の第三詩集『日本風土記Ⅱ』復元と注釈の試み（暫定版）」（『論潮』第三号　論潮の会　二〇一〇年七月）
金時鐘・素顔の五〇年、座談と討論資料　二〇〇四年一一月七日・於KCC会館
「詩と思想特集」（『戦後社会派の系譜』　二〇一二年九月）
犬塚昭夫・福中都生子編『座談 関西戦後詩史 大阪編』（ポエトリー・センター　一九七五年六月）
金時鐘『在日のはざまで』（平凡社　二〇〇一年三月）
金石範・金時鐘対談『なぜ書きつづけてきたか、なぜ沈黙してきたか』（平凡社二〇〇一年一一月）
金時鐘『猪飼野詩集』（東京新聞出版局　一九七八年一〇月）
金時鐘『新潟』（構造社　一九七〇年八月）
「やぽねしあ」朝鮮特集第二号　やぽねしあの会　一九七一年一二月十日発行
「やぽねしあ」第三号～第六号まで。済州島人民の「四、三」武装闘争史　一九七二年三月一〇日～七三年一月一〇日発行
「やぽねしあ」特集日本と朝鮮・第七号　一九七三年四月三〇日発行
「現代詩」（一九五五年一月号～一九六〇年一月号まで）

創刊号
長いものを書く会

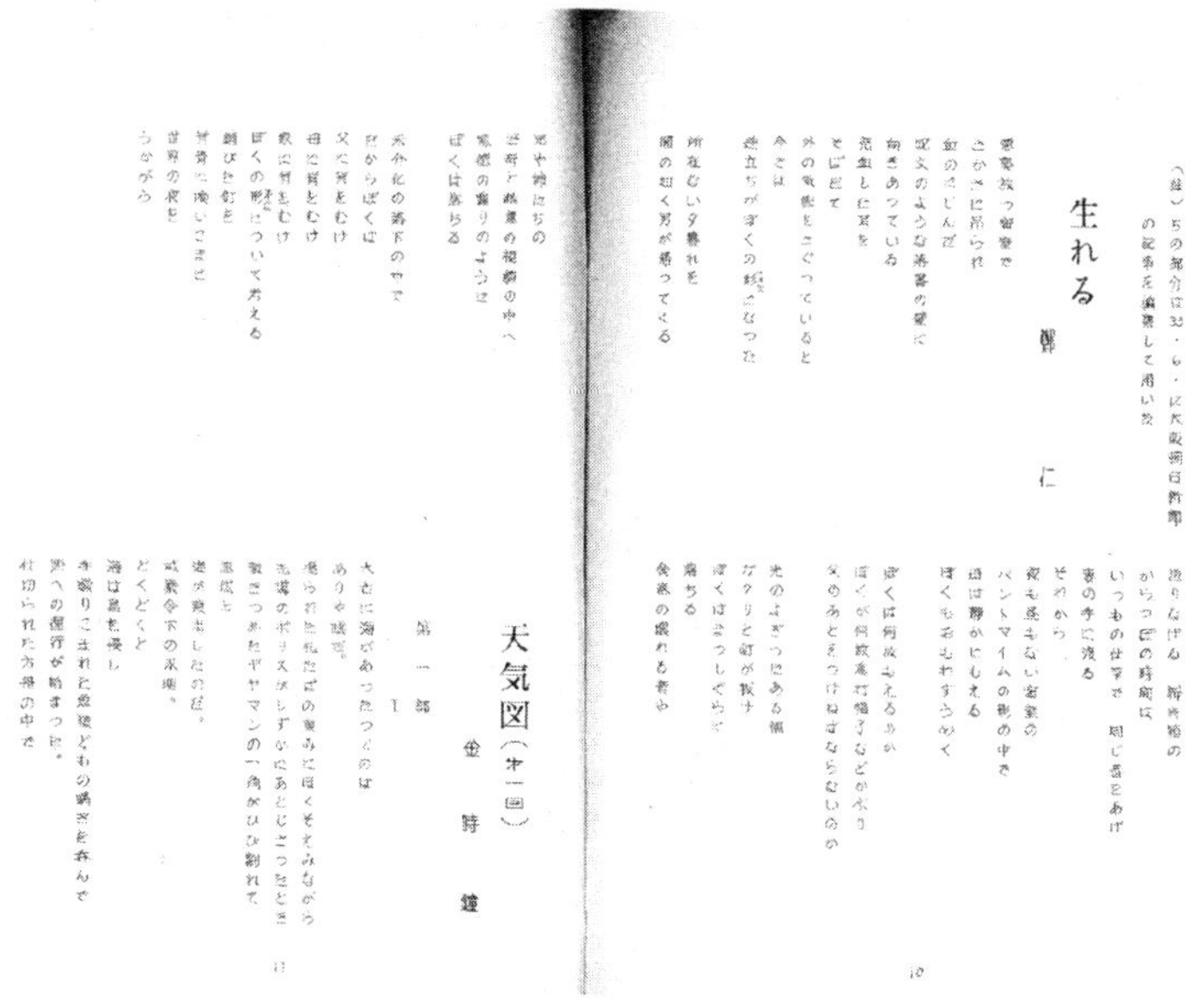
生れる
天気図（第一回）
金時鐘

ンデル人の変形した鍵が哭する
荒涼たる空気。
だが
俺の肺が肺としての機能を保持できるのはま
だまだ先のことだ。
窓は閉じられたまま。
痙攣するクリマチウスに
ニツコスキアス。
セツアラスピスの
ものうげな政治亡命。
いたんだ背肩のかけめから血が糸をひいても
君達は
ことばになるうめきをもたなかつた。
だが沈黙。
この稜線でひたひたとゆれて鳴る海。
俺の剣を鋭によろやく風がさしはじめる。

城

梁　石　日

1

孕んだせが街を行く、海辺の街が急に暗くなる。まるで、仮死状態の空洞が引裂かれて血をはきだすような、冷たい風が吹き荒れている。遠浦に立ちすくむ灘水の結晶が赤ずぎせの裸体を。確かに嫁なは、纏つた裸体と繰りついた血液をもつている。孕んだ誕せが街を行く、凝視を透り抜き、慈しみながら、意味のない言葉を、感覚の渇いた舌いそすて。彼女はいま、遥かの記憶をさかのぼりながら徴毒しているの然。あの夜のいまわしい観察の風の多に不幸が………彼女はふと想い出す。蜘蛛のように小さな家畜が、不意に大きな翼たひろげくやつてきた！」街の擬路のいびるところの曲り角に、暗い

12

隣の河が流れり、濡れたは鎖のように深々と息ずいている。ときどき尾を滑らせて落ちてくる郷愁の混合みれな血液を、嗚鐘を孟して軋轢するのだ。それから不気味な音がたかる。無数の骨状な翻が昇たあつて、陰影となく暗い淀しくしようのだ。修剣は衆に。マブルの空に…の幻想的な沢深沼の色彩の中でおこなわれている。

彼女はマラリアか風土病にでもかかつたアマゾンの森林の炎突く発熱した霧をかかえて舞りだす。不幸が逃げる。つずいてあらゆるものが、隊商が、警艦が逃げだす。やむそストによつて病床とにした巨大な都市に、たつた一人の妖婦が、われとわが虚空に向つて叫ぶ。時間が止まる。しばらく偽空状態が続いたかと思うと、次の瞬間に、大理石の巨大な支柱のダイナミツクな崩壊がはじまる。ポンペイ遺跡の白さながらの光線がその故に亀裂する。大地が鈍角度に傾き、空が渦巻くのを眺

じる。彼女は前後不覚になつている。そして身を投げます。永遠に宇宙の郷へ！　ぼくは激しいショツクで顔を覆わしや。めちやめちやに壊れてしまつた子宮の内部で。

プランクトン列島

洪　允　杓

I

今では誰も
その男をわらう者はない
ぼくの街の住人どもは
もはや悲痛の念で
その男を見守つている
今に忘れる
としつように喰い下つてきた
男の哲学は狂つていなかつた
昨夜は
鉄漿屋のおやじが
一升なんにいつぱいつめていつだという
大鋸を閉めきつた
銀行前の夜

男はいつもの位置に
店びらきをしている
四角い水ソウ桶
海　コツプ一ぱい　十円
の貼り紙
みればみる程
抽象の透明をたたえて
男の瞳は深もりかえつている
高価げて見えるのは
男の自慢ありげる瞳ではない
販売の腕を投げかけながら
立止つてしまつた
人間面の
プランクトンどもだ

今に海の
ストツク・イトア
出来るにちがいない

一九五八年十一月？日発行
一九五八年十一月号
長いものを書く会　定価五十円
購読料 半年分 三〇〇円
（送料共） 一年分 六〇〇円
編集者 算 津 鎬 寛
発行者 金 時 鐘
発行所 大阪市東成区東小橋北之町二の一四九
金照方 長いものを書く会

■私が出会った忘れられない詩人たち

これだけは書き残しておきたい『戦争論』の詩人・井上俊夫さん

井上俊夫
（「大阪民主新報」2002年8月発行より転載）

井上俊夫さんに初めて会ったのは、一九五七年六月一七日に「現代詩」の初の関西会合がユマニテ書店（道頓堀にあった〈本著一二七頁【資料1】〉）でもたれた時の報告者が井上さんだったことによる（「現代詩」は一九五四年に創刊）。

井上さんは、同年五月の第一詩集『野にかかる虹』で第七回H氏賞を受賞していた。この詩集でよく引用される作品は、真壁仁編『詩のなかにめざめる日本』にも掲載されているが、「惣七家出一件」である。「これは古文書の形式で書いた詩である。」として、戦後の数少ない農民詩集のうち、もっともすぐれた典型を示した詩集、と解説している。また『井上俊夫詩集』（土曜美術社・一九八三年刊）の後書きでも、倉橋健一は「戦後の農民詩に大きな変革をもたらした詩人である」、「井上俊夫は下層農民階級の出身で、定住農民」と書いているが、私は、井上さんのこの原点は、生涯変わらなかったように思える。

井上さんは、一九二二年五月一一日、父・弥吉と母・きぬの長男として現在の寝屋川市に生まれる（本名・中村俊夫）。家は江戸時代から続く大百姓だったが、父の時に没落して田畑を手放す。一九四二年に召集されて中国へ送られ、翌四三年（二一歳）には数々の戦闘に参加する。その後、四五年まで気象隊下士官として漢口、武昌、荊門などの飛行場を転々とした。一九四六年に復員。秋祭りに若い衆らと神輿を担いで恨み重なる大地主の家に乱入して、逮捕、送検される（この事件からも、向こう意気が強い性格がうかがえるが、その性格は亡くなるまで変わらなかったように思う）。翌四八年に寝屋川町役場に就職。組合の役員も務めたが、結核にかかる。入院中に書いた「奴隷兵士ではない」という詩が当時のソビエトの「ズヴェズタ」（星）誌に翻訳され掲載された。

その後詩誌「山河」に加入し、本格的な現代詩運動を始める。前後して「列島」にも参加する。井上さんは寝屋川市史編纂室の専任書記を務めたことから、郷土史家の影響を強く受け、一連の淀川沿いに題材を取ったエッセイなどを「淀川」「続淀川」「わが淀川」などにまとめている。小野十三郎は、この本の帯文に「詩人井上俊夫は、この新著で凡百の回顧的な郷土史にはない、状況と人間の関係に深く立ち入っている。読み物としても面白い本である」と書いている。こうした本には詩も幾つか掲載されているから、井上さんは詩集オンリーとは言えないマルチな書き手であったと推察する。

一九六〇年の「新日本文学」に、市議会選挙や研究原子炉建設問題、部落の事件等などを題材にして千二百枚の長編小説「ベット・タウン」を書いている（井上さんが小説を書いたのは伊藤信吉に会った時、「詩なんかやめてね、小説を書きなさいよ。詩なんて、これは一番駄目な人間のすることですよ。」と勧められたことが要因である）。

実は、井上さんは一九五九年の「現代詩」誌一〇月号に、関西原子炉事件と名付けて、批判文を書いている。当時茨城・東海村の研究原子炉第一号に続いて第二号を宇治市に計画したが反対にあい、高槻市阿武山の麓、その後交野市星田、四条畷、堺市泉ヶ丘、河内長野市、和泉市、美原町など挙げられ、いずれも反対運動が起こり、一九六一年に熊取町に決定したという経緯があった。現在の原発反対を予見したような一文である。

その後、一九八〇年代には『蜆川の蛍』とか『巷説浪花八景』などの短編の時代小説も書いているが、淀川や支流の浪花の川を題材としたとてもおもしろい読み物である。

一九七五年には、五月書房より『井上俊夫詩集』と『農民文学論』を刊行している。この五月書房の詩集は、A六版赤箱入り、壱千部限定の特製本である。これはこれまでの過去の詩集の作品も含めて選集のような作品内容となっている。

ところで、井上俊夫さんは他にも文筆業としてラジオ番組や戯曲や運動史など、いろいろな執筆活動をしているが、今回は主に詩集について紹介したい。

まず『野にかかる虹』から「乳房」を紹介する。

夜を迎える乳房をみた。真っ赤な藁がしんしんと燃えて、腰巻一つ
しどけない姿で、風呂を焚いている嫁の分厚い胸に、今にも火が
うつりそうだ。

夫が入り、しゅうとめが眠り、貰い風呂の人たちもとっくに帰って
よごれて、すくなくなった湯には、ぎらぎらあぶらが浮いている。

きっと、あわてて入ってしまい風呂がぬるかったのだ。風呂場でひとり、真っ赤な藁とともに燃える、濡れた乳房よ。今度はおもいきり熱くした湯の中で、お前ははじめて、ふかいふかい夜を迎える。

この作品について三浦健治が「冒頭の一節は、通常の散文なら『夜を迎える嫁をみた。』と書かれるべきものである。それを『夜を迎える乳房をみた。』としたのは、乳房によって嫁の姿を換喩的に表現したのであり、ここに一種の詩的強調があることはいうまでもない。しかし、女性の性的魅力の頌歌というには、この詩はあまりにも生活の苦渋に彩られている」、「この詩が高い結晶度を感じさせるのも、しまい風呂に入る嫁のイメージの背後に、苦難に満ちた彼女の生活の全体が暗示され、農村の現実の陰翳がひろがっているからだ」と解説している。まさに文学的、典型性の高い作品と言えると思う。

ところで、井上さんの経歴で変わったことで注目させられたのは「釜ヶ崎」とのかかわりである。一九六六(昭和四一)年、井上さんが四四歳の頃、「朝日ジャーナル」にルポ「釜ヶ崎騒動の渦中にいて」を発表しているが、釜ヶ崎との関係はそこにあったアジトを廃止した一九七三年頃まで続くのである。釜ヶ崎に行くようになった当初、そこで喫茶店「銀河」をやっていた東淵修と出会っている。「このときが、俺と現代詩との、長いつきあいの始まり」と書いているが、ところが寺島珠雄が釜ヶ崎暴動のことをネタにして、直後に創刊された「人間喜劇」に、西成警察に火をつけろ、石を投げろとか煽動的な内容詩を発表して、それが原因で編集責任者だった井上俊夫と口論となり、喧嘩別れしている（東淵修『おれ・ひと・釜ヶ崎』より）。二人の性格がよく出ている事件である。

一九六八年頃、釜ヶ崎で遊んでばかりいたと年譜にあるが、井上さんは「日本犯罪学会」へ入会している。一九八〇年にＶＡＮ書房より刊行した詩集『ピアノちゃん』に五篇の「犯罪もの」の作品を載せているが多分関係があると思う。この詩集の作品一七篇のうち一一篇が、七六年から福中都生子、犬塚昭夫と三人で出版した月刊詩誌「大阪」に発表された作品である。当時、新大阪社会派宣言した詩誌は五年後に通巻五七号で廃刊。

寝そべって耳の穴をほじくっていた男が／にわかに跳ね起きた／しまった！と叫んだ／階下の部屋にピアノで／〈刺身包丁の曲〉ばかり弾く少女が／引っ越ししてきたことに気がついて・・・。（一連）少女の母親に談判して／〈刺身包丁の曲〉をやめさせるために・・（中略）うちの娘は〈刺身包丁の曲〉なんか弾いていません／あなたショパンがおわかりにならないの（二連）と展開して、金物屋で刺身包丁を買い込んできた男に刺殺されるという八連の詩である。「ピアノちゃん」それは、井上俊夫が「自分もこのような罪を犯すのではないか」というおそれとおののきの表白の作品であると書いているが、加害者の罪の心理は戦争体験に通じていて、これまでと違った作品になったのかもしれない。

ところで井上さんは、一九七八年にアメリカに旅行するが、その時の作品「ナイアガラ・フォールズの蝋人形館」など四篇も入っている。旅行詩でも愉快な作品である。

どうもこの詩集は梅田新道にあった喫茶・日響での「詩を朗読する詩人の会『風』」で朗読されたようだ。宮川礼子さんが「犯罪を時として表現されたことに興味を持ちまして、先生よりご案内いただき、井上先生の詩の朗読を聞きにきました」（詩を朗読する詩人の会「風」二五周年記念特集）と書いている。

私と井上さんとの交流は真ん中の時代がすっぽりと抜けている。また付き合いが復活したのは、一九八〇年代後半に私が詩人会議に再入会して、詩を再び書くようになってからである。井上さんの作品が急激に変化したのは、亡くなる二〇年ほど前からである。

一九九三年八月一五日（敗戦の日）、詩集『従軍慰安婦だったあなたへ』をかもがわ出版から刊行する。あとがきに「戦争についても、時に私はなにか語らずにいられない衝動に駆られる」、「今年は四十八回目の八・十五を迎えるわけだが、しみじみと思うことがある。それは私と同じように戦場に赴きながら運悪く帰還できなかった戦友たちは、単に二十代の若さで生命を絶たれただけでなく、同時にあれから四十八年もの長い人生を生きられる可能性をも奪われてしまっていたのだった。もちろん私たち日本軍の銃弾で斃れた中国軍の若き兵士たちにも、これとそっくり同じことがいえる」と書いている。

「『詩人会議』に拙作にふれていただいたコピー、ありがたく拝受。ちょうど貴殿に近刊詩集をお送りしょうと思っていたところです。この前、以倉さんのパーティーでおめにかかった時、出すといってた本です。では、お元気で。井上俊夫」というメモとともに送られてきた詩集である。こうして井上さんと付き合いが始まった（五月に詩集『地球の水辺』で以倉紘平さんが第四三回H氏賞受賞し、そのパーティーに出席した時）。

そして二〇〇二年には井上さんのサイン入りで『八〇歳の戦争論』を戴いた。井上俊夫さんの最後の詩集『八十六歳の戦争論』は詩集制作中に井上さんが病気で倒れてしまい、ついに本の完成を見ることができなかった。この三冊は、かもがわ出版の編集者・湯浅俊彦氏によって世に出た本である。とりわけ最後の詩集は、献本先の宛名シールも自ら用意されていた。本の発行は井上さんが亡くなった後の一二月八日である。いかに井上俊夫が「戦争」に強くこだわり続けたかがうかがえると思う。帯文を紹介しておこう。「老骨に／鞭打って／書かねば／ならぬ　残酷で／不条理な／「戦争」の／実相を　命ある限り」。井上さんは日本の右傾化に強く危機感をもって必死で書き残したのである。

これらの本にかかわる井上さんの朗読について事件のような出来事を紹介しておきたい。

一九八八年一一月二七日、大阪の中小企業文化会館で日本現代詩人会主催による文学フェアが行われた。講演に大岡信を迎えたこともあって、参加者は約三百名を数えた。そこに日高てるとともに井上さんも自作詩を朗読したのである。「日中戦争で戦死した大阪生まれの英霊の声」――今は無き昭和天皇が、まだ臨終の床にあった時に作れる歌――という長い散文詩である（『従軍慰安婦だったあなたへ』所載）。

わい（私）は、中支派遣、歩兵第×××連隊、中林隊所属、陸軍上等兵、木村三次郎というもんでおます。／井上俊夫とは、同じ大阪は北河内郡友呂岐村出身でおます。

という始まりで、靖国神社をすみかにしている英霊としてしゃべくりを続ける。英霊は、靖国神社にまつられた以上、勝手に抜け出すことができないから、昭和天皇がお亡くなりになり新しい天皇が即位された時、恩赦をもろて、出てこいよと言う。

ああ、恩赦。／ああ、恩赦。／平和な日本、豊かな日本の／国民統合の象徴さま。／新しい天皇さま／軽井沢のテニスコートでの恋の天皇さま。／それにリクルート汚職にまみれた内閣総理大臣殿。／どうか恩赦をくださいー！／靖国神社からヒマをくださいー！／／一日早う、大阪へかえしたれ！道頓堀で一杯呑ましたれ！

杉山平一さんは、「井上俊夫の朗読は自分の軍隊経験を交え、五ヶ条の軍人勅諭やラッパの哀調をひびかせながら靖国神社に閉じ込められた英霊が天皇の恩赦によって開放される日を待つというものだった」と感想を書き留めている（大文連年鑑・詩の一年）。最後の二行を井上俊夫は絶叫したというから会場の反応は相当なものであっただろう。

もうひとつは一九八九年九月一一日夜、大阪・中之島中央公会堂で天安門事件百日忌実行委員会主催の催しで、井上さんが詩の朗読をした時の出来事である。このことは岩波現代文庫『初めて人を殺す――老日本兵の戦争論』に掲載されている。この時、井上さんは二つの詩を朗読している。最初は「銃声が聞こえる」で二つ目が「戦友よ、黄金の骨壺の中で泣け」である（『従軍慰安婦だったあなたへ』所載）。

井上さんは当時、女子大で講師をして現代詩も教えていたが「あたしたちも応援に行く」といって会場に花束を持って学生が来ていた。井上さんは「せっかくの花束だ。俺の詩の朗読がおわったとき、舞台の上でもらおうじゃないか」、「ヒィヤァァ。先生、あたしたちみんなが舞台の上にあがるの」と陽気に言っていた学生たち。ところが会場に右翼が紛れ込んで、天皇のことをあんなに言うあいつは許せん、あいつを殺してやるなど口ばしっていたと知らされ、秘密の出口から抜け出す始末となった。大学へ行くと、例の五人の学生たちが駆け寄って、あの時身体がふるえてしまって花束を渡すどころの騒ぎではなかったんです。というものジャジャ馬たちに似合わないことを言った。この出来事について「詩にも中々反響があり聴衆をうごかす力があるのか、多数に評価されてきたかと再認識をさせる」（大文連年鑑・詩の一年）と書いている。

井上俊夫さんは、二〇〇六年に日本現代詩人会より、「先達詩人」として顕彰を受ける。この時、井上さんから電話をいただいて、私の代わりに授賞式に行ってくれないかと言われ、とてもそんな役目を果たせそうもなくお断りしたが、少しは信頼してくれたことを嬉しく思ったものである。無事、井上さんは出席して自作詩を大阪弁で朗読された。

二〇〇八年一〇月一六日、井上俊夫さんは八六歳で亡くなられた。わたしは通夜に参列したが、葬儀には行けずに現代詩人会会長・大岡信の弔辞は倉橋健一さんに代読をお願いした。「巨星墜つとは、このような事をいうのでしょうか」という一文は、今回、井上さんの足跡をさまざまな資料を求め読み解く過程を経て今の実感として受けとめている。

（二〇一七・四月）

大阪弁と釜ヶ崎にこだわり続けた詩人・東淵修さん

東淵修さんと言えば、大阪弁の詩人と言われるほど、大阪の方言にこだわって詩を書いた人である。そして、ひらがなを使った一人称で流暢にしゃべりまくる表現が得意だ。
その代表的な作品の一つに「わいは　10えんだま」がある。

わいは　10えんだまや　むかしでいうたら　1っせんだまや
1っせんに　わらうもんは　1っせんに　なくちゅうたが
いまかて　いっこも　かわれへん　10えんに　わらうもんは
10えんに　なくんやで　10えんだまがなかったら　ちかてつ
にかてのられへんし　ふろやへいって10えん　たらんかったら
はいられへんし　しんぶんかて　かわれへんねやで　そない
いいもって　わいは　この　おやっさんのポケットのなかで
いっしょにはいってんねん　わいをもっている　おやっさん
わい　ひとりやよって　なんにもかわれへんし　ちゅうの

いっぱいも　のまれへんし　ぶる　ぶるぶる　ぶる　ふるえ
もって　あっちゃ　こっちゃ　あるきまわってんがな（中略）

そして、散文形式の語りの後に、一行空きで、次の終連のフレーズに続く。

わい　10えんぶん　おやっさん　ぬくうにしたろ　おもた
わい　10えんぶん　とんどと　ともだちになったろ　おもた
わい　10えんぶん　おやっさんのために　はたらいたろ　おもた
わい　10えんぶん　とんどになって　もえたろ　おもた
わい　10えんぶん　おやっさんのまたぐら　ぬくめたろ　おもた

この作品は、ＮＨＫラジオ番組でも放送され、高校の教科書にも掲載されたが、詩に表現された場所は、東淵さんが生涯こだわり続けた釜ヶ崎という所である。

東淵さんが、現代詩の世界にかかわって一年、そして詩誌「地帯」を発行した翌年、最初の詩集『陸続きの孤島』（一九六七年）を刊行する。この「陸続きの孤島」というのは、釜ヶ崎のことで、陸は続いているが、いろんな差別の意識が釜ヶ崎を孤島にしているんだという思いを詩に込めて訴えている。この生き様の原点は、生涯変わらなかった。

東淵自作年譜によれば、昭和五（一九三〇）年、大阪市浪速区霞町一丁目一番地で、一貫目の逆

東淵 修　　　吉増剛造

子で生まれた。家は大変貧しかったようで、小学校時代は、服もカバンも兄のものを使い、肌着もボロボロのものを着ていたと書いている。学校を出て、衣料品屋の丁稚に行った。そして昭和二〇年三月一三日、大阪大空襲に遭い、自宅が丸焼けとなる。
一六歳の時、大阪南のキャバレーのバンドボーイになったが職場に合わず、全国巡業の旅にでる。そして二五歳の時、母親に喫茶店を作ってもらい、大阪に落ち着く。
東淵さんが詩と出会うのは、三六歳の秋で、先の井上俊夫さん（本著一六七頁／「軸」一二三号）で書いたとおり、喫茶「銀河」に来た客に、井上俊夫、寺島珠雄がいたのがきっかけとなり、同人詩誌「地帯」を刊行するようになる。「このときが、俺と現代詩の長いつきあいの始まり」と『おれ・ひと・釜ヶ崎』に書いている。
三七歳の時、第一詩集に次いで『釜ヶ崎二十年』を刊行する。その後、彼が繰り返し作品に書いてきた「おかあちゃん」が載っている。その作品にふれて、東淵さんは「おかあちゃんを、俺は釜ヶ崎いう町の代表みたいと思てる。怒り（おこり）で人情家で、すぐ泣きよる、そんなおかあちゃんや」と言う。この作品は最初から一二行はすべて始まりは「おかあちゃん」で、一行空いて次の一三行の始まりは「ぼく」である。最後の三行を挙げてみよう。

ぼくは　おかあちゃんの　つちいろになっていく　そのめが　すきや
ぼくは　おかあちゃんの　ちぢこまっても　ここにいてる　そのかおがすきや
ぼくは　おかあちゃんが　このとちで　うずもれてしまうまでまいにち　まいにち　くるで

「この詩が出来たんは、もう現代詩なんかやめたろ、という気持ちのときやった」、そして、「やめる前に、めちゃめちゃな詩、ひとつ書いたろ」、「おかあちゃんと、ものいうような、そんな詩作ったろ、て思たんや」、「大阪弁で、全部ひらがないう詩は、ここから始まってるんや」（『おれ・ひと・釜ヶ崎』）。東淵さんの詩作方法の根拠が言い表せられていると思うし、併せて、ずっと抱き続けた母恋の原点もここに表現されている。

東淵さんは、おかあちゃんの作った東淵アパートを建て直した銀河荘の壁に、おかあちゃんの碑をはめこんだ。そこに「土」と題した詩を入れた。「おおきな／あかりを／ここで／すくうてんねんやな／おかあちゃん」。東淵さんにとって母の人生は、釜ヶ崎と一体のものとして社会認識をしていたのだと思う。

三八歳のとき、喫茶店を閉め、古本屋「銀河書房」を開業して、一二月に総合詩誌「銀河詩手帖」を創刊する。「この頃が詩魂絶頂と言うべきか」とも書いている。

東淵さんの詩人としての活躍ぶりは、このあたりから始まって、四三歳の一二月に弥生書房から『釜ヶ崎愛染詩集』を刊行した頃が、「一番、最高に詩というものに対する思いの情熱を爆発させた、爆発した時であったと思う」ということになる（詩集「あとがき」）。この詩集は一万部印刷したというから、弥生書房の津曲篤子さんも東淵さんの詩の読み手がそれほど多くいて、詩集が売れると予想したのであろう。

翌年の昭和四九（一九七四）年一月に中之島中央公会堂で出版記念会を開く。そして東京・日本出版クラブ会館でも開き、出席者も上林猷夫、土橋治重、高田敏子、三好豊一郎、吉原幸子、犬塚尭など現代詩人として活躍していた人々六七名が出席した。

そして日本現代詩人会H氏賞候補、小熊秀雄賞、日本詩人クラブ賞にもノミネートされるのである。四〇歳を過ぎてから、いろいろ朗読の機会を現代詩人ともつようになった。自作年譜から拾ってみると、昭和四五（一九七〇）年三月、NHKラジオで「ゴロゴロのうた」を朗読。出演料一万五千円。翌年四月、大阪・国民会館で「銀河詩手帖フェスティバル」を開き、「かえってきたにいちゃん」を朗読。出演者に有馬敲、諏訪優等。昭和四七年八月に東京新宿・紀伊国屋ホールにて、「銀河詩手帖フェスティバル」を開き、宗左近が詩集『炎える母』より朗読、「人情釜ヶ崎」の上演、東淵修作詩劇「山頭火ひょう鋲」など発表している。一二月には大阪心斎橋パルコスタジオにて、吉原幸子、吉増剛造、白石かずこ、諏訪優と共に出演する。翌年一二月にも同じ場所、同じ出演者で「人情釜ヶ崎」を上演している。昭和五一（一九七六）年四月にも同じ場所で出演者、小野十三郎、高田敏子、犬塚尭、吉原幸子とともに出演している。その年の一〇月には、東京浅草・木馬館にて、やはり新宿紀伊国屋ホールにて、「銀河詩手帖フェスティバル」で坂本遼詩集『たんぽぽ』より、組詩「しぐれ」や、東淵修の語り朗読「人情釜ヶ崎」を上演。このように十年間ほどは、東京、大阪で現代詩人たちと朗読活動を繰り返していた。これは東淵さんのおかあちゃんゆずりの自己顕示欲が強い性格が、朗読活動を成功させてきた理由のひとつにあげられるかもしれない。

ところで、『定本　東淵修全詩集――釜ヶ崎に生きて』の「あとがき」では、好きな詩人として、ツルゲーネフ、千家元麿、坂本遼、井上靖の四名をあげている。ツルゲーネフの詩集『乞食』という一作に魅せられてしまった。「僕にとってのどうしょうもないぐらいの人間対人間の深い思い、ヒューマニズムというものが伝わってきて、ツルゲーネフの詩がたったひとつのダイヤモンドに思えてならなかった」。また、この逆の立場で成功しているとあげたのは、井上靖詩集『北国』である。千家元麿の詩風は、「白樺派の理想主義、人道主義の影響のもとに、自然を賛美し、屈託のない愛情や善意のまなざしを庶民生活へ向け、ヒューマニティに満ちた素朴で平明な口語詩風を樹立した」と『現代詩大辞典』にある。

東淵さんは、千家元麿詩集のおそらく庶民へのヒューマニティのまなざしと、平明な口語詩という表現形式に、自己表現と同じものを感じとったのかもしれない。

もうひとり、『たんぽぽ』の詩人、坂本遼については前の三人と違って、身近に尊敬する詩人であった。彼が『たんぽぽ』復刻版を昭和四五年一〇月一日発行で作ろうとしていた目前に坂本遼は亡くなったのである。

東淵さんは、復刻版を出版するために『たんぽぽ』の前書きを書いた「歴程」の草野心平に、坂本遼の名刺を持って会いにいく。ところがその出版を目前にして、一九六九年五月一七日に坂本遼は亡くなってしまう。彼はその二日前に坂本遼の家を訪ね、発行の報告をしていた。葬式の当日に東淵さんは、新潟に行かねばならず、朝早く西宮の自宅を訪ね、棺の中の坂本遼に嗚咽して、ただ泣き続けたという（『おれ・ひと・釜ヶ崎』）。

坂本遼が亡くなって東淵さんは当時、朝日新聞学芸部の記者だった高橋徹さんに会い、『たんぽぽ』復刻版出版記念会を提案して、竹中郁や足立巻一なども参加し、新聞社で行う。そして、中之島中央公会堂で追悼会をする。その次に兵庫県河東郡上東条町（現・加東市）の坂本の生家に詩碑を建て、毎年五月五日に「たんぽぽ忌」を行う事とした。

詩碑の大きさは新聞紙を広げた大きさで、「遠い／峠田のてっぺん／あれは／おかんかいな／鳥かいな」と遼さんの詩が刻まれている。東淵さんとは母恋という共通項もあったけれど坂本遼という詩人に「師」として、「父」として、心底ひきつけられたのは、父ほど年齢が上だったということもあるが、別の意味で男親に対する思いがあったのであろう。

東淵さんは、父親についてはほとんど書いていない（母親ほど）。僅かに書かれているのは、『おれ・ひと・釜ヶ崎』で「俺の父はもともと淡路で生まれた人で、国学者やった東淵の家に養子に行ったあと、関西大学の法学部を卒業して巡査になっている。巡査になって紀州のほうへ見回りに来た親父を、おかあちゃんがものすごくほれてしもたんやな。で、田舎から手に手を取って、二人で大阪へ出て来よったんや。それからしばらくは『口入れ屋』いうて、私設の職業安定所みたいなことをして釜ヶ崎でやったんやけど、親父が女作って家出たり」と書いている。もうひとつ七〇代に新世界へ帰ってからの詩で「ちちと・ははと・べんてんちょうみなと」の中に、小学校一年生の頃、父の故郷、淡路島に行ったことが書かれているくらいである。父に誘われて東淵さんは、「ぼくはとびあがるほどうれしかった　あわじも　しらんとこやし　だいいちふねにも　のったことがない

し　とびあがるほどよろこんだもんだ　いまおもいだしてみると　おやじのあいをこうむったおもいでは　それいっかいきりだ　そのほかは　なぐられっぱなしであったことである」。父親がいつ、どこで亡くなったのかは、自作年譜にはない。類推すれば詩人坂本遼に「師」以外に理想の父親像を重ねていたのかもしれない。父親の存在の影が薄い反面、母親を恋慕ったのだろうか。勿論、身近な母は生きることに強かったこともある。

坂本遼の詩の特徴は「『たんぽぽ』にみられるように、「おら」と「おかん」をめぐる独白体や、往復書簡体の方言詩で、農民の苦しい生活とそれを甘受する諦念とを哀切に描いた」（『現代詩大辞典』）。詩作の上でも東淵さんと多くの共通項が考えられる。

復刻版といえばもう一冊、杉山平一の『夜學生』を刊行している。これらのことは「銀河詩手帖」第二八二号、二八三号に近藤摩耶さんが「二冊の赤い復刻版」で書いている。東淵さんは『おれ・ひと・釜ヶ崎』に「銀河書房には三つの宝があって一つ目は坂本遼さんの『たんぽぽ』復刻版、二つ目が井上青龍と俺の写真集『釜ヶ崎』、三つ目は杉山平一さんの詩集『夜學生』の復刻版や」と書いている。

東淵さんについて、あと二つのことを紹介したい。一つは現在の「銀河・詩のいえ」から近い通天閣での二回の「詩展」である。一回目は昭和四三（一九六八）年五月二五日から三一日まで「みどりの詩展」を開き、「塔」を出品した。この作品は喫茶「銀河」の客でもあり、「地帯」の表紙を描いた野村泰司氏の一〇〇号の通天閣の絵に、東淵さんが「塔」という詩を書いたものである。今も「銀河・詩のいえ」に飾られている。

二回目は一九九六年の「文化の日」から一週間で「紅葉幻想」と題された。藤富保男、杉山平一、河邨文一郎など四〇名が出品した。これも「銀河詩手帖」二八一号に、近藤摩耶さんが一文を載せている。この時には私も通天閣に行ったが、たまたま同じ詩人会議仲間の三方克さんに会った。その後、何冊も彼から詩集を贈っていただいた記憶がある。

もう一つは、東淵さんの詩人との交流で、とりわけ吉増剛造さんとのかかわりである。

私の記憶では、中之島中央公会堂の一室に、東淵さんを囲むようにして二〇人くらいの男女が集う「銀河詩フェスティバル」へ吉増剛造さんが来られて詩の朗読を催したことと、もう一回は二〇〇七年五月に「銀河・詩のいえ」の催しにマリリア夫人とギターリストのジャン・フランソワ・ポーヴロスさんが来られて朗読をした。吉増さんの詩は、音感言語で書かれていて、朗読に相応しい作品であり、併せて吉増さんはさまざまな道具を使って（例えば、金槌、物干しハンガーなどいろいろな物の音を出しながら）詩の朗読をしたのである（「銀河詩手帖」二二三号に山崎睦男さんが当時の催しについて詳しい一文を書いている）。この後、皆で近くの店に飲みに出かけたことが思いかえされる。因みに、吉増さんとは別に、岸和田の詩の催しの時にも会っている。

東淵さんは、二〇〇〇年五月に一一冊目の詩集『老人と鳩と釜ヶ崎』を刊行したが、もともと虚弱体質だったところ、酒は一升、タバコは日に六〇本というような生活をしてきたこともあって、「血圧は高いわ、心臓は悪いわ、糖尿など」健康を害して「病院通いしている間に十年以上経っていた」。医者から「あんたは九つの病気をもっている」とまで言われることになる。一時期、堺市泉ヶ丘の府営住宅に居を移すが一九九四年、札幌から東淵さんを尋ねてやって来た近藤摩耶さんと運命的な出会いをする。

東淵さんの健康状態が悪化するなかで、近藤さんは「師」と慕う東淵さんを助けるために、勤めていた病院を止め、人工透析を受ける彼を献身的に支えてきた。しかし、二〇〇八年二月一二日に時代劇を観ている途中に苦しみ、病院の救急治療室に入れられたが、二四日に享年七七歳で亡くなってしまった。

四七歳のとき、アパート「銀河荘」で「泡吹いて倒れて」救急車で南大阪病院に運ばれた頃が病気の始まりだったのかもしれない。自作年譜の続きとなる一九八〇年から二〇〇三年八月に「銀河詩手帖」二〇〇号の発行人を近藤摩耶さんにバトンタッチするまでは、年一回大冊の『現代詩誌人アンソロジー』を出版してきたが、主に詩誌発行が活動となっていたようだ。東淵さんの現代詩についての考え方がまとめられる一文が『定本　東淵修全詩集』の「あとがき」にある。要約すると、プロの詩人が言う「考える詩」というものは、「言葉をもてあそんで綾のように積み重ねていった詩」で、一般大衆の人にとって「わからんというのが本音である」、「やはり義務教育を終えた人でもわかる詩を書かなければならない」、「それが詩人の務めであり」その上で、「詩の情念を伝達してゆくという方法を採らなければならない」、「但し僕にとって抒情に始まり抒情に終わる作品ほど大嫌いなものはない。やはり、一作一作に性根を据えて、抒情に始まり、厳しい現代社会が横たわり、そして抒情に終わってゆく、一篇一篇の作品に問題意識が内在している作品でなければ駄目であるという観念を僕は持っている」と。最期に「銀河詩手帖」二四七号に、近藤摩耶さんが紹介した東淵修の遺作「薄日を背負って」である。

薄日を背負って

堺港の薄日が投射して
伊東静雄の石碑が
こちらに向かって
一重の文字が
こちらを向いて
立ちすくんでいる
その前に
もう一つ
濃く
車椅子が
ゆらゆらと燃えている
燃えつくした墨色の
投射が
一重になって

さらにまた
濃い色の修が
三重になって
ゆらゆらと
燃えつきる

近藤さんは、「東淵修師がその詩のなかで、自分の名前を漢字で書くのはきわめてめずらしい。しかも修が／燃えつきる／と言いきっている」、「二二六号作成時も十二月にはこれが遺作だということに気付かなかった。途中でちょっと悲観的な詩もつくってみたのだと、まだまだ先が長いのだと信じていたのだった。完全に大阪弁とひらがなから離れ、標準語と漢字交じりでシュールなまでの現代詩になっている。まるで長い間かぶっていた仮面をはらりと取り去ったような」と振り返る（二〇一一年六月）。

近藤さんは、当分東淵さんの志を継いで「銀河詩手帖」を刊行していくつもりである。

（二〇一七・一〇）

大阪・万国博「世界の国からこんにちは」の詩人・島田陽子さん

島田陽子さんについては、書くべきことが多すぎて、すべてを書き切ることはできないと思うので初めにお断りしておきたい。島田さんは、一九二九（昭和四）年六月七日、東京府荏原郡矢口町（現・大田区矢口）で、父・九一、母・春子の二女として生まれる。父の転職と引っ越し癖のため、毎年転校する。一一歳のとき、豊中市麻田小学校（現・蛍池）に転入する。島田さんは豊中高等女学校に入学するが、学徒動員令で飛行機の発動機をつくるが、敗戦の年の六月七日、大阪大空襲の日に工場の焔を逃れ、機銃掃射に狙われながら麦畑を友と走った。一六歳の誕生日だった。この日、豊中高女五名死亡、八名負傷。八月一五日敗戦（島田陽子年譜）。この戦争体験は島田さんの人生で平和を願う原点となった貴重な体験となる。

島田さんが亡くなったのは二〇一一（平成二三）年四月一八日で八一歳だった。六月四日にアウィーナ大阪でお別れ会がもたれた。当日、島田さんのこれまでの活躍ぶりがわかるほど、詩人たちをはじめたくさんの参列者があった。私は亡き島田さんへの献杯をさせていただいた。

「島田さんは一時期、全詩集出版を考えたが断念した」と、涸沢純平さんが「編集工房ノア」から

島田陽子　原 圭治　中江俊夫
大阪市公館　三好達治賞会場にて

出した『詩とうたと自伝・じいさん・ばあさん』の遺稿集に書いている。その本の著者目録によれば、詩集、選詩集、童謡詩集、少年少女詩集など一七冊、童謡集一冊・評論・エッセイ集三冊、その他作詩・合唱組曲など、幼稚園歌、校歌、社歌、市町村歌など多く手がけたとある。実に多彩な仕事をしてきた詩人であったと思う。

しかし、涸沢さんも書いているように、「著者は、童謡・うたも多く書いたが、現代詩詩人であることにこだわった。現代詩詩人島田陽子が、童謡、うた、を書くのだと言った」と。「詩と詩想」誌の日本の詩人で、井上俊夫がこれにかかわるような一文を書いている。「もうだいぶ以前の話である。島田陽子さんが日本現代詩人会に入会を申し込んだのに、門前払いを食らわされたことがあった。この時、私が推薦人のひとりだったが、唖然としてしまったし、腹も立った。俺みたいな詩壇つきあいの悪い男が関わったばかりに、こんな結果になったのかとひねくれもした。再度の申し込みで島田さんは会員になった。またしても拒否されるようだったら、私は会に厳重抗議をするつもりだった」。いまでこそ詩壇では、詩人がいわゆる「うたう詩」を作ることの意義を認める人が圧倒的に多くなってきている。しかし、昔から童謡や歌曲やフォークソングなどに手をつける詩人を軽視する風潮があった。島田さんが詩人会の入会を一旦拒否されたということの背景には、こうした事情が潜んでいたと私は推察している。島田さんの詩人へのこだわりは、こうした経緯があったのかもしれない。

島田さんの人生と詩人としての仕事には、この大阪へのこだわりがある。島田さんの父は方位学に凝って引っ越し癖があり、小学校を五回も転校させられ（私も同じだったが）、「ふるさと」をもっている人が羨ましく、定着しようと思い、大阪に住み続けた。そして大阪弁に出会う。「開放的で、情があって、角のない大阪弁が、いつか自分のことばになっていた。一九七〇年代、ふとしたことから童謡詩を大阪弁で書き始めて、このことに気がついた」、「大人の大阪弁の詩も二〇〇四年、古典芸能詩集『帯に恨みは』の前半に収録した。（中略）私を表現者として支え、鍛えてくれた大阪弁は、日本中にある方言のひとつである」（京都新聞「こころの森」記事）。一九九八年刊の『うたと遊べば』や、二〇〇三年刊の『方言詩の世界』にも、「大阪ことば」について一文を書いている。島田さんの『大阪ことば』のしごとは、『ほんまにほんま』（一九九〇年刊）、『大阪ことばあそびうた』（一九八六年刊）、詩画集『うち　知ってんねん』（一九九七年刊）などに、見事なほど大阪弁の魅力を作品に仕立てあげている。島田さんの小学校国語教科書に収録された「うち　知ってんねん」である。

あの子　かなわんねん／かくれてて　おどかしやるし／そうじはなまけやるし／わるさばっかし　しやんねん／そやけど／よわい子ォには　やさしいねん／うち　知ってんねん／／あの子

かなわんねん／うちのくつ　かくしやるし／ノートは　のぞきやるし／わるさばっかし　しゃんねん／そやけど／ほかの子ォには　せえへんねん／うち　知ってんねん／／そやねん／うちのこと　かまいたいねん／うち　知ってんねん

島田さんは一九八一年に第一一回「日本童謡賞」を受賞する。

「思いもしなかった賞が初めて箱根を越えて関西にきてくれた」と語っている。大阪ことばで童謡を書くことに味をしめてせっせと書き続けるうちに、限界があることを知る。「大阪弁は話ことばであり、ふだん着のことばである。従って、主観的なもの、感情を伝えるものには適していても、観照的なものや叙述には向かないことがわかった。大阪弁には大阪弁のよさがあり、共通語には共通語の利点がある。現在、両方のことばを必要に応じて使い分けている」。

島田さんの第一詩集は、一九七五（昭和五〇）年、四六歳のときの『ゆれる花』である。跋文は小野十三郎である。これは島田さんが、大阪市立文化会館で開かれていた「夜の詩会」（小野十三郎主宰）に参加して詩を書いた縁、でまた、福中都生子の「ポエム」に参加したことなどによることが、小野さんの跋文と繋がったのではないか。この詩集の作品で、『島田陽子詩集』の後書きを書いた杉山平一と石原武はともに「セイタカアワダチソウ」をあげている。「ここはもはや異郷ではない」から始まる詩句は、「未知の国の歓迎ぶりに狂喜して／我々は狭い列島を火のように北上した／（中略）いま　若い奴らは／道ばたのわずかな空地も見逃さず／三十糎ばかりに生え揃って　初々しい花をつけている／一緒に海を渡ってきた兵隊たちのように／陽気に笑いあっている」。杉山さんは、

「その言葉がひろがって行くさまは、『セイタカアワダチソウ』というすぐれた作品にあらわれている」と評し、石原さんは「跳梁する帰化植物の生態をしっかりと捉え、戦後風俗を風刺する詩の骨組みと、スケールは凡庸ではない」と書いている。

この詩集には、島田さんが一六歳のとき、空襲で逝った動員学徒の仲間たちを書いた「レクイエム・ほむら野」も収録されている。

二〇〇四年に古典芸能詩集といわれる『帯に恨みは』を刊行する。あとがきによると、「ふとしたことから古典芸能を観る愉しみを知って十三年になる」、「なぜ、そんなに古典芸能に魅かれたのか。第一に新鮮だった」、「自分の国の伝統芸能である。しかし、古代の神楽、雅楽、中世の能、狂言、そして近世の文楽、歌舞伎、いずれも神に捧げるものとして、それぞれの時代に祖先たちがつくり、享受してきたものを私は忘れない。自分の中を流れる水路のひとつに気づかなかったといえる」と。この詩集には三九篇の詩が載っているが、個人的な私との関わりでは、「青変幻」の詩である。ある夜、島田さんから電話があって、「原さんの『海へ　抒情』の表紙の色のことを、私の詩に使わせてもらってもいいか」という問い合わせだった。勿論、即座に使ってくださいと返答した。それがこの作品の最初の一連「チュニジアン・ブルーの表紙」である。二連では歌舞伎「神霊矢口渡」／舞台一面にひろがる」「あざやかな日本の青」を書き、三連では「徳之島　犬田布三岬の瑠璃色の海」を書き、四連で「『戦艦大和』の慰霊塔が見つめつづける海」を書く。島田さんの反戦への思いを込めたレクイエムである。

二〇〇八年に島田さんは、最後の詩集『わたしが失ったのは』を出版する。三年前、夫婦共に癌患者となったからである。「夫は大腸、私は膵臓の開腹手術を余儀なくされたのである」（あとがき）と書き、「この三年間、『老いと病』という、これまで慮外のものだったテーマにとらわれ、『いのち』についてもより深く思考せざるを得なくなった」と。タイトル・ポエムの作品は次の詩句である。

わたしの失ったのは、たいしたものではない／親や大人に無法にうばわれた／子どもたちのいのち／そのくやしさにくらべれば／或いは／日常にひそむ凶器になぎ倒された／家族のしあわせ／そのとり戻せない笑顔にくらべれば（二連を省略）わたしが失ったのは　たいしたものではない／それでも　自らいのちを断つ子どもたちにいいたい／生きていれば　生きてさえいれば／いつかきっと光に出会えると

島田さんのヒューマニズムは、社会の不条理を許さなかった。また児童詩を書いてきた詩人として、子どもへのいとしさは格別だったと思う。

島田さんが「この歌は、いまでは私の顔であり、名刺がわりである」というその歌こそ、「日本万博テーマソング」の「世界の国からこんにちは」である。島田さんの応募の動機がおもしろい。「一位の賞金は百万円だった。一篇の歌の賞金としては前代未聞の額である。日本中から一体どれだけの歌詞が集まるのか、見当も付かなかった」。「私は徹夜し、二篇仕上げた。投函しながら、もし一位に入ったらーと、ふと思った。亭主の顔が浮かんだ」。その理由は、夜中に、詩や小説を書いていた島田さんの健康を心配して亭主が「金にもならんのにー」と言ったことにあった。結局、

島田さんの歌詞は一三、一九五篇の中で勝ち残ったのである。「賞金は、第一詩集の資金の一部としてわずかを残し、家族全員と親兄弟に思い切りよくばらまいた。そうすることが『金にもならんのにー』といわれた文学の弔い合戦にあるような気がしたのだ」(「関西文学」一九八四年一二月号)。

島田さんの子どもたちは当時小学生になっていた。「外国にまだ容易に行けない時代、子どもが居ながらにして国際交流のできる万博は、平和なればこそである。その会場で人と人が笑顔で交わせることばが『こんにちは』であり、それは『一九七〇年のこんにちは』なのだ。いうところに私の力点があった」(「関西文学」一九八四年一二月号)。

原作は作曲家(中村八大)の音楽的理由で形が変わった。新聞発表時の原作は、「西のくにから　こんにちわ/東のくにから　こんにちわ/世界のひとが　こんにちわ/さくらの国で　こんにちわ/一九七〇年の　こんにちわ(後に「こんにちは」に変更)」である。「平和であれ。いつまでも」の願いを込めた原作を生かしながら軽快で、誰もがうたえる曲に仕上げた作曲者の苦労は大きかっただろう。下記の如く上下のことばが入れ替わり、「握手をしよう」の一行が加わって。『世界の国からこんにちは』はレコード八社の競作となり、私の手から遠く離れていった。弘田三枝子、吉永小百合、ボニー・ジャックス、三波春夫、叶修二、坂本九、西郷輝彦、倍賞美津子、山本リンダが歌っている。(略)結果、三波春夫の健闘でかれの歌のみ生き残った。

(「詩的自叙伝　数ならぬ身の」―「詩と思想」二〇〇九年春より三回連載)

こんにちは　こんにちは　西のくにから／こんにちは　こんにちは　東のくにから／こんにちは　こんにちは　世界のひとが／こんにちは　こんにちは　さくらの国で／一九七〇年の　こんにちは／こんにちは　こんにちは　握手をしよう　（二、三連略）

島田さんの「童謡詩集」の仕事の延長線上に、もうひとつ見逃せないのは、童謡詩人『金子みすゞへの旅』である。二〇歳から五年間で約五〇〇篇の童謡を書いた金子みすゞを書こうと思ったのは、母と同い年だったことで（父が山口県小郡出身ということもあったかもしれない）、みすゞの時代――母たちの時代への旅ともなったと言う。

島田さんの金子みすゞへのこだわりの発端は、岩波文庫『日本童謡集』で見たみすゞの作品「大漁」だった。そして島田さんはみすゞの死と作品との関連性についてひとつの考察を行った。「作品を読み込むほどに、みすゞの父恋い、死との親和性が浮かび上がってきた。」と、エッセイ「金子みすゞ・父恋いの海」（『うたと遊べば』所収）に書いている。あとがきに、みすゞについて「童謡（詩）を通路として、みすゞは内なる世界に閉塞することなく、外なる世界へはばたいた。作品は多くの人たちに認められ、光を浴び、死後一旦は埋もれたが蘇って、生前以上の光をあてられた」と書いている。いまではテレビや新聞、その他で金子みすゞの童謡は、優しい表現の詩句と、その以外性の発見の言葉で、多くの人々の心を捉えて魅惑している。

島田さんは、みすゞの「父恋い」について、衝撃的な本に出合う。『金子みすゞ　ふたたび』（今野勉・小学館）である。それはみすゞの父は「金子家累代の墓」ではなく、無縁墓に入っている謎を解明したものだった。「病死以外の死者は無縁墓に入れる風習を知っていたみすゞが、父と同じ墓に入るために自死を考え、しかも父の命日、二月十日に一カ月遅れの三月十日を選んだとある。そうまでして、みすゞは父恋いをつらぬいたのだが、実の父の死は病死であった。それを隠して夫を無縁墓に入れたのがみすゞの母だった。となると、夫婦の間で何があったのか、人の心の闇の深さに立ちすくんでしまう」（「詩的自叙伝　数ならぬ身の」）。

みすゞの「父恋い」に深い関心を寄せた島田さんには、「思いもかけない父との軋轢に苦しむ日々」があった。「父への反感をはっきり意識したのは十一歳で豊中に来てからである」とも書いている。酒を飲み、子どもを叱り、チャブ台をひっくり返し、母に当たり散らす、こうしたことが毎夜のように続き、島田さんは「酒を憎み、父を憎み、殺意さえ抱くようになった」とまで書いている。詩集『ゆれる花』の「鬼火—母に」にも二〇〇四年、「ポエトリ関東」二〇号の「けもの」という詩にも、一九八二年の「年鑑関西詩集三」に掲載した「罪」という詩にも、父との葛藤が書かれているが、「そんな私を救ったのは『戦争』だった。食料も衣料も欠乏した戦争中の暮らしは、父からも酒を奪った」、「ひとは絶対悪の戦争にさえ救われることがあるのだ」（「詩的自叙伝　数ならぬ身の」）とまで書いている。島田さんにとっての「父という存在」は、みすゞの「父恋い」とは真反対のものであったと思えるが、詩人としての生涯で省くことのできない重いテーマのひとつであったと思える。ところで最後に、島田さんの以外な面を感じたことの一つに「巨木に魅かれる」ところがあった。「巨木の時間」というエッセイも書いているが、電話をもらったとき、全国の巨木を尋ねていくのが好きと聞いて、いささか島田さんの知らなかった面を知って、少し意外感をもった。ひょっとすると、島田さんの潜在意識のなかに、あれほど反発していた「父性」への権威の象徴性が、巨木の魅力となって潜んでいたのかもしれない。

島田さんは一九七五年一月創刊の「大阪」（井上俊夫・犬塚昭夫・福中都生子編集）に参加するが、それが一九八二年に突然解散することになった。「編集部の間で修復出来ないヒビが入ったという。場を失った同人はそれぞれ声をかけあって、八月に『叢生』、九月に『陽』と『異郷』を立ち上げた」（『詩的自叙伝　数ならぬ身の』）。二〇〇号終刊となった「叢生」のこれまでの活動は省きたいと思う。

島田さんといえば、少年少女詩と童謡「ぎんなん」のこともあるし、私にとって毎月決まって送ってくれた児童図書を近くの保育園に届けることも、良い思い出のひとつであった。また島田さんが作詞した歌曲の音楽会にも行かせていただいた。加盟していた大阪文化団体連合会の会誌「大阪文化のひろば」で、文化人レポートという欄に私の紹介記事を執筆していただいたこともあった。とても行き届いた一文であった。そういえば、その大文連の事務所で事務局のメンバーと一度お酒を飲む機会があったが、島田さんもお酒が好きだったようで（父譲りかもしれないが）とても良い飲みっぷりの印象であった。晩年は酒に狂った父を許していたと思う。

島田さんは「叢生」の編集にかかわるようになって、東京へ目が向き始めたときに、「地球」の秋谷豊氏から誘いがあって、その詩に惹かれていた新川和江さんが同人の一人と知って、「地球」に参加する。遠い人だった新川和江さんと同い年のよしみを結んでいただいたとも書いている。その新川和江さんは「三好達治賞」の選考委員として来阪されるようにもなった。たまたま「三好達治賞」に出席した『語彙集』の詩人、中江俊夫さんに会ったときに、島田さんが中江さんと一緒に写真を撮りたいと言って写してもらったこともあった。中江さんに対する島田さんの格別の敬愛の気持ちが感じられたことも印象に残っている。

島田さんの最初の詩集『ゆれる花』に跋文を書いた小野十三郎は、その文の最後に、島田さんにはいい詩のお友達がたくさんいると、「軽く翼を泳がせて／重い荷物をはこべ」と書いた。このラストの二行に島田さんは「なんというあたたかな碧眼だろう」、「私のためにのみ選ばれた唯一のことばと受け取って感動した」と。そして島田さんは、これは作品中の詩句ではと気になって探したが、見つからなかったと書き、名フレーズの出所を知りたい。と結んでいる。この名フレーズこそ、島田さんの詩人としての生涯の仕事を支え、導きの言葉と成りえたものなのである。この二行に尽きる言葉以外はありえない。

（二〇一八・四）

原　圭治　　下村和子
島田陽子　新川和江
大阪市公館・三好達治賞会場にて

■私が出会った忘れられない詩人たち

向日葵のような詩人・福中都生子さん

（上）

福中都生子さん。今も私は貴方にお別れしたと思えなくて、自分自身の気持ちに区切りがつきません。振り返れば、五〇年代後半に、大阪で「現代詩」研究会が頻繁に開かれていた頃、帰りのタクシーに小野十三郎さんを家に送り届けるため、福中さんが私を同乗させてくださったことが、強く印象に残っていますが、そのあたりからのお付き合いだったと思います。その時、福中さんは、第一詩集『灰色の壁に』を出版され、三〇才となっておられました。

その翌年に詩誌「大阪」を創刊されていますが、福中さんの詩人としての活躍は、それから亡くなるまで五〇年間積極的に続けられたということです。

この「大阪」に、倉橋健一さんは、福中さんの五番目の詩集『やさしい恋うた』の詩集評「爛熟と調和」を掲載されています。その文中で、タイトル・ポエムとなった「やさしい恋うた」にふれて次のように書いている箇所がありました。「福中都生子の大雑把な人生割りふり法、二十代を革命への恋唄、三十代を女ざかりの恋唄、四十代をやさしい恋唄、と分類が、どこかで割りふり不能な息づかいで苦しまねばならぬのは、この自己を肯定的に見つめることが、結局リアルには保証されていなかったからだと私は思うのだ」と評されています。この大雑把な人生の割りふりは、勿論「やさしい恋うた」のなかで、貴方が書き記していることですが、その継続としての五〇代、六〇代、七〇代の人生の割りふりは、貴女にとってどのようなものであったのでしょうか。

福中さん、貴方は五〇才の時、第一一回小熊秀雄賞を受賞しましたが、このことを区切りとして、幾つもの文章講座を開くことに関わり、詩の書き手を育てることに力を注いできました。そして、これは終生続けられてきました。こうした仕事は、文章表現という行為を通じて、きっと女性たちの社会的解放に寄与すると考えておられたのだと思います。

翌年、一一冊目の詩集『女はみんな花だから』を出版されますが、これは『女ざかり』から書き進めてきたテーマの女性たちの自覚と自立、解放を願う完結編のような詩集でした。

そして、月刊「大阪」が終刊すると、貴女は、詩誌「陽」を同人誌として創刊して、これが今度の九九号・一〇〇号合併号で終刊となりました。しかしもう貴女はここにいません。この追悼号には、貴女と関わりのあった多くの人々が、福中さんの詩の仕事や、貴女の歩まれた素晴らしい人生の軌跡について一文を寄せてくださっています。私にはこれ以上付け加えることはありません。

福中さん、貴女は詩集『やさしい恋うた』の扉に、「歴史よ　わたしを　過去から見るな　歴史よ　わたしを　未来から抱け」と書いています。五〇代からの福中さんの詩人としての仕事は、二十一世紀にむかって、平和や人間の自由への希求や願望を表現することであったと思います。とりわけ、一六冊目の詩集『恋文は三十二文字』は、憲法九条二項の戦争放棄を歌ったもので、「世界へのラブレター」というフレーズで終わっています。

先日、五月六日、九条世界会議・関西が開かれましたが、そのキャッチフレーズは、「世界は、九条を選び始めた」でした。これはまるで、貴女の書いたラブレターに世界から返事を返してきた言葉のように私には思えました。貴女の平和憲法への思いは、「九条の会・詩人の輪」の呼びかけ人のひとりとしても積極的に行動されてきました。今この「詩人の輪」は千名を超えました。日本国憲法を守り、生かすことを大切に考える人々が六割を超えたとマスコミも報じています。

貴女の一七冊目の詩集『二十世紀に滞在』に「ある日、ある朝、カナリア諸島まで行けなくとも――」という作品がありましたね。アフリカ北西部に近い大西洋の近くに浮かぶカナリア諸島のテルデ市のヒロシマ・ナガサキ広場に、日本国憲法九条の碑があるということです。貴女は「カナリア諸島まで行け

福中都生子氏を偲ぶ会　2008 年 5 月 18 日

なくても」と詩のなかに書いていますが、本当に行きたそうに言っていましたね。日本から遠く離れた小さな島にも、憲法九条の心が届いているのですから、いつかきっと貴女の願いは世界中に届くでしょう。

最後になりますが、『子供たちに贈る二十一世紀への証言』全一五集は、あの『やさしい恋うた』の扉の一行「歴史よ　わたしを　未来から抱け」というフレーズのように、子どもたちに未来を贈るための仕事でした。貴女は後記にこのように書いていますね。

「世界の事態は、今もまだ二十一世紀平和時代の保障にまで届いておりません。子供たちにどのようにして、安心して生きられる時代と社会を贈ることができるか。二十世紀生き残りの私たちには、必然的に直接的なこの仕事への責任があると考えます」と。

福中都生子さん、私たちは、貴女からこの仕事への責任を引き継ぐことになりました。

「一歩でも二歩でも、一人でも二人でも、生きるに値する平和とは何かについて、新しい人間の理知と勇気が、花開く文学表現を更に磨いていきたいものです」と貴女はその文を続けておられますが、それにお応えすることこそが、生きている私たちにできる貴女への思いだと考えています。

私は「天国」を信じていませんが、福中さんの分だけ「天国」を信じることに致しますから、どうか「天国」から、私たちのことを見守ってください。長い間、お疲れ様でした。どうか安らかにお休みください。

（福中都生子氏を偲ぶ会での弔辞）

二〇〇八年一月一三日、福中都生子さんは肺炎のため、大阪府立病院で亡くなった。葬儀は「家族葬」として、堺市中百舌鳥町の西栄寺にて行われた。それまでは、福中さんは、堺市中区新家町の生協が運営している「オレンジコープ・みのり」に入所して暮らしていた。そこに落ち着くまで、私と中岡淳一さんが、あちこちの老人福祉施設を案内して廻った。どういう理由か判らなかったが、亡き夫寛治さんの『医者の女房』（一九七七年刊）としてこれまで頑張ってきた家であり、一九六八年一〇月に、三階にポエトリーセンターを開設して、フォークシンガーの高石ともやさんを招いてオープンニングセレモニーを行って以来、福中さんの詩人としての活動の拠点でもあった居所を去って、別の居所を求めた心境が何処にあったのか聞きそびれてしまった。小熊秀雄賞の選考委員をしていた旭川の詩人、東延江さんからの葉書に、福中さんは「何故か最後に旭川に住みたいから部屋をさがしてほしいといってきて」とあって本当に驚いた。まさか、『福中都生子全詩集』で第一一回小熊秀雄賞を受賞したことの縁で、旭川に住みたいなどと思ったのだろうか。いずれにしても福中さんの心境の変化は、五九才で亡くなった夫寛治さんとの別れに起因していたのかもしれない。あるいは、家を明け渡す別の理由があったのかも判らない。そういうわけでもないが、福中さんは、自らの蔵書を整理したいと言い出して（大阪に、市立文学館ができていれば、そこに寄贈したいと思っていたようですが――）、私に相談があり、丁度オダサク倶楽部で知り合った大阪市中央図書館の高橋俊郎さんに相談して、図書館に寄贈することになった。そして、二〇〇五年四月四日に搬入をすませた（関西詩人協会会報八一号に高橋さんに記事を書いてもらったが、「福中文庫」と志賀さんが寄贈した「独陽文庫」は、整理がすんで閲覧ができるようになっている）。

福中さんが亡くなって、詩誌「陽」は、第九九号と第一〇〇号合併号にして、福中都生子追悼号として「陽」同人たちで編集された。その扉に福中さんの詩「ことば」が載っている。

詩は　やさしさのきわまるところに／そのつきあたりに立っている／詩では　ほんとうのことしか語れない／ほんとうのことを言うためには／沸騰するような勇気がいる／その情熱の底には／自分自身への　相手への　他者への　世界全体への／いとおしさが／こんこんとたたえられていて／それは　しずかな湖の朝ににている

（詩集『淡海幻想』から）

それから「福中都生子氏を偲ぶ会」を開くことになった。会場は、「陽」の会が例会として使ってきたドーンセンターとした。

五月一八日の偲ぶ会には、有馬敲、日高てる、金堀則夫、倉橋健一、左子真由美、島田陽子、下村和子、直原弘道、白川淑、山村信男、たかとう匡子、千葉龍、司茜、長津功三良、瀬野とし、水口洋二、永井ますみ、横田英子などに「陽」の会の会員と併せて、七三名が参加した。私は、友人代表として、先に記した弔辞を述べ、「陽」同人代表として、平原比呂子さんが弔辞を述べた。

残念なことに、一緒に福中さんの相談に乗ってきていた中岡さんが、体調を崩されて参加できなかった。その後、中岡さんも亡くなられてしまった。また当日、参加してくれていた詩人の島田さん、下村さん、直原さん、山村さん、千葉さん、水口さん、そして、当日参加できなかった、福中さんを盟友と呼んでいた三井葉子さんも亡くなられてしまった。いまは、大変寂しく時の流れを振り返るだけである。

　ところで、福中さんの詩歴を振り返ると、大まかに三つの区切りができると思う。一九五八年刊行の第一詩集『灰色の壁に』から『雲の劇場』『南大阪』『女ざかり』（一九六七年刊）までが、初期詩篇としてくくられて、『福中都生子全詩集』（一九七三年刊）では、それらの詩集から約半数の作品が選ばれている。しかし私は、それに加えて、『やさしい恋うた』（一九七一年刊）、『福中都生子詩集』（小川和佑編／一九七三年刊）を含めて初期の区切りとしたい（小川さんの編集した詩集は、一から五までの選詩集でもあるから）。

　この間、一九六八年にポエトリーセンターがつくられ、一九七三年には、詩誌「大阪」が復刊されている。これらの初期の詩集について、井上俊夫が全詩集の解説にうまく纏めて書いているので簡単に紹介したい。福中さんの処女詩集から「独楽」という作品をあげて――「私はこのみずみずしい感覚にふちどられた初期詩篇に、それから三〇年後の戦後社

福中都生子全詩集
1977 年発行

詩集『葦の芽が光る街』
1983 年発行

会をひたすら一人の詩人として、主婦として、市井にまみれてきた福中さんの境涯（「女の時間」「朝の茶の間」など参照）と、戦後民主主義文學運動の洗礼を受けた社会派の詩人として、終始、時代の動きに対して鋭敏なアンテナを張りつづけながらも、常にその作品の周辺に向日性のきらびやかさと色っぽい情念をただよわせてきた福中さんの詩風が、いみじくも原形的ににじみ出ているような気がしてならないのである」。「彼女が第一、二詩集を通じて模索してきた自分の詩的世界大阪という風土性をとりいれることによって、一挙にその領域を拡大できるとの明確な方法的自覚を持ったことを意味している」。「どうやら福中さんは、あの円熟で柔和で野卑で饒舌な大阪弁に象徴される『上方風の物の捉え方と表現の仕方』を自家薬籠中のものにしてしまったふしがあるのだ。事実この第三詩集からにわかに饒舌になってくるし、大変すべりがよくなってきている。処女詩集には、どことなしに北国に育った人特有の憂愁が影を落としていたが、それが関西的な陽気さとアクの強さに変わってくるのである」。「第四詩集『女ざかり』になると、福中さんの詩はいよいよ対句やリフレインをふんだんに使用したいたって平明でリズミカルなものになってくる」。「詩の主題は以前のように拡散させず、逆に束の間の過ぎ行く女の爛熟期を自覚することによっていやが上にも、燃え上がる情念の炎の中に、それを収斂させてきている」。

「第五詩集『やさしい恋うた』になると、ついに福中さんでないとやれない前人未到の詩的世界が展開される。「酋長ジェロニモ」「シドニア公爵夫人」「キャプテン・ドレーク」「ジェシー・ジェームス」といった世界各国の歴史上の有名無名の人物のドラマチックな生涯を、福中さんは自由奔放にうたいあげていくのである」。「それにしてもこれは不思議な『現代の蝋人形館』である」。「その生きざまを綿々と語る福中さんの詩句はまさしく『口説き的現代詩』とも言うべきものである」。「この第五詩集には、もはや素材としての『大阪』の地名も風土も出てこないけれど、福中さんの体内で培養されつづけてきた『大阪』は、とうとうこうした郷土芸能（文楽や河内音頭）の流れをふくむともみえる独自詩的世界に開花したのである」。引用文が少し長くなったかもしれないが、井上さんは、実に的確に五冊の詩集について指摘しているのであえて紹介することにした。言うなれば、こうして福中さんは、福中さんらしくその詩法を確立してきたのである。

この間の福中さんの詩作品で、目につく幾つかの作品を挙げておきたい。まず、井上俊夫さんが挙げた「独楽」である。

春風を切って独楽が舞う。／こまのまわりに埃がくるめき／虹になって　うずまきひかる／ひとすじの命でもえる／炎のような　こまの舞。／子供の手に鞭がうなる。／うたれて　うたれて／よろめきながら　こまが舞う。／おろかしい　こま。／いぢらしい　こま。／たおれても又　まわされる。

この第一詩集『灰色の壁に』には、福中さんの初恋の詩「まぼろし」が載っている。また『未刊詩編』には、結婚した夫寛治さんの「浪速男のプロポーズ」が載っている。福中さんの詩には、プライベートな物事を表現することは、よくあることだった。

ところで一九七二年九月に、大阪文学学校を中心に組織された「第一次芸術文化交流大阪代表団」

として、当時はめずらしかったソ連を訪問した旅の詩集『ちいさな旅人』は、いま読んでも結構面白い詩集である。「故港野喜代子さんが団長で、福中さんが副団長であった。どういうわけか、宿泊の組み合わせがハバロフスクでもモスクワでも、キエフでも、福中さんと一緒で、福中さんはマダム然とした姿で、夜はネグリジェで、部屋の中だった。一方、大阪の若い連中は好奇心にあふれ、夜な夜な外出。彼らはきっと福中さんが煙たくて金沢の人間と一緒にしとけば無難と考えたのだろう。ところが間もなくして、詩集『ちいさな旅人』をだされたのには驚いた。道中、詳細なメモが取られていたのだ」（井崎外枝子・詩と詩論「笛」二四四号所載）。

ソ連邦が崩壊してロシアになったが、この詩集の中の作品はいま読んでも通用する旅の詩だと思う。「スパシーボ」「トルストイの墓」「ただ一人のレーニン」「さらば、マヤコフスキー」「ペーパー・パニック」など、福中さんらしい旅の詩である。

この時期のことは、日本現代詩文庫18『福中都生子詩集』で解説の永瀬清子、沢田敏子の文章がとてもよく書けているから一読をおすすめする。

（中）

福中さんは一九五九年（昭和三四）にこの大阪での第一回「現代詩」の例会が大阪郵政会館で開かれた後、二月に菊池道雄、坂東寿子と三人で第一次「大阪」を創刊する。編集者にはもう一名後に歌人となった前川十志男の名前もある。私の手元にある詩誌の編集後記に福中さんは「現在、東京からは『現在詩』『詩学』等、日本詩史的な見地からの月刊、季刊誌が、精力的に発刊されている。それに比べてという見方は、すこしおかしいようだが、現在の大阪には発表意欲をそそられるような堂々とした集団誌が見当たらないのはなんとしてもさびしいことだと思う。（中略）詩誌『大阪』創刊号が、私の希求を満たしてくれる、ひとつの突破口となることを期待してやまない」と書いている。福中さんは詩「南大阪」を掲載している。後の第三詩集『南大阪』（一九六四年刊）となる詩である。この詩誌は途切れて（私の手元には四号まであるが）、翌年に個人詩誌「ポエム」を刊行し、一九七〇年、それは六〇号で終刊する。前年には、「関西戦後詩史」の研究詩誌として「前夜祭」を発行して、この年に詩誌「セブンゼロ」を並行して発刊する。この頃の福中さんと犬塚昭夫の仕事は、『関西戦後詩史』として纏められて、貴重な資料として残った。しかし福中さんは大阪にこだわり続けたのか一九七七年に再び月刊詩誌として「大阪」を井上俊夫、犬塚昭夫と共に創刊する。実はこの年の四月に『福中都生子全詩集』を刊行するが、それが翌年第一一回小熊秀雄賞を受賞することになる。この受賞は、福中さんの詩歴の大きな節目となったと思う。その祝賀会が一九七八年五月二一日に大阪都ホテルにて盛大に催された。福中さんは「おそらく私の生涯において、又とない盛大な祝賀会にしていただけたように思われます。東京、山陽方面、九州、北陸、近畿一円から駆けつけてくださいました当日の皆様はじめ、御祝言、御芳志などいただきました方々にも、心からお礼を申し上げます」と月刊「大阪」に書いている。

この『全詩集』の後を受ける性格のものとして、福中さんは五〇才になると思った春に詩集『女はみんな花だから』を出版する。「この詩集は一九七七年、月刊『大阪』を発行しはじめて二年目の秋、それまで書きたまっていた詩を『あすなろ社』から発行した私の商業出版第一冊でもあった」と書いている。そして「考えてみると月刊『大阪』発行の五年半は、私にとっての全盛期？というのはおこがましいが毎月徹夜しながら、家事をこなし子育てもしながら、詩や散文を書き飛ばしていた」と続けている。この詩集は第一版、二版と重ねて約三千部ほど発行し、その後も注文が相次いだので、第三版を刊行することになった。それほど読まれて福中さんの代表的な一冊の詩集となった。

当時、私宛の葉書には「この度、二十年前の詩集『女はみんな花だから』にアンコールの火がつき思いがけなく第三刷となりました。詩集の第三版は珍しいとのお声に励まされて、近況と、お笑い草迄に新刊一冊をお目にかけます」と書いてきた。この詩集のタイトル・ポエム「女はみんな花だから」という作品は、あちこちで引用されてきた。

女はみんな花だから／その肉体に大地をもっている／たのまれても／たのまれなくても／宿した種は育ててしまう／／だから／雲よ風よ／かなしみの種は植えるな／くるしみの芽を孕ませるな／／花は天然の生きものだから／みつめられても／みすてられても／ひとりでいのちのかぎりひらきつづける／太陽と大地のあいだに／すっくと立って／有限の／はかない時間をうるおす／素裸の／シルクドレスの／妖精たち

この詩集の作品でもうひとつの話題になった詩が「阿部定の白いハンカチ」である。第三版を出版した後にたくさんの人たちから感想などを返信してもらったのを纏めた冊子から拾ってみよう。「『阿部定の白いハンカチ』は、やはりこの詩人でなければ書けない幻想曲になっていて、歌われているテーマは、終点というものがない女性の官能の業と優しさと健気さでしょう」（立山澄夫）、「『阿部定の白いハンカチ』は、社会的殺意もひめるすごみのあるうつくしさ。」（佐川亜紀）、「お定さんが右手に持った白いハンカチが印象的でした。第一お定さんが詩になったことに歌えない者の驚きがあります。」（天野仁）、「『阿部定の白いハンカチ』の章に入った頃は少しずつ緊張して怖くなり」（岡耕秋）、「『阿部定の白いハンカチ』で推察される福中さんの複眼的な考察（視覚）には驚かされました」（大西宏典）、「『阿部定の白いハンカチ』『ピカソの眼』――大きな衝撃でした。これまで私は性を避けてきた、と思っています。けれども『本当』を歌うためにはどこかで脱ぎ捨てなければならないものがあることを知りました」（なたとしこ）。「お定さんのしたことは勿論許されることではありませんが、昨今の打算的な結婚に走る傾向からみれば、お定さんの方がどんなにか純粋かと思え、お定さんへの暖かい視線が伝わってきます」（下村愛子）。「『阿部定の白いハンカチ』やっぱり、うならせるような力と華があるな、と思います」（麦朝夫）。「『阿部定の白いハンカチ』の章は、歴史の中の人々と、現在という重層な詩の世界を作り出し、読みごたえがありました」（袋江敏子）。「『阿部定の白いハンカチ』の鋭いきりくち、考えさせられました」（井上康）。「『阿部定の白いハンカチ』これは又長編のドラマと言いたい奇想天外な思いもよらない思い付きで」（金谷量三）。「『阿部定の白いハンカチ』の章はお芝居をみているようでした」（江口光子）。「遠い昔の『猟奇事件』が現代という時代の、男と女の問題として蘇ります。すごいと思います」（椛島豊）。「ずきりとする現実凝視を感じました」（小野恵美子）。「特に『阿部定の白いハンカチ』の御作郡、歴史ものへの視点の捉え方を学ばせていただきます。同時に大胆なエロスの表現に驚きました。先生のイメージからちょっと想像出来ませんでした」（中岡淳一）。たくさんのメッセージを紹介したけれどこの詩はそれほどショッキングな作品であったということでしょうか。詩は七七行という長い作品なので、読んでいただくとして最後の数行を紹介しておこう。

（前略）毒婦といわれ売女といわれ唾を吐きつけられても／すでに立つことも萎えることも奪われることもない吉蔵の愛を／ひとり占めしたお定さんの満足と陶酔のほほえみ／阿部定の右の手の白いハンカチは／涙をぬぐうためのものではなかった／降伏のための白旗でもない／男たちへの賛歌と絶望へのサヨナラでもない／あれは　愛の完了を告げるしるしだ／女にだって／男の中の天皇を一匹ねじふせるぐらいの力はある／だから　男たち用心おし　と／けなげに振られている女の合図だ／もとは火薬庫だったという／関ケ原の空の下で／今日もしきりに／振られている白いハンカチがみえる

「男の中の天皇を一匹ねじふせるぐらいの力はある」とは、まさに封建的な男の本質を見抜いてグサッと刺すような言葉である。「天皇の一匹」なんか、右翼にでも教われそうな言葉ではないか。この詩集は『女ざかり』や『やさしい恋うた』と地続きのような一冊である。

一九八四年、これまでの作品と拾遺詩篇を加え、土曜美術社から日本現代詩文庫18『福中都生子詩集』を出版する。永瀬清子は解説で、「大阪の女たちは色合いが濃厚であり、言葉の光沢もたっぷりしているとはかねて思っていたが、まさに福中さんの場合、圧倒するような花やかさが特徴で、いつも『女性であること』『現実に立ち向かう肯定的な性格であること』などが感じられ、戦後日本の社会に女性が重要視され、主体性を取り戻していく姿はいろいろ見られたにしろ、詩の世界において、このようにも大胆にその事を明らかにした例は少ないように思う」と書いている。

この詩集の拾遺詩篇に「浪速男のプロポーズ」という夫寛治さんとのことが載っている。都生子さんは一九五〇年九月三日、ジェーン台風の災害救援活動で医療民主化運動の依頼を受けて来阪したとき、阪大医学部のインターン生だった福中勘治さんと運命的な出会いをする（都生子さんは信州・長野市の日本赤十字社甲種救看養成所を卒業していた）。そして、二四才で結婚、医療、エッセイ『医者の女房』、『近所のお医者さん』他を、詩を書くかたわら、随筆として「保険医新聞」などに書き綴ってきたものを一冊に纏めては、出版していた。

福中さんは夫である勘治さんを含め、三人の男性から影響を受けたと書いている。詩集『雲の劇場』の作品「わたしの失恋」には「わたしがおかっぱのころ／わたしの恋人はパパだった。／パパは外では先生とよばれた／家では仁王さまみたいだった／夜になるとわたしは　ひとりになった失恋した。」と書いている。その五四才で亡くなった父親がわりのように接してくれたのが、大阪に来るとき、もしかしたら詩人小野十三郎に会えるかもしれないと密かに期待していたその人が三人目だった。父、夫、そして、詩人小野十三郎という三人の男性のトライアングルの真ん中で、福中都生子は愛を受け、愛とともに科学的な社会や、ものの見方を教えられ、詩を生涯書きつづける

福中勘治、肺手術後外泊時のスナップ（1988年1月3日）

力と励ましを受けたのである。福中さんは「二十世紀に生まれ、二十世紀に永眠した三人の男たち」と追憶の言葉を詩集『二十世紀に滞在』に書いている。

ところで、一九八七年一一月に詩集『大田という町』を、一九九〇年六月に詩集『生きている不思議』を、一九九五年一一月に詩集『恋文は三十二文字』を、二〇〇〇年六月には、詩集『二十世紀に滞在』を刊行し、翌年二〇〇一年六月に、それらを纏めて『福中都生子詩集　一九八七―二〇〇〇』を一八冊目の合編詩集として出版する。それらは、約一三年間に発行された詩集である。福中さんの五九歳から七二歳までの仕事にあたる。区切るならば福中さんの詩人としての中期の活動として括られる時期と言えようか。この間、福中さんは一九八八年五月に「大阪文化芸術功労者」として、知事表彰を受ける。

ところが同年七月二六日、夫勘治さんが九ヶ月ほどの短い入院、手術、療養の期間を経て、突然不帰の客となってしまう。「入院中は不死身の男と異名を受けたほどの模範的な病者で三回もの大手術に耐えた程の人でしたが、急な他界は、やはり人事の及ばない宿命的運行というものがこの世にはあるということでしょう」と『生きている不思議』のあとがきに書いている。福中さんは亡き夫の遺志を受けて、二〇〇〇年に遺産の一部を提供して「現代詩平和賞」を創設する。そして、同年六月一〇日、ドーン・センターで六月の詩祭として「現代詩平和賞」を祝う会が開催された。第一回受賞者は、詩集『始祖鳥』の北村眞である。選考委員長は小海永二、選考委員は、福中都生子、明珍昇、原圭治の四名で賞の選考を行なった。

この間の四冊の詩集から『大田という町』の「大田川」という詩が中学校国語教科書に採用されることになった。この詩集は福中さんの人生にとって重い意味をもつもので、詩集のあとがきに次のように書いている。「この一巻に編んだ詩は、もしかすると、五十数年前、三歳だった私の胸に宿り始めていた私一人だけのテーマだったのかもしれない。終戦直後、十七歳の学生だった私は、自己と社会の間に横たわる矛盾について考えてみたくて一本の櫂を持つような気持ちで詩を書き始めたが、それからの四十余年間に、十冊に余る詩集が産まれた。けれど、遂に今日までこの『大田という町』は私の胸底で扉を閉ざしたままだった。これまでに何回か、この主題に思いを馳せながら、最も奥深い胸泉の意志にまで手が届かなかったのは、私の主観と現実の変貌の間に、自信をもって架け渡す思想の虹が、充分に成熟していなかったからという気持ちがする」と。そして、「最後に、この一冊にとって重要なモチーフともなった、昨年九月の『第二回アジア詩人会議ソウル大会』での日韓両国の多くの詩人の友情に、あらためて深謝をささげたい。特に現在の政治状況下にありながら他国の芸術家に対する韓国の詩人たちの

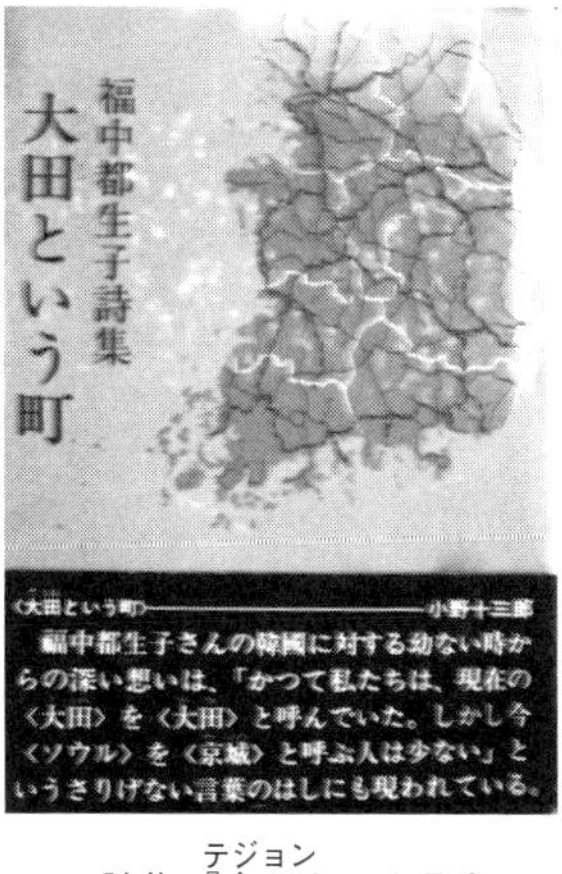

詩集『太田《テジョン》という町』

手厚いもてなしとその礼節の美しさに、私のまぶたは幾度か熱く潤みつづけた。その感動こそが、この詩集の原点でもあるが、私の詩は果たしてその厚遇に応えているだろうか」。

福中さんは「教科通信」（教師の参考文献）に「昭和六年から十三年の夏まで、私は父の赴任先でもありました『大田』という町に住みました。私が三歳から十歳迄の約八年間です。ふと物心ついた時、私のまわりの風景はポプラの大木や、冬は凍結する大地でした」、「単純な幼年期の思い出を書くことは簡単だが、誰にも理解してもらうことは困難であろうと思われる。私自身の異質な望郷詩集として、そして又、忘れてはならない民族的、歴史的傷痕を直視しながらも、この一冊が、となりの国の人たちとささやかな友好の絆となってほしい思いは切実だ」、『大田川』は私の心の中を流れる人生の川です。哀しいけれど忘れられない、私が生きた時と場所を流れる川です。この川音が、中学二年生のういういしい体やその心にどのようにひびくことでしょう」と、「大田川」のテーマとモチーフについて筆者の言葉として解説している。この詩集には、福中都生子の詩の原点となった、軍国少女としての戦争体験、敗戦体験による

第一回　現代詩平和賞　授賞式

↑
福中都生子　　2000 年 6 月 10 日 大阪府婦人会館（現・ドーンセンター）

ところの「平和・民主主義・自由」への強い意志が、全体を貫通していると思える。作品「観光旅行には行かない」「大田という町」「父の思想」「朝鮮戦争」「川」「おぼえたことば　うばったことば」などを読めば判る。詩「大田川」を紹介する。この詩は、日本と韓国との民族的・歴史的な傷痕を凝視するなかから、戦争と平和の問題を一人ひとりの心に問いかけてくる。

過ぎ去った時間の／なんというはやさ／残されている時間の／なんというみじかさ／書きたいことはかぎりなく／書ける力のあまりの弱さ／歯どめがきかない人生の／寂しさよ　むごたらしさよ　口惜しさよ／大田という町に行ったら／人よ　そこで一筋の川と向きあっておくれ／川あそびしているちいさな少女をみつけておくれ／少女の細い素足を濡らす水の舌／ちいさな両手の間をかいくぐる水の音／砧のひびきが空にこだまして／少女のくちびるから／花のような声がことばになってこぼれるのを見てきておくれ／大田という町に行っても／わたしはもう思い出すことはできないだろう／わたしの家が　あの川上であったか川下であったか／思いだすのは／晴れた日の女神のようだった清流／一雨降れば泥流が渦巻きあふれた憤怒の川／あの戦争をみてきたか／川よ　おまえは見てきたか／人間の仕業のあわれとおぞましさ／わたしが生きた時間だけ／川よ　おまえも見てきたか／大田という町に行ったら／人よ　わたしの名前を忘れても／一声大きく呼んでおくれ／大田川よ／おまえはまだ清く流れているか　と

福中さんにとってソビエト旅行のときから、二度目のパスポートを使っての韓国旅行であったが、この詩集の最後の詩「おぼえたことば　うばったことば」が、当時の週刊誌「女性セブン」の「女の詩」欄に取り上げられた。この欄は、白石公子、伊藤比呂美、高橋順子、新川和江の四人の詩人によって、現代の「女の詩」と詩人を紹介していく企画であった。福中さんのこの詩を取り上げたのは、新川和江さんだった。「せめてお国ことばで・・・」と題して「（前略）子供時代を八年間も過ごした町は、いわばふるさとだがなつかしむだけでは済まされない、また許されない複雑な望郷の思いを終戦以後、福中さんは、抱き続けてこられたことだろう。一九八六年九月、ソウルで開催されるアジア詩人会議に出席するため、私たち詩人団一行は韓国を訪れた。慶州からソウルまで、沿道に背の低いコスモスが咲きつらなるハイウェイを私たちはバスで運ばれて行ったが、とある地点にさしかかった時、福中さんの口から『あ、ここです』という嘆声が漏れた。左手に今は百万都市として栄える大田の市街地が、初秋の陽をうけて輝いていた」と書いている。福中さんはこの詩にだけ韓国語を使って表現している。福中さんの胸の内には、日本の侵略主義のもとで過ごして何も気づかなかった自分への苦い悔恨の思いがきっとあったに違いない。

（下）

福中さんの後期の活動は、二〇〇二年に刊行した『記憶再生の文学館』と、二〇〇三年一二月に刊行した『わたしのみなもと』の二冊の詩集だが、いずれも『新現代詩叢書』の編集者、出海谿也の知加書房からの出版である。それ以外の出版物はない。先の本の「おぼえがき」に「大阪のこの南部の区域に住みついて、半世紀が過ぎた。故郷には母親同士で約束していた許婚者も居たというのに。日本一、空気が悪い煙の都とも言われていたこの大阪で、一人の医者の卵と出くわしたことも偶然ならば、その人と三十五年間の二人三脚が途絶したのも、これはひとつの宿命だろうか。私は、はじめの頃、自分の書くものが『現代詩』であるという自覚はなかった。ただやみくもに、十七歳で出くわした戦争というものの矛盾に目くらむ思いでアタックしてきたとしか思えない。ある時書き付けたメモがある。『こんなものが詩か、と言われるような詩の中に、現代の詩の萌芽はある』。カーロス・ウイリアムズのこの言葉と、小野十三郎の批評精神とのめぐりあいが、私に『現代詩』へのヒントを点火したことを告白する。その日から私の人生目標は決まった。第一詩集『灰色の壁に』上梓のころである。一人七役位の多忙な毎日の中で、人生の半分をこのジャンルに賭けようと決意したのも、はや四十年昔のことか」と書いているが、よく自分の人生を総括した文章だと思う。時には、ストレートに「こんなものが詩か」と言われそうな作品も書いている。「単純なようだが、私への詩の評価はどうも直球の投手ということらしい。反戦、平和、武器を持たない女の性（詩集『女はみんな花だから』）等、出発時から迷わずこの世界を追求してきた」と本人も書いている。この詩集のことは、もう一冊と一緒にふれたいと思う。

「第５回詩の教室」関西詩人協会主催
1997年1月25日

　実は、福中さんの著述は、詩集以外にもたくさんある。それらの一冊一冊の内容にふれる余裕もないので順に列記したい。生活随想『医者の女房』（一九七七・昭和五二）、詩と詩人『女ざかりの詩が聞こえる』（一九七八・昭和五三）、医療エッセイ『医者の女房への手紙』（一九八一・昭和五六）、医療エッセイ『一億人の健康手帳』（一九八二・昭和五七）、ここまでの出版社は、あすなろ社。詩文集『詩にうたわれた恋文一二章』（一九八六・昭和六一）潮流出版。追悼集『さらば夏の恋人よ』（一九九一・平三）、序文跋文集『言葉の花束』（一九九二・平成四）、この二冊は、ひまわり書房。エッセイ集『ひぐらしの声』（一九九三・平四）、関西書院。

もうひとつ福中さんが果たした出版の仕事がある。一九六〇年創刊の「ポエム」が五〇号を迎えた一九六六年にアンソロジー『大阪詩集』を刊行する。これは一九六七年、六八年と続き、ポエトリーセンターで出版記念会を開催している。それが二年おいて、一九七一年には、編集代表小野十三郎で『年鑑関西詩集』が出版される。後記に杉山平一が「このたび、京阪神近畿を中心に、東海、北陸、山陰、山陽、四国の一部にいる詩人の作品を広く集めた詩集をつくってみた」、「作品については、この詩集のための新作とした」、「関西地方における詩の発展のための、何かの足掛かりになれば、幸いである」と書いている。二冊目は五年経過した一九七六年に出版されるが、この時のあとがきは小野十三郎で、「諸般の事情で、ようやくここに第二詩集を編んで世に送り出すはこびになった。しかし、おくれすぎたという想いはない。むしろ辛抱強く待たなければならなかった時間であったという気がいまする」と書いている。収録作品数は、三一七篇である。そして三冊目は、一九八二年である。「当初の計画では隔月刊をめざしていたが、それは無理で五、六年毎の発行というふうになってきている」とあとがきに井上俊夫が書いている。そして「いまから十一年前、本詩集『二』が出た時、ある詩人は『こんな寄せ集め的、かき集め的アンソロジーになんの意義もない。』と酷評してきた。そう言われれば本詩集には参加詩人の作品の傾向や主題、方法による統一や整理は見られない。明確な目的意識などは薬にしたくもない。ただあるのは関西という地縁につながる詩人たちの親睦会的な結びつきだけである」とも書いている。その続編のような『大阪詩集』が、監修小野十三郎、編集福中都生子で、翌年一九八三年から一九八九年まで刊行が続くのである。解説を「架けられたユマニテの虹」と題して、明珍昇が書いている。以後七冊すべての解説は彼が収録された作品と作者にふれながら書いているが、この頃から二人は何かとかかわりをもつようになった。

このアンソロジーは、カバーの色合いから虹の七冊と呼ばれてきた。「小野十三郎監修、福中都生子編集の年鑑『大阪詩集』は本集をもって完結する。いま、机上に既刊六冊を積んで眺めていると、一九八三年版の赤色の背文字から年を追って橙色、黄色、黄緑色、緑色、青色、紫色と、変化していくこのアンソロジーは、七色の虹さながらに彩なす八十年代の様々な詩の坩堝として光芒を投げかけてくる。（中略）この詩集は、当初より一貫する部立てをもって構成されている。第一部は、その年度の詩集、著作刊行者、第二部には、既刊としての詩集、著作者、第三部は、詩誌・サークルに属する方々を配当した。従って特定の文学的意図や主張の下に結集されたものではなかったが、小野十三郎、福中都生子氏の体質的な抱擁性が、本集をして広汎な生活表現と実践の場としての拠り所を自ずと形づくることになったのである。そしてその協賛の輪は、回を追うごとに広く全国各地から届けられた」（解説・八〇年代を彩った年鑑詩集・明珍昇）。

参加者の数は、第一集　一四〇名、第二集　二〇八名、第三集　二二五名、第四集　二四三名、第五集　二四四名、第六集　二五三名、第七集　二八一名、述べ一五九四名。「日本最大の年鑑アンソロジーは名実ともに達成された」。「一九八五年から『大阪詩集特別賞』が設けられ、第一回は平明な語りの中に庶民の哀歓をたくまず抒情する清水正一氏（わが若き日のドイツ軒）、第二回は生にまつわる心象のゆらめきを上方風土に溶かす斎藤直己氏（渡雁）、第三回は文明の背後を硬質な精神の枠組みから幻視造形する右原厖氏（ミスター・ドーナツ）、第四回は諧謔的なタッチで褐色のモチーフに鋭く切り込む千葉龍氏（判決他一編）、が受賞し、本集の側面よりの成果を示した」。「また例年、五月に出版記念祝賀会が天王寺都ホテルで開かれ、そのメインとしての記念講演には、第一回に小野十三郎氏（第一回のみ大阪婦人会館）、第二回に杉山平一氏も、第三回に足立巻一氏、第四回に桑島玄二氏、第五回に永瀬清子氏、第六回に日高てる氏を講師として迎え、スピーチや詩朗読も加えて歓談し、大阪での春の詩祭として多くの参会を見た」。「偶然の符号とはいえ、激動の昭和の終焉とともに本集も幕を閉じるが、この発刊から終始、精神的、肉体的、物質的にエネルギーを注がれた福中都生子の存在なくしては本集はなかったのである。今の心境を『生き残った者たちは、更に愛する者たちのために生きよと言った夫の言葉を生かせるよう、心して余命の花を咲かせたい』と語られたが、小野先生ともども大阪文化向上のために示されたひたすらなご熱情にはただただ敬服の至りである」。常日頃はかなりの皮肉や辛口の批評述べていた明珍昇氏であったが、この『大阪詩集』の刊行とそれにまつわる行事などについて絶賛している解説記事である。この福中さんの仕事の系列は、関西詩人協会設立後の『関西詩人協会自選詩集』刊行（一九九五・平成七）に繋がっていく。

第一詩集のあとがきは、福中都生子である。

この自選詩集は、三年毎に刊行されることになって、現在第八集（二〇一六・平成二八）まで刊行されているが、福中さんが『大阪詩集』を発刊してから実に五〇年が経過している。大阪を地盤に半世紀にわたり脈々と続いてきた詩のアンソロジー活動は、全国的に見ても稀有なことではないだろうか。平成が終わり、新しい歴史が始まろうとしているいまも福中さんの遺志は生きている。因みにこの『大阪詩集』を読み返してみると、懐かしい詩人、思わぬ詩人の今も色褪せない作品に出会って楽しい思いが蘇るアンソロジーでもある。

見逃してはならない福中さんのもうひとつの仕事は、一九八五年から平和問題研究会刊行として『子供たちに贈る二十一世紀への証言』の発行である。それは二十一世紀を前に一九九九年に第一五集として最後の一冊が刊行された。第一集の巻頭文に日本国憲法抄出として、前文と第二章第九条、戦争の放棄、第一九条、思想及び良心の自由、第二一条、集会、結社、表現の自由、通信の秘密を掲げている。そしてあとがきにかえてでは、「今日まで、表現におけるさまざまの仕事をかなり恣意的に続行してきた私ですがここまできて、やっと自らの終生を賭ける仕事にめぐりあえた感動にふるえています」と書いている。編集後記として書かれた十五巻完結へのお礼の一文をまず紹介する。「『子供たちに贈る二十一世紀への証言』第十五集をここにお届けいたします。この第一集は、一九八五年八月十五日より一九九九年八月迄の十五年間を目的として出発し、本号は、その第十五巻目、完結編ということになります。今、昨年迄の十四冊を机上におくと、私の十五年間が、ひとつの軌跡として、個人史でもあり、又その周辺の時事的記録として、実に鮮明な記録を残してくれていることに気がつきます。（中略）各巻毎に特集テーマを設け、又、ご筆援の方々は、各冊の表紙カバーにも記しましたように、五十余名から九十余名、一九九六年の年表篇の他はすべて二百頁余りの詩、エッセイで編まれています。どれほどに、詩人や、文藝愛好者の方々の自己実現性への情熱が色濃く、又、このシリーズの主旨への賛同が多かったかがかえりみられる次第です。又、このシリーズが図書館協会選定図書として、過去八冊もの認定があったこともひとつの成果として挙げておきたいと思います。（中略）世界の事態は、今もまだ二十一世紀平和時代の保障にまで届いておりません。子供たちにどのようにして、安心して生きられる時代の社会を贈ることができるか。二十世紀生き残りの私たちには、必然的で直接的なこの仕事への責任があると考えます。一歩でも二歩でも一人でも二人でも、生きるに値する平和とは何かについて、新しい人間の理知と勇気が、花開く表現（文學）を更に磨いてゆきたいものです。わけもなく戦争で殺されるならば、私は、戦争反対を叫び続けて、言葉だけでも残して消えていきたいのです」。

この後記の次の頁には、新賞創設案内として「現代詩平和賞」期間二〇〇一年から一〇年間、詩誌「陽の会」では、創刊二〇周年（二〇〇一年）を迎えるにあたり、右記の賞を新設するという広告が掲載されている。次なる福中さんの挑戦状のような予告である。

この冊子の特集を列記しておきたい。第一集・私の八月十五日、第二集・戦争とは何か。男の意見、女の意見、第三集・国旗（日の丸）国家（君が代）について、第四集・愛国心について自由な発言、第五集・税金について自由な発言、第六集・政治について今一番言いたいこと、第七集・教育について、第八集・福祉について、第九集・いま住んでいるところ、第十集・愛読書、私の本棚、蔵書の工夫、第十一集・阪神、淡路大震災、第十二集・大阪戦後詩史年表（別冊篇）、第十三集・哀悼小野十三郎、第十四集・現代詩研究ノート、第十五集・大阪市立文学館切望記、である。この本の始めの編集企画は、巻頭に日本国憲法の条文を掲載することと（一）戦前・戦中の青春、（二）戦中・戦後の青春、（三）戦後前期の青春、（四）戦後生出世代、と時代分けして、エッセイや詩を掲載するように分けられていた。したがって第一巻には、足立巻一、伊藤桂一、小島照正、杉山平一、壽岳章子、栗原貞子、磯村英樹、鳴海英吉などの氏名が並んでいる。中でも磯村氏は、前半によく作品を寄せている。小野十三郎も二巻目から作品を載せているが、これは福中さんの意向が強く働いた結果だろうと推測する。俳句人の八村廣も何回かエッセイを書いている。金沢の時代の文学の師であった小笠原啓介も何回か作品を寄せている。他にも、右原厖、嶋岡晨、千葉龍、丸山豊、山田今次、上林猷夫、永瀬清子、桜井勝美、鈴木初枝、錦米次郎、秋谷豊、片岡文雄、有馬敲、岡島弘子、明珍昇など、福中さんの文学上の人脈による詩人たちの寄稿が各巻に登場している。

もうひとつの特徴は、その時々の政治や社会へのアピール文の掲載である。第二集、国家機密法制定反対の大阪アピール、世話人に小野十三郎の名前もあるが呼びかけ人に関西の学者、文化人、一〇一名が名前を連ねていて、勿論福中都生子の名前もある。第三集、ストップ・ザ・売上税、婦人たちのメッセージにも、福中さんの名前がある。第四集、国家機密法修正案への反対声明、日本ペンクラブ会長遠藤周作。第五集、消費税廃止を求める請願書。第八集、憲法違反のPKO（国家平和維持活動）協力法案――自衛隊海外派兵法案に反対する大阪アピール、四二名の女性ばかりの呼びかけ人にも、福中さん、瀬野さんの名前がある。第九集、再び「小選挙区制」に反対する大阪女性アピールにも、三六名の大阪の女性たちの名前が並んでいる。その後は掲載されていない。特筆すべき冊子は、第十一集「阪神、淡路大震災」と、第十三集「哀悼小野十三郎」、第十五集「大阪市立文学館切望記」であろう。中でも小野十三郎への記事では、藤沢恒夫が小野さんの寿枝子夫人が亡くなられた時、読売新聞に書いた小野さんの愛妻家ぶりのエピソードの記事は小野さんの人間的な魅力を彷彿とさせる文章である。「小野十三郎夫人の寿枝子夫人が亡くなられた。小野夫妻の夫婦仲の良さには、友人たちの間で定評があった。上方の風流都市、大阪の市井で生まれ育った小野君は、明るく陽気な人柄の持ち主であるが、お互いの中年期に、共通の友人の家で、私たちは時たま麻雀をして楽しむことがあった。そういう時小野君には一つの愉快な癖があった。模牌をして、ひいてきた牌が、待望のないようのものであったことが判ると『わあ』と奇声をあげ、うしろの畳の上に仰向けに倒れて見せるのだが、そういう場合、彼の口から出るせりふは、必ずといってよいほど決まっていた。『わあ！おかあちゃん、どないしょう⁉』このお得意のせりふが、彼の口をついて出るのである。日常生活の中でも、いかに彼が愛妻の寿枝子さんを頼り切っているかが、その一言で判り、私たち友人は、『そら。またおかあちゃんがでたぞ』と笑いを誘われるのである。それくらい、小野の『おかあちゃん』は有名だった、といってよかった。無邪気そのものの人柄は、詩人小野十三郎の子どものような人のよさを百パーセントに発揮していた」。

他にも、小野十三郎への思い出や、関わりのあった数十人が詩やエッセイを綴っているが、私と瀬野としも通夜と葬儀に参列していたので一文を書いている。小野十三郎と文学学校のことは、倉橋健一が書いていてその歴史がよく判る。

詩人小野十三郎についての詩人論のような本は、明珍昇『小野十三郎論』（一九九六年刊）、寺島珠雄『小野十三郎ノート・別冊』（一九九七刊）、寺島珠雄『断崖のある風景』（一九八〇年刊）、山田兼士『小野十三郎論』（二〇〇四年刊）、安水稔和『小野十三郎・歌とは逆に歌に』（二〇〇五年刊）、山田兼士・細見和之『小野十三郎を読む』（二〇〇八年刊）があるが、他にも、犬塚昭夫が、詩誌「異郷」に「想像力の時代」と題して、二〇〇一年から犬塚昭夫が亡くなって「異郷」が終刊となった二〇〇七年まで、三五回にわたって小野十三郎論を書いている。福中さんが、詩人として最も深い関わりがあった小野さんについてのことなので、記述しておきたい。

福中さんの晩年にあたる二〇〇〇年代の仕事に、一つは関西詩人協会の事務局長としての活躍と、日本現代詩人会の理事としての仕事がある。

関西詩人協会は、一九九四年一〇月に杉山平一を代表に設立されたが、その呼び掛け人として当初よりかかわり、運営委員を勤めて、二〇〇〇年の第七回総会で事務局長となる。福中さんは、関西詩人協会の設立目的の一つだった大阪に文学館をつくらせる活動に極めて熱心に取り組んだ。そして文学館ツアーを一九九八年から始め、第一回は、姫路文学館を訪れた。併せて大阪市に文学館新設の陳情も行った。

二〇〇二年に発行した『記憶再生の文学館』は、詩作品とその運動が総集された一冊である。「詩と思想」二〇〇一年版・自選詩集に載せた詩作品「一人百円の文学館」などという運動の記録が載っている。

もう一つは二〇〇一年、日本現代詩人会の理事就任である（会長・木津川昭夫、理事長・丸地守）。

私は相談を受けたとき、福中さんの健康状態を危惧して、断わるように言ったが、福中さんにとってはこれが最後の仕事と思っていたようで、決局理事を引き受けた。

　理事としての最初の仕事は、二〇〇二年二月の西日本ゼミナールであった。会場は大阪のＫＫＲホテルで、講演は、以倉紘平「詩への関心」だった。私は、日高てると司会をした。一五〇余名の参加があった。私の発案で案内のチラシは、水都おおさかのシンボルとして水色を使った。後の徳島は、あい染めの紺色、和歌山は、樹木の緑、最後の金沢は、金箔の黄色とした。二回目は徳島・東急インホテルで講演。鈴木漠「詩と連句のクロスオーバー」で、司会は宮田小夜子と木村英昭で、一五〇余名の参加者であった。私は、丸地守、御庄博美と三名でスピーチをした。三回目は、和歌山の東急インホテルで、講演は、梅田恵以子「熊野・詩の風土」で、司会は南村長治と岡崎葉であった。梅田さんとは、以前からの知り合いったので、講演依頼は私がした。参加者は五〇余名であった。最後のゼミナールは、福中さんの願いで、かつての故郷である金沢で行った。二〇〇三年五月、金沢シティモン

日本現代詩人会 西日本ゼミナール in 金沢 手前左から 福中都生子 辻井 喬
2003 年 5 月 25 日

ドホテルで開催した。講演は、辻井喬「現代詩における思想表現と伝統」で、司会は三井喬子と私で行った。参加者は、一五〇余名となった。福中さんにとって思い残すことのない最後の仕事となったと思う。付け加えれば、福中さんは、この間、北上市の詩歌文学館の評議会委員や理事も務めていた。福中さんの手元からたくさんの寄贈誌が送られていたことも知っている。また福中さんの推薦で、私も今もって評議員を引き受けている。実は、二〇〇三年九月からの日本現代詩人会の二期目の理事にも当選していたが、体調不良のこともあり辞退している。その理由を「北国文芸」17・秋号にエッセイで書いている。福中さんにとっては東京行きは相当な負担と疲労が伴っていたのである。

福中都生子の最後の詩集『わたしのみなもと』は、二〇〇三年一二月に発行された。「わたしのメモワール」には小野十三郎賞の創設のことと、このような記述がある。「私は、今年二月、教室が終わったあと、どういうわけか茶店の入り口で貧血症状で倒れてしまい、救急車でかかりつけの病院にはこばれて約一か月入院のていたらくとなってしまった」。私の手元に、二〇〇二年七月に書かれた福中さんの入院証明書（診断書）のコピーがある。傷病名は、発作性心房細動で、原因は、肥大型心筋症と診断されている。発病から初診までの経過を見ると、平成三（一九九一）年頃から既に症状が出ていたようである。平成八（一九九六）年頃には、発作性心房細動による動悸発作が出現し始めたようである。翌年には、失神まで起こしている。確か、二〇〇四年六月の詩祭、第四回現代詩・平和賞を祝う会に選考委員長の小海永二氏が来られたとき、私が小海さんを天王寺のホテルに送っていった間に福中さんは倒れて、大阪府立病院に緊急搬送されることとなった。以来、福中さんは通院しながら、日常生活を過ごすことになる。病気と付き合いながらの文筆活動は、言うならば書きたいことを片っ端から書くということだったようである。カーロス・ウイリアムスの「こんなものが詩か」と言われても書くという心境になっていたように見えた。それは、二〇〇〇年に刊行した詩集『二〇世紀に滞在』の作品からも既にうかがえることだった。この詩集の最後におかれた「終点のあいさつ」に、その心境がとてもよく出ていると思う。

永遠という言葉は／生者にとってただ一夜の体験になる／ふたたびこの世に帰ることのない旅／そのときは枕辺に／一人か二人の肉親だけがいて欲しい／ありがとう　世話をかけたねと／せめてまだてのひらがあたたかいうちに／最後のお礼のことばを言いたい／／永遠ということばの旅にでるときは／できたら深い夜の眠りの中で／虹の橋を渡るように　夢の中を歩きたい／ひとりでひっそりと合歓木の花が閉じるように／心臓の扉をうしろ手で閉めて立ち去りたい／できることなら　冬／一月生まれの私だから新月の三日月の頃が良い／死後の世界は／わたしが産まれる前と同じ国だから／わたしは又海に帰るしかないだろう／海　それも今度は大空の風の波の中に／地球に生まれた偶然が／空を巡る必然の星になれるのならば　私は／冥王星のあの方と／射手座の恋人に出会える筈だ／生まれて一年　東京に／生まれて二年　九州飯塚市の祖父母のもとに／生まれて七年　太田という町に／生まれて六年　津幡という町に／生まれて二年　信州長野市に／生まれて五年　金沢市に／生まれてあしかけ五〇年　ここ南大阪南田辺の町に／戦争があった　戦後もたしかにあった／平和な時代　自由を謳歌した日もあった

／恋も涙も憤りも　よろこびも愛もしたたかに／人生の人並みの味わいをありがとう／二十世紀に七二年も滞在させてもらえたのは／何のめぐみか／誰のおかげか／下手な詩ばかり　どっさり書いて／それでも　おおきに　おおきに／二十一世紀は手を振りながら／次の居留地を目ざすことにしよう

最後の詩集となった『わたしのみなもと』（二〇〇三年一二月刊行）は二〇冊目の詩集となる。後書きのような「わたしのメモワール」に「七十歳すぎたら死の準備をと言われるまでもない忙しい毎日、ままならぬ毎日に、おちこぼれた詩を拾ってみた」と書いた。詩集の冠頭には、タイトル・ポエムとなった作品がある。「金沢の駅頭に立つと」と福中さんにとっての深い深い想いがある故郷としての町、金沢が思い返されるのである。福中さんは、その文学の故郷にきっと帰りたかったのだろうと思う。詩集のパート一には、「原因の修正」「この国には」「戦争は三代祟る」「無理もない」「訴えることば」「男も女を食う話」など、少し理屈っぽい詩もあるが、「ブレアさん」「赤い靴を履いたまま」「ロンドン便り」などの、イギリス人のお嫁さんになった娘との微笑ましい会話もある。パート二には、亡き夫を偲ぶ「朝の雀」や「もしもあのとき」の詩もある。パート三には、「文学館切望記」や「ゆっくり死にたい」「これが詩だろうか?」と書きたいことを書いたような作品が載せられている。ここまでくると福中さんのこれらの作品に対して何の批評も不要のように思えてくるのである。

今一つの時代が過ぎようとしている。この関西で、女性詩人として活躍した福中都生子や、仲の良かった三井葉子、仲間として競い合った島田陽子はもういない。関西詩人協会の運営委員として席を同じくした日高てる、いまもって詩作を続けている青木はるみがいるが、こうした女性詩人のエネルギッシュな活躍の時代は過ぎようとしているように思える。これは福中都生子へのオマージュであるとともに、これら女性詩人たちへの同じ思いで書いたものといえる。

（二〇一九・七）

追悼　福中都生子
―内に自由という思想の旗を立てて

福中都生子さんは、今年（二〇〇八年）一月一三日に、肺炎で亡くなられた。八〇歳であった。第一詩集『灰色の壁に』を出版したときは三〇歳であったから、五〇年に及ぶ詩歴ということになる。最後の詩集『わたしのみなもと』までの二〇冊、他の編著には、虹の七冊といわれたアンソロジー『大阪詩集』や、十五集を重ねた『二十一世紀への証言』、『座談・関西戦後詩史』など、その多数の執筆活動には、目を見張るものがあった。

福中さんが四〇歳から五〇歳にかけて出版してきた詩集『女ざかり』や『やさしい恋うた』、『女はみんな花だから』などは、女性の自覚と自立、解放を自由奔放にうたいあげて、一躍注目を集め、女性詩人としての地歩を確かなものにした。

九冊目の詩集『福中都生子全詩集』で、第一一回小熊秀雄賞を受賞した。その祝賀会には、小野十三郎、永瀬清子をはじめ、東京、中国、九州、北陸、近畿一円からの出席で、「おそらく私の生涯において、又とない盛大な祝賀会にしていただけた」と福中さんは書いている（月刊「大阪」一九七八年七月号）。この受賞は、詩人福中都生子にとって、大きな区切りとなったように思える。

福中さんの後半生は、月刊詩誌「大阪」を八二年に終刊し、同時に、同人詩誌「陽」を創刊したときから始まったと言っていい。

詩集『葦の芽が光る街』『大田という町』『生きている不思議』『恋文は三十一文字』の四冊の作品は、一様ではないが、全体に貫通しているのは、人間の自由と平和への希求や願望である。これが、福中さんの後半生の詩の主題となっていったと言える。

ところで、一九冊目の詩集『記憶再生の文学館』は、異色の詩集である。関西詩人協会の事務局長として、大阪に文学館建設を願って運動してきた記録と詩の本である。福中さんは、戦後を生きた人間の声や、平和憲法のもとで、文学表現された本を、後世の人々に伝える役割を文学館が果たすと考えていた。

文学館の実現は未だだが、幸いに福中さんの個人所蔵の二万冊余の本は、大阪市立図書館が引き取ってくれている。

福中さんは、ある雑誌に「遺言名簿」という文を書いている。この名簿に記載した人たちに、最後の集成（全）詩集を送ろうと思っていたが、果たせない夢で終わってしまった。

せめて、福中さんの遺志を受け継ぐつもりで、一冊でもその著作を読み、平和憲法を大切にして、社会の進歩につくしたいと思う。

（二〇〇八・四）

旅のエッセイ

ゴッホの絵の風景を訪ねて

七回目のヨーロッパへの旅であった。今回は、イタリアのフィレンツェでウフィツィ美術館を訪ねるのが楽しみの一つであった。そこでボッティチェリの「ビーナスの誕生」をはじめ、ミケランジェロ、ダヴィンチ、ティツィアーノなど、ロンバルディアの画家たちの作品を観ることだった。

後半の旅は南フランスのプロヴァンスからコート・ダ・ジュールなどを訪れた。

ここで印象深かったのは、ゴッホの絵でなじみのあるアルルの町である。

オランダ人のフィンセント・ファン・ゴッホは、このアルルの太陽と、そのもとで咲く果樹

アルル運河の跳ね橋

の薄紅や純白の花々をみて「日本のように美しい」と賛美したそうだが、アルルには、ゴッホの絵の風景が、そこかしこにあった。

アルルで最初に私たちが行ったのは、あの「跳ね橋」であった。翻転橋とか田舎の橋とか呼ばれている作品である。このアルル運河に架かる跳ね橋は、ゴッホの絵に描かれた本物ではないが、当時の材料で、ゴッホが描いた橋のとおり完全に復元されていた。橋は「ラングロワ橋」とも呼ばれ、それは「英人橋（ポン・ド・ラングロワ）」が転化したもので、以前この橋の監視をしていた番人の名前だそうである。番人の小さな家がゴッホの絵にも描かれている。

南仏に来たいと思ったゴッホは、最初マルセイユに住むことを考えたそうだが、マルセイユで暮らすには金がかかるし、ゴッホには金がなく、結局マルセイユに数時間で行けるアルルに落ちついたということらしい。

「僕が南仏に出かけたのは、いろいろの理由があった。別の光を見ようと思うことと、自然を更に朗らかな空の下に眺めることは、日本人たちの感じ方や描き方がどんなものか」（ギュスターヴ・コキオ著より）と書き記している。

アルルに着いたゴッホは、まずカルレル・ホテルに滞在したが、本格的に絵を描くため、アトリエとしてラマルティーヌ広場の下宿先に移った。それはあの「黄色の家」であったが、その家は今はもうない。その作品はオランダのクレラー・ミュラー美術館の所蔵となっている。一年前にオランダを訪ねたときに、そのクレラー・ミュラー美術館とアムステルダムの国立ゴッホ美術館に行き、たくさんのゴッホの絵を見たが、このアルルには、ゴッホの絵は一枚も残っていないとガイドさんの説明にあった。アルルでゴッホが描いた油絵は一四六点もあるのに……。

アルルの街中を歩くと、あの「夜のカフェ」の建物や、ゴーギャンとの出会いのあと起こした耳切り事件で入院した病院も、いまはゴッホ病院と呼ばれて建物は実在する。そして、それらは、ゴッホが描いた絵のとおりの色彩に変えられて観光客の眼にとまっている。どうしてゴッホの絵がアルルに残っていないのか。それは、耳切り事件が、町中に知れわたり、ゴッホは狂人あつかいを受け、アルルを追い出され、サン・レミに去らねばならなかったことと関係しているというガイドさんの話であった。

アルルを追われたゴッホは、サン・レミとオーヴェルの時代にも、多くの作品を描いたが、一八九〇年七月二七日夕方、自分の腹にピストルを打ち込んで、自殺をはかり、二九日に死亡した。そして三七才の生涯を閉じたが、日本に魅せられてゴッホが描いたアルルを訪ねることができたのは、今回の旅の収穫といえようか。

（一九九四・一）

耳切り事件のあと入院した「病院の庭」。
今は事務所や土産物店につかわれている。

シケイロス大壁画への旅

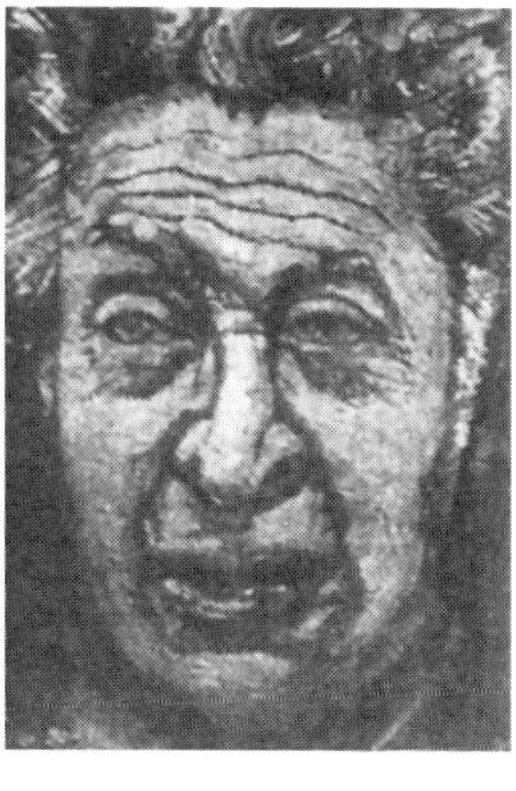
アルファロ・シケイロス
（絵はがきより）

アルファロ・シケイロスの壁画を見ようと二月にメキシコへ旅をした。

メキシコの壁画運動は、絵画を美術館から街路や人々の集まる場所へ飾ろうと、オロスコやリベラ、シケイロスが中心となって、一九二〇年代に始まった。それは近代ヨーロッパの額におさまった美術作品を観てきた従来の概念を打ち破るものであった。

それだけでなく、近代絵画に、主題の内容や、表現手段についてのアンチテーゼを投げかけ、積極的に、政治的、社会的な思想表現の場をあたえようとした。表現の技術も、板金や溶接、エアーポンプによる特製絵具の吹きつけなどの作業を要した。

シケイロスはこうした作品を「彫刻絵画」と呼んでいたが、大学都市の絵画は、立体的で、まさにそういう作品であった。

ヨーロッパ近代絵画と、シケイロスの絵の根本的な違いは、パースペクティヴが、シケイロスの場合に「前出画法」と呼ばれるところにある。まさに作品画面から作者のエネルギーが噴き出してくるような表現である。

こうしたシケイロス独特のダイナミック・リアリズムに私は特に魅力を感じている。それは、現代の映像文化が生んだテクニックを積極的に取りこんだものと評されている。
軸五七号に「強い詩」について書いたが、続きを書こうと思っている。『明解国語辞典』（金田一京助監修）によると「強い」は「意力がたくましい」とも書かれていたが、シケイロスの絵にあるのはまずその意力のたくましさなのだ。「詠嘆的抒情」などはカケラもない。

（一九九七・七）

メキシコ国立芸術院
大壁画「ニューデモクラシー」1945 年

モザイクの国　チュニジア紀行

　アルジェリアとリビアにはさまれた北アフリカの小国チュニジアへ旅をした。

　チュニジアは、北東部の千百キロ余りが地中海に面していて、海岸には近代都市とリゾート地が並んでいる。反面、中央部や南部には砂漠がひろがり、オアシスを囲んでナツメヤシの木が四百万本も茂っている。人口は八百万人余で、七五年間のフランス保護領から、一九五六年にハビーブ・ブルギバ前大統領によって独立国となった。

　今回の旅は、民族や宗教にかかわり、文明とはどういうものなのかを考えさせられた。

　例えば、フランスの保護領になる前は、さまざまな民族による植民地支配の長い歴史を経験していて、そのなごりが数多く残っているが、民族といえば、フェニキア人、カルタゴを壊滅させた古代ローマ人、ヴァンダル人、ビザンツ人、長期にわたって支配したアラブ人、トルコ人、この地で

見渡すかぎり一面の塩の堆積はすごい。
チュニジア最大の塩湖ショット・エル・ジョリドの近くの店のボスと男性のみ着られるキャッシュビア（防寒服）をかぶって。

最も古い住民といわれるベルベル人など多様である。

ここでは、かつての征服者たちの歴史は、今は観光の遺跡となって残っている。目につくのは建築史的にも興味深い古代ローマ時代のものである。それと、首都チュニスのバルドー博物館にあるすばらしいモザイク画である。

そして、あのスペインのセゴビア水道橋より長く、世界最長といわれているザグーアンの水道橋。全盛期にはなんと一二三キロもあったといわれ、カルタゴまで水が流れる勾配を考えて造られたという技術には驚嘆させられる。

そのカルタゴに残っているのは、アントニヌスの共同浴場跡である。紀元前二世紀につくられたもので、ローマのカラカラ大浴場にも比べられる規模である。この遺跡は当時の人々が地中海を見ながら風呂につかっていたと思われ、広大な土地に何百という部屋があったと想像でき、温水の風呂、水風呂、サウナ、プール、噴水、マッサージルーム、さらに食堂や談話室などまでつくられていたようだ。

もうひとつは、エル・ジェムのコロセウムである。かつてチュニジアには約二五のコロセウムがつくられたといわれているが、最も保存状態がよく、アリーナの直径は六五メートルもある。

さらにもうひとつは、ケロアン南西にある大廃墟都市スベイトラだ。典型的なビザンチンの遺跡で、凱旋門がいい。その奥にフォーラムが広がっている。

こうした遺跡は、観光客を圧倒する。しかし、今のチュニジア人に、どんな文明的影響が残っているといえるのだろうか。征服し、支配しても、遺跡しか残らなかったということを、人々は考えなければならないと思う。

もうひとつの興味は、宗教である。現在、世界三大宗教といわれているのは、キリスト教と仏教、そしてこの国のイスラム教である。

旅行中は、丁度、ラマダーン（断食月）の期間であった。観光バスの運転手も、ガイドも、日の出前に食事をすませ、日没までの間は、飲食、喫煙は一切しない。ところが、日没の時間がくると、街中でも、いったんバスを停めて、二人はバスを降り、水を飲み、菓子を食べはじめるのだ。車中の私たちは、彼等の行為を、あっけにとられて見ているばかりである。誰言うとなく、こんな断食は健康に悪いのではなかろうかと首をかしげたほどである。そもそも、イスラム教は、七世紀はじめ、マホメットがおこした。彼が四〇才の頃、メッカで全知全能の神アラーのお告げを受けたのが始まりである。それは、アラーの前では、家柄、身分の区別なく、誰でも平等であるという考えで、この教えはすぐに貧しい人々のあいだに広まったが、貴族からは迫害を受けたという。マホメットの死後、経典コーランの教えを、政治力を使って広めたということもあるが、幾つかの宗教に共通してみられるように最初の発想は、実に民衆的であった。

私は、キリスト教のヨーロッパ文明と、西アジアを中心としたイスラム教のアラブ文明、そして東洋の仏教文明のあり方が、信仰という宗教心を基にして成り立っていることを、あらためて気づかされた。そして人間の宗教心がどのようにしておこるのか、大きな関心事になってきたというのが、今回の旅である。

チュニジアで、よく見かけたのは、陽あたりのよい壁にもたれてじっと座っている男であった。

地中海の見えるカルタゴの遺跡にて

一日何を考えているのだろうか。日本のようなスピードのある社会的時間のものさしでは測れない生活である。これも、文明に対する考え方の違いによるのだろうか。映画「スター・ウォーズ」の惑星タトゥイーンの場面が撮影ロケされたというマトマタのベルベル人の珍しい穴居住宅を見たときも、同じことを思った。征服されざる人々と呼ばれるチュニジアの先住民族・ベルベル人は全人口のわずか一%しかいない。彼等は穴居住宅にベッドとか鍋とかの必要最小限の家具と道具を持って暮らしていた。文明ということから考えれば、社会の進歩からはずれているように見える。

チュニジアには、そうした生活の水準がちがう人種が一緒に生活し、社会を形成していた。それは、さまざまな色をした大理石の欠片が精緻なモザイク画を描き出しているような文明の有様に思えた。

現代詩でも文明のカテゴリーにかかわってよく「地球」、「世界」、「人類」、「人間」などの概念的表現が見られるが、本質の言葉でない場合が多くて、あいまい性を感じてしまうことがある。

実際、各々の文明の違いは存在しているわけで、詩でも現実をみたうえの個別的な表現が求められているのではないだろうかと考えさせられた旅でもあった。

（一九九九・二）

アイルランド ―― ケルトへの旅

アイルランドへ旅をしようと思ったのは、ノーベル文学賞を受賞した詩人、シェイマス・ヒーニーの話を薬師川虹一さんから聞いたときである。

ヒーニーの詩「沼地」に、「この国で柵なく広がる土地は沼／この沼は太陽が照り続けるうちにカサカサになる／沼炭地のなかから／アイルランドのオオツノジカの骨が発掘され」などの行があって、泥炭（ターフ）におおわれた北国の島を想像していた。

もうひとつの興味と関心は、ケルトの文化である。「芸術新潮」一九九八年七月号の大特集「ケルトに会いたい！」によると、ケルトこそヨーロッパ文明のベースを作った人々といわれ、古代ケルト人は、言語民族であって国家を形成することはなかったと記されている。

今までに何度かヨーロッパ諸国へ旅してきたが見聞するものは、古代ギリシャ・ローマの流れを受けたヨーロッパ文明であって、それとは異質の文化とはどういうものなのかという期待の旅でもあった。

6～13世紀の中世修道院文化の中心であった
クロンマクノイス修道院

紀元前 3500 年頃の石器時代のものと考えられている巨大古墳ニューグレンジ。ケルトの代表的な文様「渦巻き」が描かれている。

二十世紀になっても、ケルトの末裔を称する唯一の国アイルランドは、しかも、いかなる軍事同盟にも加わらず、立憲共和制をとる民主主義国家であり、小規模な志願制の国防軍を保持するのみで、核軍縮の進展に強く期待している国だというから、政治的にも注目に値する国であった。

行ってみると、アイルランドの印象は、泥炭地というよりは、うねうねと続く石積みの垣に囲まれた牧草地に放牧された牛や羊がいて、田畑のない大地であった。そして、小さな赤色のフューシャの花が群生して咲いていた。泥炭は、コネマラ地方に着いて初めて目にした。

この地方にコングという町がある。あのジョン・フォード監督が、一九五二年に世界的なヒットになった映画「静かなる男」（主演は、ジョン・ウェインとモーリン・オハラ）の撮影をした場所である。その舞台となったイニスフリー村は、イェーツの詩から引用した架空の村だそうだが、五〇年を経た今でも川や自然の美しさは変わらず、映画の場面がそのまま残っている。

アイルランドは、地理的には多数の河川があり、八〇〇にのぼる湖が点在する国で、北海道ほどの広さに、人口は静岡県とほぼ同じ三五〇万人が住んでいる。その九四%がカトリック教徒で、すべての生活習慣はその教理にもとづいているといわれている。

旅は、首都ダブリンから始まった。そこはギネスブックで有名な、ギネス・ビール工場がある街でもある。爽やかな風味のアイリッシュ・ウイスキーもある。街のパブにはアイリッシュ音楽が流れ、酒好きの人には楽しいところである。

だが、圧巻は、トリニティ・カレッジ（ダブリン大学）の図書館に保存されている究極の装飾文字といわれた八世紀作の『ブック・オブ・ケルズ』（福音書）だろう。この図書館は奥行き六五メートルの長大な部屋に、天井高く二〇万冊の蔵書がある。

ダブリンでのもうひとつの必見は、作家記念館《ライターズ・ミュージアム》である。アイルランドの生んだ逝去三人のノーベル文学賞受賞作家、イェーツ、バーナード・ショウ、ベケットをはじめ、『ガリバー旅行記』のスウィフト、『ユリシーズ』のジェームズ・ジョイス、『サロメ』のオスカー・ワイルド等々、アイルランド文学史上の有名な作家の資料が展示されている。

旅の全行程は、紙数の関係で詳細には書けないから、最後にケルトの代表的な文様『渦巻き』について引用しておこう。

「この動的な感じの秘密は——つなぎの部分の意匠としての工夫にある」「つなぎ込んでゆく部分が渦巻きそれ自体より太く強調して描いてある。これは、その形からトランペット・パターンと言ってケルトの渦巻きの大きな特色である」（鶴岡真弓——「芸術新潮」98・七月号より）

日本人観光客のまだ少ないケルトの島、アイルランドは、他にも魅力がいっぱいあるところだ。

（一九九九・七）

モハーの断崖にて（著者）

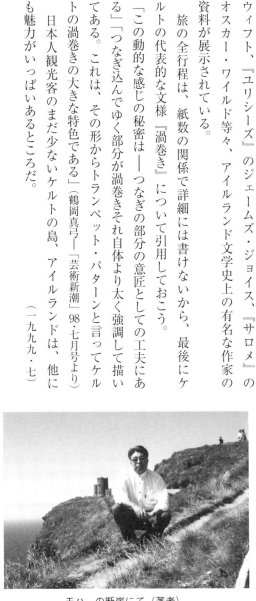

アウシュヴィッツへの旅

今回のポーランドへの旅の目的は、二つありました。一つは、私の好きなショパンの生地を訪れることです。もう一つは、アウシュヴィッツに行くことです。

実は、アウシュヴィッツのことは、青年期からずっと心にあった課題でした。私は、大学を普通に卒業できなくて、取りこぼした単位をやっと取得し、学年半ばの一〇月に、学長室で一人だけで卒業証書を受け取りました。

やっと卒業できたとき、文学仲間の女子学生が一冊の本をプレゼントしてくれたのです。それが、ヴィクトール・フランクルの『夜と霧』（みすず書房、一九五六年八月一五日、第一刷発行）だったのです。

彼女は、内表紙に「ゴ卒業オメデトウ」と書きそえて送ってくれましたが、私の大学卒業は、そんな応援を受けるほど、ヘマな出来事でした。

この本を手にしたとき、二四歳の私は言い知れぬ衝撃を受けました。とりわけ本のうしろにあった幾つもの写真はずっと心に残っていたのです。

今回訪れたアウシュヴィッツの壁面にも、それらの写真がありました。帽子をかぶった子どもが両手をあげて写っているもので、「住家を追い出されるユダヤ人たち」と説明がついていました。

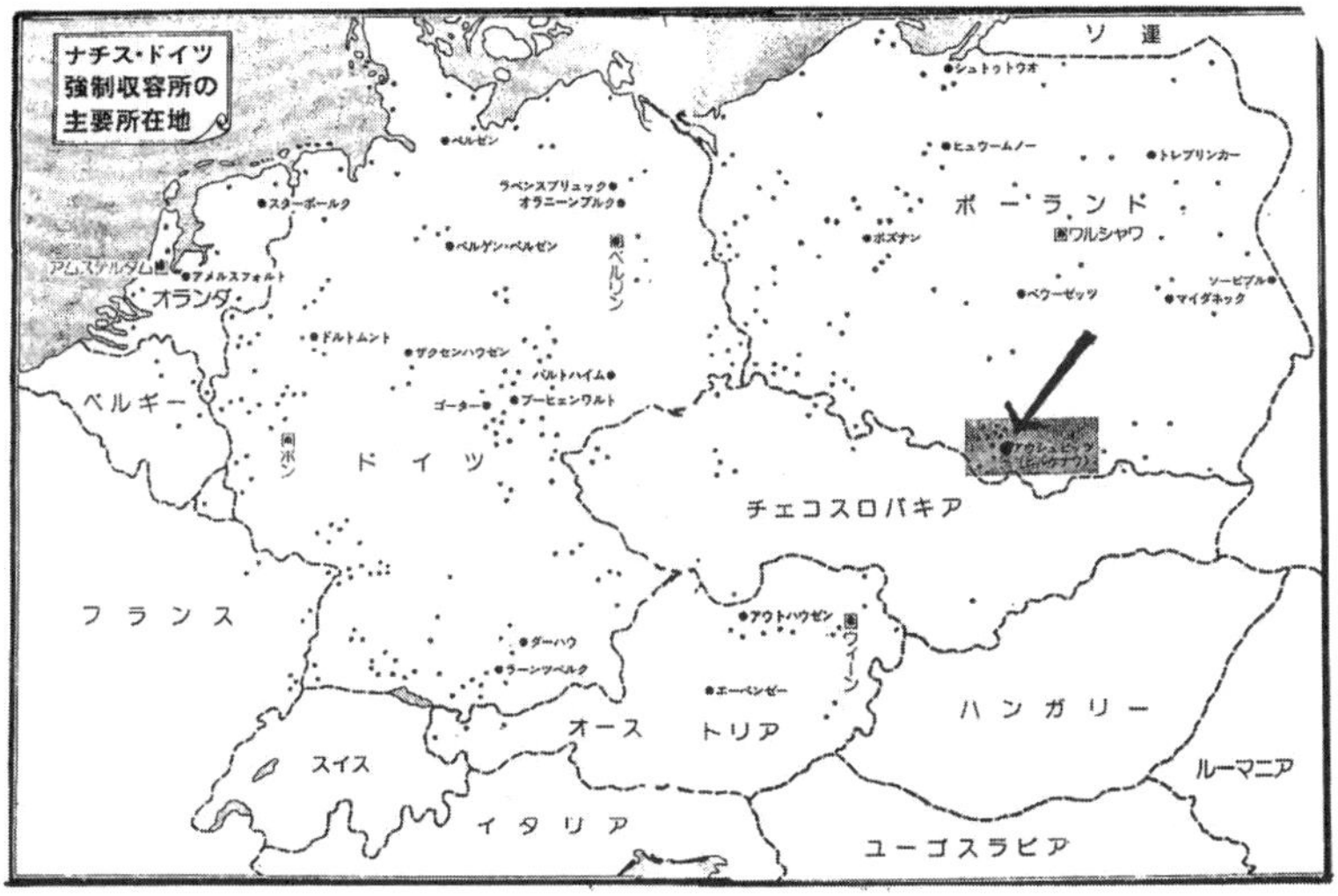

ナチス・ドイツ強制収容所の主要所在地

この鳥打帽をかぶった少年のその後の運命は判りませんが、恐らく生きてはいないでしょう。

また別の写真は、それぞれの強制収容所で、労働と飢餓で死んだ人びとを薪のように累々と積みあげた死体の山、ブルドーザーで死体処理されている一枚、掘られた穴に積み重なる集団殺戮の光景、地面にあおむけに倒れて、あばら骨が露出した肉体、顔面のくぼんだ眼と半ば開いた口、子どもを抱いた母親たちが裸にされてガス室へ向かう写真など、すべて、ナチスの行った残虐さをリアルに表わしていたのです。

フランクルの著書は、強制収容所という極限状況のもとでの「心理学者の強制収容所体験」で、後述では「収容所から解放された時の心理学」についてもふれています。

私たちは、現在、次々と起こされる残酷で非人間的な事件についても、しばしば同じ人間として、その行為を「何故?」と問いかけたくなります。

集団殺戮と個人の犯罪という違いはありますが、フランクルの著書を深く読みとることは、今日でも必要なことのように思えてなりません。

＊　＊　＊

それから長い間、私は、ずっと心にあった課題なのにアウシュヴィッツは思い浮かんできませんでした。

今回、旅をすることになって、以前、作家の早乙女勝元さんから戴いていた本のなかの一冊『アウシュビッツと私』（草土文化、一九八〇年八月一五日、第一刷）を引き出して読みました。偶然かもわかりませんが『夜と霧』も、この本も、八月一五日という終戦の日が刊行日となっていました。

この本で、早乙女さんはアウシュヴィッツへ出かける前の気持ちを次のように書いています。「しかし、いざとなると不安が先に立ち、緊張と興奮との交錯した複雑な気持ちを抑えることができないのです。あの日あの時、新村猛先生が『あまりにものすごくて』体調をくずしたというアウシュビッツは、戦後三十四年目の私になにを語りかけ、なにを残すことだろう。そして私は、それをどのように受けとめ、現在から未来へ向けてどう生かしていったらよいのか。いやいや、その前に正直なところ、大量殺戮の実態に私の小心が耐えられるかどうか。……」そして「目的地が近づくにつれて、私の胸は異様に昂まり、トキトキと鳴る鼓動が首筋のあたりにまで伝わってくるのです」と書いています。

私は、この早乙女さんの一文が胸に重く残ったまま、ポーランドへ旅立ちました。ポーランドは、ずっと平坦な農地が広がっていて、雑木林や畑のあちこちに一面の白い花が咲いていました。その白い花の名前は、ガイドさんに尋ねてみましたが判りませんでした。印象として白い花の土地と呼びたいほどの季節だったのです。

旅は、首都ワルシャワから、フレデリック・ショパンの生地のジェラゾヴァ・ヴォラへ、バルト海随一の美しい港町グダニスク、十一世紀から十七世紀まで、ポーランド王家の王宮が置かれた美しき古都クラコフを廻って、いよいよアウシュヴィッツを訪れることになりました。

早乙女さんの本の「さいごにひとこと」では、「年間七〇万人が訪れるというアウシュビッツ博物館には、各国語による同ガイドブックが用意されていますが、日本語版はありません。日本人観光客はヨーロッパに溢れているというのに、アウシュヴィッツを訪れる日本人がどれほどすくないかの証明ともいえそうです」と書かれていましたが、

現在は、日本語の案内書も販売されています。また『地球の歩き方』に紹介されている日本人ガイドの中谷剛さんが、私たちの案内役として来てくれました。彼は一九九七年四月からこの博物館で働き始めたということです。「私は学者でも研究者でもありません。一人の人間として平和に貢献できればと思っただけです」と語っています。（写真①）

①人骨の粉の入ったガラス器の前で説明する日本人ガイド中谷さん。

②働けば自由になる（アルバイト・マハト・フライ）の文字が掲げられた収容所の入口ゲート。

③一缶で400人を殺す効力があった「チクロンB」の空き缶の山の前で。

ドイツ名「アウシュヴィッツ」は、現在、国立オシフィエンチム博物館となっていて、世界遺産にも登録されています。

この強制収容所で殺された人の数は、つきとめることは困難だと言われていますが、残存している不完全な資料の研究から、二八の民族、約一五〇万人が殺害されたことが判ったと言われています。

収容所内には二八棟の「囚人棟」があり、収容された人びとは、そこに監禁され、飢え、重労働、医学的人体実験、死刑執行の手段によって虐殺されていったのです。

アルバイト・マハト・フライの金属板の文字が掲げられたゲートを入ってまっすぐ行くと、右手に四号棟から七号棟が並んで建っています。（写真②）

これらの各棟には、ナチスのたてた他民族絶滅計画（ジェノサイド）、ナチスの犯した犯罪の証拠、囚人たちの生活、住居、衛生状態などが展示されています。

例えば、ガス室で使用されたチクロンBという毒薬の缶が山積みされています。この一kg入りの小さな丸缶で約四百人を殺す効力があったと言われています。(写真③)

解説書によると二一〇平方メートル(約六三六坪)の部屋に、約二千人が押し込まれ、扉が閉じられてチクロンBが投入されたということです。中に入っていた人は一五分から二〇分の間に窒息死したということです。死んでも倒れるスペースがないほどつめ込まれたそうです。その後、死体から金歯が抜かれ、髪の毛が切られ、指輪とピアスが取られました。早乙女さんの本に引用されているSS隊員の報告では「数人の労働者は、金やダイヤモンドや宝石を隠していないかと(死体の)陰部や肛門までしらべていた」ということです。

二階の五号室には、人間の髪の毛で造られた生地が展示されていました。アウシュヴィッツ収容所が解放されたとき、倉庫には約七トンの髪の毛が残っていたそうです。当時、髪の毛を使ってドイツの会社でマットレスとか布地などを作っていたのです。(写真④)

六号室には、収容所に移送されてきた人びとが持参した生活用品の遺品が展示されていました。自分の名前を書いたトランクの山、おそらく生きて帰れるだろうと思っていたのでしょう。洗面器、ブラシ類、コーヒーカップ、靴、眼鏡、義手や義足ま

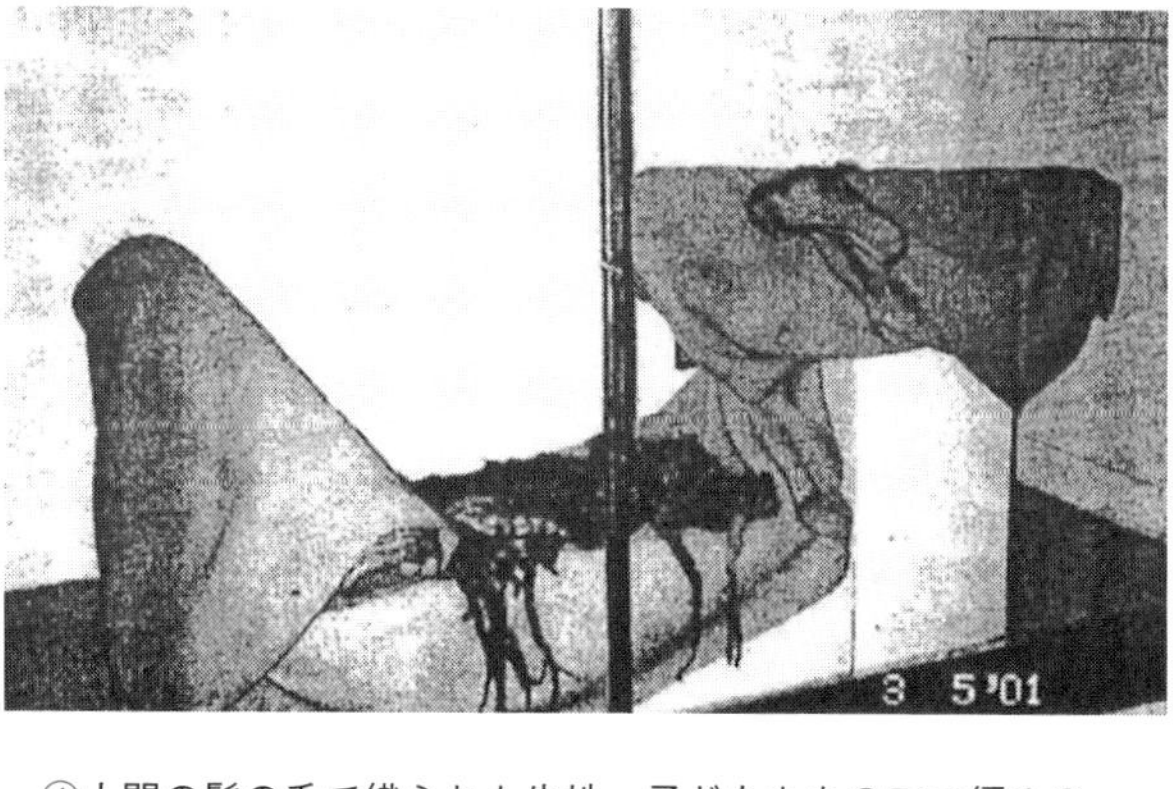

④人間の髪の毛で織られた生地。子どもたちの三つ編みのおさげ髪もそのままある。

でもが、ガラスケースに、山積みになって収められていました。子どもたちの可愛らしい服や、ちいさなオモチャを見て、本当に胸が痛くなりました。（写真⑤）

⑤山のように積まれた靴、靴。

次は、「死のブロック」と呼ばれていた一〇号棟と一一号棟に向かいました。この二つの棟の間の中庭は、死刑執行の銃殺が行われた場所で、奥に「死の壁」が造られていました。そこはいつも、花束が絶えないそうです。

一〇号棟は、ありとあらゆる生体医学実験が行われたところです。『夜と霧』に掲載された写真にも、足の筋肉がえぐり取られた女性の足が写されていました。

一一号棟は、ほぼ当時のままの姿をとどめているところです。形式だけの裁判を行った部屋、鞭打ち台、移動絞首台、囚人をつないだ杭、立ったまま身動きが取れない立ち牢（九〇《チセン》×九〇《チセン》の空間に四人ずつ押し込んだ）などが残されています。

その棟には、独房、雑居房、鉄格子の小部屋、「餓死室」などすべてそろっているのです。ある囚人の身代わりで死んだポーランドのコルベ神父の房もあります。

私たちは、そこからいったん外に出て、最後の場所、ガス室のところへ歩きました。茶色いレンガ造りの収容棟が並んでいる通りにはポプラの緑が映えて、旅行者の私たちに、ここで毎日起こっていた残酷な場面を想像することは難しいことでした。

収容所を取り囲む鉄条網の外側にあるガス室には、三台あったうち二台の焼却炉が残されていました。思わず私は『夜と霧』のなかの写真にあった焼け焦げた頭骨がのぞいているあり様や、人骨が炉の中に山積みになっている様をそこに重ねていました。（写真⑥）

ガス室を出た外に絞首台がありました。それはアウシュヴィッツの絶滅収容所の所長としてジェノサイド計画を実行したルドルフ・ヘスの死刑執行が、一九四七年四月一六日に行われた場所でした。

この後、約二キロほど離れたところにある第二アウシュヴィッツと呼ばれたビルケナウに行きました。ここは約三〇〇棟以上のバラックが並んでいて、先のアウシュヴィッツよりもさらに大規模な強制収容所で、一大殺人工場であったところです。

死の門をくぐって鉄道の引き込み線がまっすぐ敷地内に入り込んで、その線路のつきるところにガス室と五つの焼却炉がありました。

今は、その近くに一九六七年に除幕された国際慰霊碑が立っています。

＊　＊　＊

⑥一日、350 人の死体が焼かれた焼却炉。

『夜と霧』や『アウシュビッツと私』に掲載されている貴重な写真の何枚かは、囚人たちが密かに撮影したものであるということです。また収容所内の悲劇的な出来事を記録して、ガラス瓶に入れ、地面に埋められたそうです。こうして人びとは極限状況におかれても、真実を伝えたいという強い人間的な行為があったということです。

だからこそ、戦後になってナチスの戦争犯罪を、私たちの前に明らかにできたのではないでしょうか。

早乙女さんの本に引用された『血で書かれた言葉』（トーマス・マン序、片岡啓治訳、サイマル出版会）に収録されている、ポーランド農民の子、一四歳の少年カイムの最後の手紙を全文紹介させていただきます。

なつかしい父さん、母さん……　青い空が全部紙で、世界じゅうの海が全部インクだったとしても、ぼくの苦しみや、ぼくのまわりでみたことは、とても全部は書きつくせやしないくらいだよ。

ここまで読んで私は、これほどの真実の表現は、とてもできないと思いました。最高の詩的な言葉の比喩ではないでしょうか。感動がじんとくる文章です。そして、このような非人間的な戦争犯罪を決して許してはならないとの決意まで湧いてくる文なのです。

収容所は、林の中の空地にあって、みんな朝早くから森の作業にかりだされる。ぼくの足は血だらけ、だって靴がないんだもん。一日じゅう働きつづけで、食べるものもなくて、夜は地べたにねるんだよ（マントもとりあげられちゃったんだ）。

毎晩、よっぱらった兵隊がやってきちゃあ、ぼくたちを木の杖でなぐるんだ。ぼくの体も、なぐられたあざの痕でもう真黒だ、黒焦げの焼けぼっくいみたい。ときどき奴らが、生の人参か、砂糖きび一本ぐらいなげてよこすんだけど、口惜しくて、みじめで。ここじゃ、何か食べものの一かけらのために、みんななぐりあいなんだよ。

おとといは、子供が二人逃げたんだ。そしたら、みんな一列に並ばされて、五人目ごとに銃殺されちゃった。ぼくは、五人目にあたらなかったけど、ぼくにはわかるんだ、ぼくももう、生きたまんまでここから出られやしないんだ。だから、みんなに、さよならだよ。やさしかったママ、大好きなパパ、それからかわいい妹たち、ぼくはもう涙がでて……。

早乙女さんは、続けてこう書いています。「鉄条網越しに投げられ、道に落ちて拾われた紙片には、囚人たちの悲痛な心情が、少年のみずみずしい感覚でにじんでいます。やがてカイムは虐殺され、『ぼくはもう涙がでて……』の後、永遠に空白のままの手紙は、まわりまわって両親のもとに届けられました」。

＊＊＊

アウシュヴィッツへの旅は終わりましたが、帰ってきた日本では「新しい歴史教科書をつくる会」の『あぶない歴史教科書』が採択されました。歴史教育のゆがみと教科書の不健全さを正すとか、自虐史観からの脱却とか言って、かつての侵略戦争を美化する動きが出てきています。靖国神社公式参拝や、憲法九条の改悪を企み、集団的自衛権行使での海外派兵など、平和と民主主義に逆行する反動政治の推進があります。

それは、ドイツと違って、日本の場合、戦後にアジア諸国に謝罪するなど、きちんと戦争責任を明らかにしないできた戦後政治の歴史があります。帰国してから新聞の記事で知ったことですが、ドイツとポーランドは、戦後、共同の歴史教科書作りを行ってきたということです。

ベルリン自由大学教授のウェーゼル氏は、「ポーランドとの関係を含め、現在ドイツでは、すべての党派がナチス時代への評価で一致しています。日本のように史実をゆがめた歴史教科書が出ることは将来もありえないでしょう」と語っていることはうなずけます。

日本人ガイドの中谷さんは、私たちに「このアウシュヴィッツを訪れる人で一番多く来るのはドイツ人です。なかでも若い人たちがたくさん来ます」と言われ、国立博物館への寄付額も一番多いんです、と付け加えて言われたのは、大変印象深く残っています。そして彼は、別れ際に「もっと日本人も、若い人も、ここを訪れてほしい」と言われたのです。

（二〇〇一・九）

ベトナムへ平和の旅
――アメリカの新しい「戦争」を考えるきっかけに

今回のベトナムへの「平和と交流」の旅は、すべての日程が期待と楽しみに満ちていた。ベトナム航空の約四時間四五分の飛行で、ホーチミン市のタンソンニャット国際空港へ到着した。

ホテルへ向かうバスの窓から見た第一印象は、通りいっぱいに走るバイクと、自転車の喧噪な流れで、バイクは二人乗り、三人乗り、さらに四人乗りもいて、全部ノーヘルメットである。交差点は信号もない所が多いが、互いに擦り抜けて走る様子は、見事で「あっけにとられる」光景であった。活気というべきか、なんと騒々しい街だなと、しばらくは私の頭の中もパニック状態で、この印象をどう表わしたらいいのだろうかというのが素直な旅の始まりだった。

今度の旅の目的は、一九六五年から本格的に始まっ

ベトナム戦争証跡博物館入口にて（ホーチミン市）

たアメリカとのベトナム戦争で、この国の人民が不屈の戦いをして、一九七五年四月三〇日、サイゴン解放で勝利した歴史的な跡を訪ねることであった。あの日、サイゴンの大統領府独立宮殿に入った解放軍戦車部隊が、傀儡政権旗を引きずりおろし、臨時革命政府の旗を掲げたシーンは、今でも忘れられないほどである。それは、アメリカ軍という侵略者を追い出し、独立を勝ち取った歴史的瞬間でもあったから——。

年表によれば、ベトミン（越南独立同盟〈注〉一九四一年結成）とフランス軍の間に戦われたインドシナ戦争が、一九五四年に、ディエンビエンフーでフランス車の完敗で終わった後、休戦協定調印もつかの間、こんどは政府軍と民族解放戦線（ベトコン）の戦いが南ベトナムで始まり、アメリカ軍が軍事介入したことから、ベトナム戦争は始まった。

この年の三月二日から、アメリカ車が北爆を開始し、同八日に海兵隊がダナンに上陸した後、急速に戦力を増強した。一九六九年の最高時には五四万人のアメリカ兵（ほかに韓国などの同盟軍）が、戦争遂行のため駐留したとある。

一方、当時アメリカ国内では、一九六六年一〇月五日「ベトナム戦争終結のための全米調整委員会」が全米各都市でデモを行い、ベトナム反戦運動が本格化した。日本では、四月二四日に「ベ平連」が初めてデモを行った。そして、一九六七年一〇月二一日にベトナム反戦国際行動が日本の民主勢力を中心に取り組まれ、以後「10・21」国際反戦行動デーとして継続されていく。

当時、私もデモや集会に何度となく参加した。反戦詩を書き、「詩は街頭を行くシリーズ」というパンフにして、五千部も仲間とともに売りつくしたのである。思えば、あれほど精神が燃焼したことは後にも先にもなかったのではないかと思う。
私は、第二詩集『歴史の本』に、「ある重なり」という作品を載せている。

千米離れたところから　鉄かぶとを
ぶち抜くという
一秒間に　二十発の弾丸を
発射できるという
日本製武器《メイド・イン・ジャパン》　自動小銃の話から
あたかも
ヴェトナムのアメリカ兵のように
かまえてみせる職場の若い同僚

君が狙いをつけた架空の人影は誰だ

ラッセル国際法廷に立ち
ナパーム弾でひきつった全身の皮膚に
多数の柔らかな視線を浴びながら

詩は街頭を行く　シリーズ　パンフレット表紙絵（著者画）

侵略者の戦争犯罪を証言しようとする
八歳の少年　ド・バン・ゴクが標的だ

おれの首を守るだけでよいのに
何故　ベトナム戦争にまで
首を突っ込む必要があるのかと
職場集会で発言した一人の同僚

君が認めようとしない死者は誰だ

自らの肉体にガソリンを浸ませ
抗議の炎と燃えあがり
祖国の大地に　赤い花を咲かせた
若いベトナムの女教師
ファン・ティ・マイのもの
おれも一度は戦争に行ってみたいと
ベトナム行き

焼身自殺で抗議する仏教徒
(「グラフこんにちは」より)

Ｌ・Ｓ・Ｔの乗組員のニュースに
冗談をはずませて面白がる同僚

君が行こうとするのは誰の祖国なのか

ベトナム特需の武器を運んで
そこで　アメリカ兵と同じように
日本人の彼は死ななければならなかったのか
その死の引き金をしかけた装置は
日本の日常に密かに連結されていて

君の　気づかない日常の
じわじわと重ねあわさってくるもの
君が狙った
君の可愛い子どもたち
君が認めなかった
君の愛している妻のやさしさ
君が面白がっている

君の職場にやられてきている合理化
二重に重なるものを明視するときは
何時だ

全文であるが、ベトナム戦争と日本の現実生活は二重に重なり合っていたし、事々に連結され、双方に戦争の本質があった。

だからデモや集会に参加するだけでなく、あらゆる反戦行動を、職場や地域で行ったのである。勿論、大きな国際連帯を生みだす努力もはらったことは言うまでもない。当時のポスターに書かれたスローガンは『日本をベトナム侵略の基地にするな』であったことでも、遠い国を言葉だけで支援することだけではなかった。

翌日ホーチミンから海抜六〇〇メートルのハイヴァン峠を越えて、当時アメリカ兵が七万五千人も駐屯していたクアンチ省の軍事基地ドンハやロックパイルと呼ばれていたヘリコプター基地のあった山岳など、激戦地の跡を見て廻ったが、現在は南国の山と農村風景にすっかり戻っていて、表向きには戦争の恐怖感はどこにもない。

再び、中部ベトナムのフエから、ホーチミンに戻り、「ベトナム戦争証跡博物館」を見学した。ここの前庭には、所狭しとばかりアメリカ軍から奪ったヘリコプターや戦車、火砲類が展示されていた。館には、大量殺傷爆弾や枯れ葉剤などによる被害の実態が写真で展示されていた。

中に、新聞かグラビアなどで見た記憶のある幾つかの写真もあった。「川のなかを逃げまどう親子」や、「背中を火傷して逃げる全裸の少女」、「手榴弾で吹き飛ばされた首と胸の高だけになったベトナム人の死体を手でぶら下げる米軍兵士」（同じような残虐な写真は何枚もある）など、寄贈された当時の報道写真である。

枯れ葉剤で奇形となった子どもたちの写真のなかに、ツーズー病院で生まれたあのベトちゃん、ドクちゃんの幼い時の写真もあった。

政治犯たちを拷問、虐待した「トラの檻」（コンソン島の牢獄）を、そのまま移した場所もあった。

ここで発行しているパンフレットによると、ベトナム戦争を遂行するために、アメリカ政府は延べ六百五十万人の若者を動員し、直接戦争に参加させたということである。アメリカは、戦争中に七百八十五万トンの爆弾（銃弾は含まない）を南ベトナムの森林や農村、田畑にばらまいた。アメリカがベトナム戦争中に使った費用は三千五百二十億ドルであったと記されている。およそ三百万人近くのベトナム人が死亡して、四百万人が負傷し、五万八千人以上のアメリカ兵が死亡したということである。

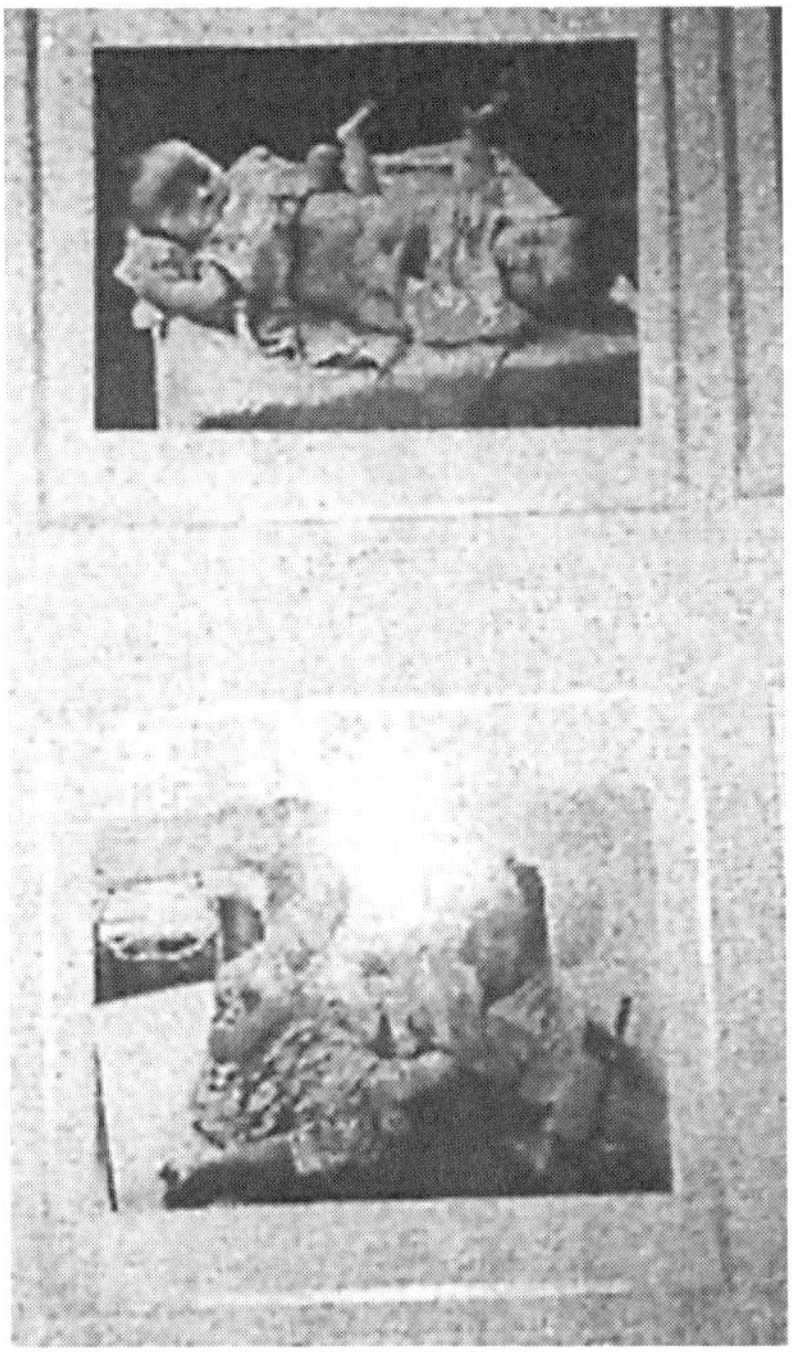

ベトちゃん・ドクちゃんの幼い時の写真

これだけの物量と犠牲を払って、アメ

リカは何故ベトナム人民に勝てなかったのか。勿論、ベトナム人民の愛国、不屈の闘いが勝利の原動力であっただろう。一九六六年七月に出したホーチミンの抗戦アピールに「独立と自由ほど尊いものはない」という言葉があるが、その精神の呼びかけを世界中の人々が共感をもって受け止めた結果の行動にも負うところが大きいと思う。

会場に展示されている各国報道カメラマンが、命がけで写した写真を見て、全世界の解放、独立、民主主義の闘いの最前線として、現地に来ていたのだという感慨を深くしたのである。一枚一枚の報道写真が、世界の人々との連帯と友愛のしるしに思えたのだ。

ベトナムから帰国して思ったのは、現在、「戦争」は、どう変わってきているのかということであった。

一九九一年の「湾岸戦争」、そして二〇〇一年一〇月にアメリカが始めた「アフガン戦争」へと、明らかにベトナム戦争とは違ってきている。

それが、さらにはっきりしてきたのは、この九月二〇

撃ち落とした米軍機（ベトナム戦争証跡博物館）

日、ブッシュ米政権が、先制攻撃戦略を基軸にした『国家安全保障戦略』の発表である。

ベトナム戦争時には、アメリカ兵は延べ六五〇万人投入し、死者数は五万八千人以上といわれている。

今回のアフガン戦争では、米軍は約六万人で、死者数はわずか四一人、負傷者も約二二〇人（二〇〇二年九月七日付「朝日新聞」）という数字で、ベトナム戦争と比べて死者は千四百分の一にすぎないのである。この戦争の発端となった9・11テロから、アメリカが空爆を始めて一年が経つ。この間、アフガンの民間人犠牲者は、9・11テロの死者二千八百一人（二〇〇二年九月現在）を上回る四千人以上といわれ、兵士を含めると六千人以上が死亡したとされている。しかし、はっきりした数は誰にも分からない。しかも、米軍は誤爆件数と死者数を、公式には一切認めず、被害者への補償もしていない。ベトナム戦争の大量な戦死に比べ、非常に少ない死者しか出さない戦争は効を奏して、国内の反戦運動に影をおとしている事実は否定できない。むしろ、9・11によって、アフガンへの軍事攻撃を支援する愛国心がアメリカ全土を支配しているようにさえ思える。

この戦争のモデルは、人を殺す技術を、これほど追求した爆弾はほかにないとまでいわれているクラスター爆弾をアフガンの土地に一万個も投下し、その二割近くは爆発せず地上に残しているという事実によく表れている。

まさにこの時アメリカのブッシュ政権は、同様の戦争方法で、対イラク戦争を始めようとしていた。

この米国の戦略構想は、軍事力による単独行動主義を中心として、核とハイテク兵器の結合、核兵器の実践使用にまで及ぶという内容であるから、国連憲章など、世界の平和のルールからも絶対に許すことのできない行為である。

　日本はどうするのか。日本人はどうしたらよいのか。こうした戦争は、「いきなり」始まったわけではない。少なくとも、一九六三年の「三矢研究」から、九二年のＰＫＯ法、九六年の日米新安保ガイドライン、そして九九年の周辺事態法の成立で、自衛隊の出動体制がととのえられたのである。さらに国旗、国歌法、通信傍受法、改正住民基本台帳などが矢継ぎ早に成立し、いま有事関連三法案にいきついている。それ等はずるずると環で継がって、鎖のようになり、「平和憲法」を次第に縛ってきたのである。既に海上自衛艦船は、延べ一六隻もインド洋へ、戦車派兵で出動していて「戦争」に近づきつつある。軍隊と戦争は、青年に生命の提供を求め、国民生活を激変させるのである。それは必ず多くの国民の思いや、平和憲法とも矛盾をきたす、だから主権者は必然的に「戦争」の本質を自ら学習し始め、理解して反戦運動をそれぞれ始めることになる。

　それは独りから始める。いや一人から始めるべきなのだ。アフガン戦争に、たった一人反対したバーバラ・リー下院議員のように。

　アメリカでも、ヨーロッパでも、そして日本でも、主権意識をもった市民たちが、インターネットも使い、新しい「戦争」に対抗して、新しい「反戦運動」を創造し始めている。それはいつか、ベトナム戦争の時のような大きなうねりをつくりだすだろうと信じている。


（二〇〇二・八）

バルトの旅　―― 詩作の背景

「詩人会議」二〇〇四年二月号にバルト三国の旅を題材に「自由の歌は止められない」という作品を書いた。この作品を書く動機となったのは、半世紀にわたってソ連の支配を受けていたバルト三国が、平和的にソ連からの独立を達成したという事実に共感をおぼえたからである。

戦後、東西冷戦でアメリカと対峙していたソ連が自らの崩壊につながるバルト三国の独立を承認することになるとは誰も予想できなかったことだった。詳しい歴史は紙数の関係で省くが、一九四〇年八月にバルト三国は相次いでソ連に編入され、一時ドイツ車に占領された後、一九四四年に再びソ連に再支配されてきた。

14名の犠牲者の写真が貼られた十字架（リトアニア）

作品の二連に、リトアニアのテレビ塔の周りに建てられた十字架のことを書いている。

これは、一九九一年一月の〝血の日曜日〟のときの事である。当時ソ連が武装部隊を送り、ヴィリニュスが囲まれたとき、数万人の市民が議会を守り、非武装の抵抗を示した。

この事件のとき、最も多く犠牲者を出したのがテレビ塔（三二六メートル）の周りであった。

十字架には一四名の犠牲者の写真が貼られているが、そのうちの唯一の女性は、装甲車を止めようとして自らを楯にしたと伝えられている。

作品の三連に書いたラトヴィアの自由記念碑である。バルト最大の都市といわれる首都リガのブリーヴィバス通りの中央に一九三五年に建てられたもので、最上部にラトヴィアの三つの地方を意味する三つの星を掲げたミルダの像が立っている。この碑は、ラトヴィアの独立と自由の象徴でもあった。

ラトヴィアの自由記念碑

碑の基部には『祖国と自由に』という文字が刻まれ、ラトヴィアの歴史や文化を象徴する彫刻が飾られている。

一九八七年に、ソ連に対する戦後初めての公開抗議行動が、この自由記念碑の下で行われた。ソ連時代にも、この碑は壊されることはなかったが、反体制の象徴として近づくだけでシベリア送りと噂されるなど、民族の悲劇を具現化したような記念碑であった。

四連に書いたエストニアの首都タリン郊外の野外音楽堂のことは、現地ガイドのヘイキ君が、こ

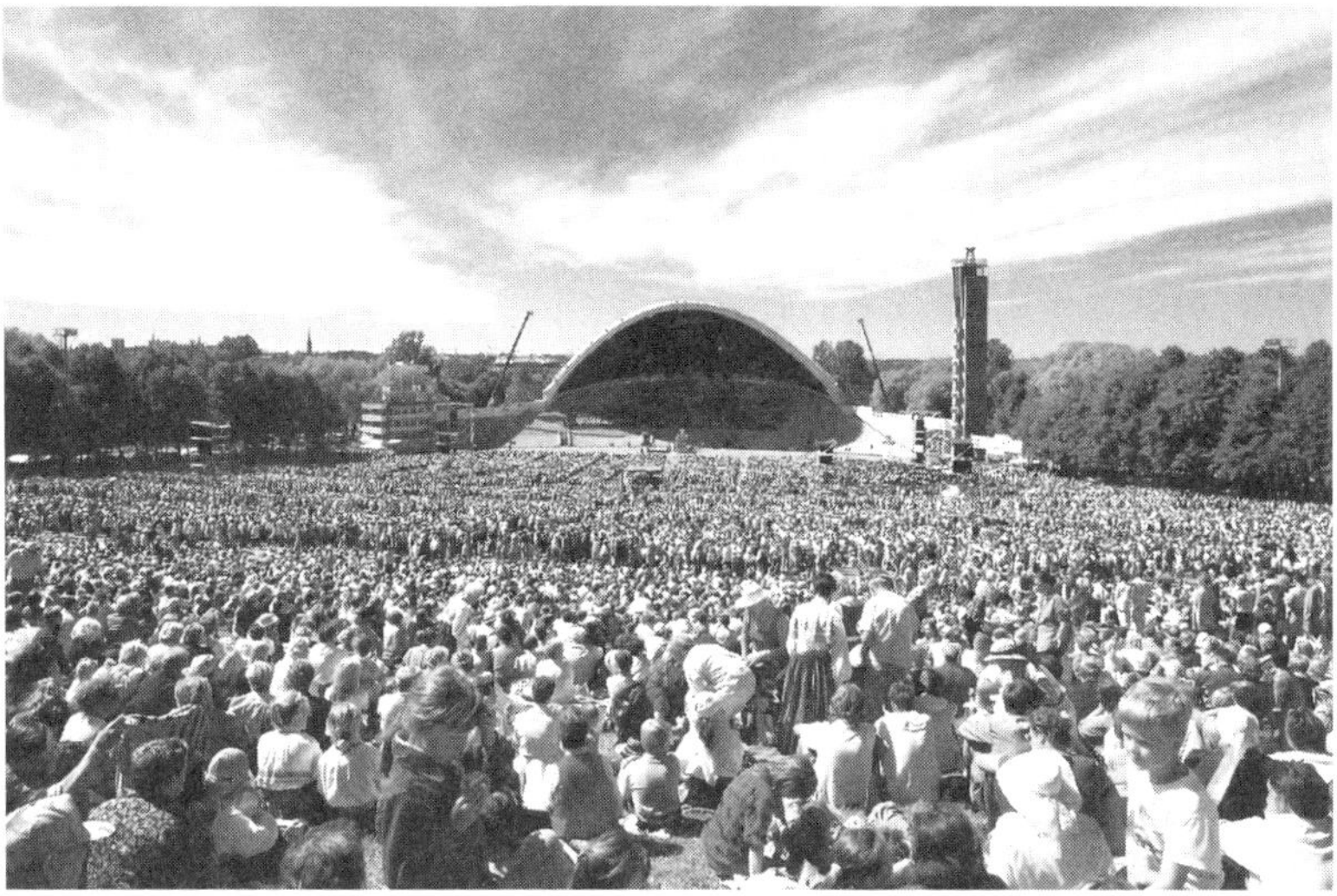

エストニア音楽祭（絵はがきより）

のエストニア音楽祭を取材した日本のビデオ「地球に乾杯」を車中で観せてくれたことによるものである。

歌の原と呼ばれるステージで行われる祭典は、五年に一度エストニア最大の祭りとして催される歌と踊りの祭典で、民族衣装を身につけた三万人以上の歌い手がエストニア各地から集い、観客数は一〇万人以上にもなるということである。一九八八年九月一一日のこの催しは、民族の総人口の三分の一にあたる三〇万人以上の人びとがここに集い、独立への思いを歌にした。〝歌いながらの革命〟といわれ、バルト三国の独立運動が大きな一歩を進めた一瞬だったといわれている。その音楽祭の最後に大合唱される国歌が、「わが祖国、わが愛」である。その歌詞は、次のようなものである。

私の故郷の土地、私の喜び、うれしさ
汝は何と公平で明るいことか！
そして世界全体のどこにも
そのような場所は決して見つからない

私が汝を愛するほど愛されるような
私の親愛なる故郷の国！
（一番を抜粋）

ビデオで見たこの国歌を合唱するエストニアの人びとのこみあげる表情は、まさに感動的なシーンであった。日本の「君が代」斉唱などはとうてい足元にも及ばない。

こうしたバルト三国の勝ちとった非武装の独立への斗《たたか》いは、今日中東諸国やアフリカなどの武力紛争を考えるとき、大きな歴史的な教訓を感じるのである。

バルト三国の旅をして、いかにソ連時代のスターリンの専制支配が多くの民族を抑圧したか、その間違いの大きな罪を改めて感じさせるものがあった。

最後に、サンクトペテルブルグに着いて、エルミタージュ美術館や、エカテリーナ宮殿のあるツァールスコエ・セローなどを訪れた。そこのリツェイ（貴族学校）は、詩人プーシキンの青春時代と最も深いつながりのある場所でもあった。私の好きな詩人である。

女性のガイドさんの話によると、大通りに立つレーニン像の手のあげ方は、現在のロシア人のタクシーを止めるポーズと同じだといわれたことが最後に印象に残った。

（二〇〇三・八）

ドイツ、あれこれ

ドイツには三回旅行で訪れた。私はどちらかというとフランスのほうが好きで、青春時代から文学にしろ、美術にしろ、フランスのものを多く見たり、読んだりしていた。したがってドイツについてはこれといった知識を持ち合わせておらず、興味もあまりなかったというのが本当のところである。

ところで、今年からドイツの文化や歴史などを多角的に紹介する「日本におけるドイツ年二〇〇五／二〇〇六」が開幕することもあっての原稿依頼だったのかと思っている。

先日、兵庫県立美術館で「ドレスデン国立美術館展」を観たが、それもこの「ドイツ年」の催しのひとつのようである。新聞報道によれば、東京国立博物館で始まった「ベルリンの至宝展」をはじめ、オペラでは、来年二月にはドイツを代表する名門オペラハウスが初来日するとか、ドイツ映画祭や、トロースドルフ絵本美術館展、東京――ベルリン展、日本で初の本格的なエルンスト・バルラハ展など多彩な催しが企画されている。それらの催しの一つ一つは、私たちに未知のドイツについて理解の機会を与えてくれるだろうと思う。

私の初めてのドイツ旅行は、一九八九年一一月に訪れたロマンチック街道とライン川観光、ノイシュヴァンシュタイン城見学といったコースで、他にローマ、パリ、ロンドンといったヨーロッパの代表的な都市観光も組み込まれていてかなりハードな日程であった（当時の旅行会社はこんな盛りだくさんなスケジュールを売りにしていた。旅行者としては、国が変わるたびの通貨の交換が大変だった）。

旅行は、ローマからフランクフルトに入り、リューデスハイムに着いた。この町ではつぐみ横丁というところにいったが、狭い石畳の路地の両側にいろんな店が並んでいて、観光客向けのショッピング通りといった感じであった。そこからバスでライン川に沿って走り、ローレライの碑があるサンクトゴアハウゼンまで行った。途中川を見下ろす山腹のあちこちに古城があった。その日はハイデルベルグ泊で翌日は市内観光、あの文豪ゲーテが讃えたというネッカー川にかかるアーチ型の石積みの古い橋をみたり（この橋のたもとに小さなブロンズのねずみの彫刻があった）、ハイデルベルク城から市街を眺めたりした。それからまたバスで、城壁で囲まれた古い町ローテンブルグへ移動。このマルクト広場近くのクリスマスに使うあらゆる品物を売っている店にも立ち寄った。

後の旅行でも感じたが、ドイツは、古い建物や町並みを大切に保有して、感心させられた（他のヨーロッパの国々も、大抵同じように町並みを保存している）。

その後、ドイツ最後の旅行地、ホーエンシュヴァンガウへ、あの超有名なルートヴィヒ二世の城、ノイシュヴァンシュタイン城を訪れた。この城は、ルートヴィヒが憧れた中世騎士物語の世界、ワーグナーの楽劇の世界をそのまま再現したような城である。

ルートヴィヒは、当時経済的苦境に陥っていたワーグナーの音楽活動を積極的に援助した。彼の代表的な楽劇「ニーベルンゲンの指輪」は、王の強い要請によって二六年の歳月を費やして完成したといわれている。これほど美しい城にもかかわらず、不思議なことにドイツ建築史では重要視されていないという。それは、外観は中世の城であるのに、内部の豪華さは、城というよりはルートヴィヒの芸術作品と言うべきだからだろうか。

二回目のドイツ旅行は、五年経った一九九四年六月で、オーストリアからブダペスト・プラハを経由してドレスデンからベルリンに至る「東欧の旅」であった。

一九八九年一一月九日、この日の夕方から夜にかけて二八年ぶりにあのベルリンの壁に穴が開いて、ベルリンは、再び統一ドイツの首都として歩み始めたのであるが、私が訪れた時には、その壁がまだ幾らか残っていた。

ドレスデンは、古い歴史をもつ芸術の都と言われ、中世の息吹きを伝える文化遺産が、近代的な町並みと美しく調和している都市である。街を流れるエルベ川の両側に、新市街と旧市街があり、旧マルクト広場とかポスト広場の周辺に教会や宮殿などが建っている。第二次世界大戦中に爆撃を受け、戦後再建されたツヴィンガー宮殿は、ザクセンのバロック様式の代表建築として有名である。王冠をかたどったドームは大変美しい。この街のランガー・ガング通りの『君主の行列』という長い壁画も見所のひとつであった。ところで先日ドレスデン国立美術館展を観たが、ドイツ・ザクセン公国の至宝を一堂にとのキャッチフレーズどおり、陶磁器や武具など、王の「美術収集室」に集められ、コレクションの発端となった品々が並べられていた。絵画では、フェルメールの『窓辺で手紙を読む若い女』と、レンブラントの『ガニュメデスの誘拐』が注目されていたようである。

最後はベルリンに入り、ブランデンブルグ門、シャルロッテンブルク宮殿、ベルガモン博物館などを観光。まだ残っている「ベルリンの壁」や、かつての外国人境界通過地点「チェックポイント・チャーリー」というところにも行った。ここではベルリンの壁のかけらが台のうえに並べられてちゃっかりと売られていた。

ベルガモン博物館は、シュプレー島の北でルストガルテンに接続しているムゼウムスインゼル（美術館島）にある。現在はベルリンの街そのものも大変化を遂げているようだが、一九九九年にベルリンの中心部の中州に五つのミュージアムが集結する『博物館島復興計画』が始まり、一〇億ユーロ（約一四〇〇億円）を投じたプロジェクトが完成するのは、二〇一五年といわれている。これからはベルリンの魅力がまた一段と高まるだろう。

ベルガモン博物館の最大の見物は、ベルガモン聖壇で、紀元前一八〇年から一五九年まで守護神アテネの奉納品として、小アジアの都市ベルガモンに建てられたものである。

メソポタミアのイシュタルの門もあって、見事なライオンの陶器のレリーフも見られ、まさに圧巻の博物館である。

ベルリンには一枚の写真に二つのモチーフを写すことができるポイントがある。タウエンツィーン通りに立つマチンスキー・デニングホフ夫妻制作の彫像を通して、ブライトシャイト広場のカイザー・ヴィルヘルム記念教会を写すときである。東と西の連帯を表現している彫像は新しいドイツを、第二次世界大戦で破壊された廃墟をそのままに残した教会は旧いドイツの象徴として、現代人の心を捉えている。

翌日はポツダムへ、あの歴史的なポツダム会談が行われたツェツィーリエンホフ宮殿を観光。後に私は「イーストギャラリー」という詩を書いたが、それにはこの時のベルリンの見聞を実感として反映している。またイラク戦争のことで、朝日新聞夕刊（二〇〇四年一二月二一日付）に書いた「季節はずれの」という詩の作品でも、ベルガモン博物館の見聞が役立っている。ただ単に、新聞や本などの資料に頼って詩を書くのとは違うリアリティが作品に反映できたのではないかと思っている。

三回目は「木組みの家並みとメルヘン街道を訪ねる旅」で、この時はハンブルクのフールスビュッテル空港に降り立ち、ドイツをバスで南下するコースであった。

まずベーゼル川の下流に位置するドイツ第二の貿易港ブレーメンを観光。ご存じのグリム童話『ブレーメンの音楽隊』の町である。街角には、ロバ、犬、猫、鶏の彫刻が立っている。今回は、グリムの童話を訪ねる旅も兼ねているようなコースで楽しみであった。ここからかつて塩の産地として栄えたリューネブルクを経て、ツェレの町に入り、徒歩で観光する。ツェレ城や、一五三二年に建築されたという木組みの家の外壁に美しい装飾が施されたポッペナーハウス、同じような木組みの家が保有されている町並みを見て歩く。前にも書いたがドイツはこうした古い伝統的な建築を大切にしていて、そこに歴史を感じる。日本の場合はこうはいかない。妻籠や馬籠

ゴスラーのマルクト広場に建つ木組みの
家と著者（2002 年 9 月）

のようなところもあるにはあるが、いくつもの町が古い町並みを保ち続けるというわけにはいかない。伝統とか文化とか、民族の生活とかを大切にするヨーロッパの人々の深い思想を感じてしまう。

ツェレから移動してハーメルンに向かう。グリム童話の『ハーメルンの笛吹き男』の町である。旧市街の「結婚式の家」のテラスで、「笛吹き男」の野外劇を観た。街角には仕掛け時計があったり、笛吹き男の像が立っていたりとグリム童話一色である。レストラン「ねずみとり男のいえ」で出てきたメニューは、なんと「ねずみのしっぽ」というものでハーメルンの名物料理なのである。どんな料理を想像するだろうか。それは豚肉を細長く切って、カルバドスという酒でフランベ、きのこやトマト・ピーマンなどとともに煮込んだものであった。

一二八四年のこの笛吹き男の物語は、笛を吹くねずみ取り男の後についていった子どもたちのうち、三人の子どもが生き残っていることになっている。ひとりは、目の見えない子だったので子どもたちの歩いていった場所もわからず、もうひとりは口の利けない子で子どもたちの行方を伝えることができず、さらに、もうひとりは上着を取りに帰って助かったということになっている。このグリム童話に謎めいたものを感じませんか。桐生操さんの著書『本当は恐ろしいグリム童話』にはでてきませんが、何か意味ありげで、恐ろしい。子どもがいなくなるというその恐ろしさを私は原発事故に重ねて、詩作品「本当は怖いメルヘンが」を書いたのである。

私たちは、灰色と黒を基調とした中世の面影を色濃く残すゴスラーの町から、木組みの家並みが美しい城下町ヴェルニゲローデに到着、ここからSL型のバスに乗ってハルツの山なみを見渡すヴェルニゲローデ城に行く。中世の要塞であったこの建物は一九世紀末まで代表的な城であった。

遠くに「ブロッケン現象」といわれるブロッケンの山が見える。翌日は、ドイツ四大大学都市のひとつゲッティンゲンに行き、グリム童話の「ガチョウ姫の噴水」を見て、いよいよグリム兄弟の博物館があるカッセルに向かう。

博物館は、グリム兄弟が青春を過ごしたこの町につくられていて、見所のひとつとなっている。その後『赤ずきんちゃん』の舞台となったアルスフェルトを経て、グリム兄弟が学んだ大学のあるマールブルクを観光、最後はフランクフルトに着いて、このメルヘン街道の旅は終わった。とても楽しい、最高にいい旅であった。

ドイツの隅々まで行ったということではないけれど、その国の風土を知るには随分と役にたったと思っている。最後にドイツの美術と文学について、私の印象に深い作家と作品を紹介させていただこうと思う。

それは、ケーテ・コルヴィッツである。最初にコルヴィッツの版画作品に出会ったのは私たちが美術教育の研究会をもっていたときに、画家の吉田利次さんがリアリズム美術の参考作品として、コルヴィッツの版画を見せてくれたのである。吉田さんは、一九八九年に梅田のT画廊で「コルヴィッツ展」を見たという。当時、対外文化交流として送られたコルヴィッツの版画作品を大阪総評が持っていて、それを借りてきて、みんなで鑑賞したような記憶がある。今、その時の作品は大阪人権歴史資料館に保存されているらしい。ともかく私は、コルヴィッツの作品に魅せられて、一九九〇年に枚方市民ギャラリーで開かれた「コルヴィッツ版画展」に出かけ、一九九二年には、伊丹市立美術館の「コルヴィッツ展」にも出かけたのである。コルヴィッツの版画集は一九七〇年に岩崎美術社から初版本が、一九九〇年には増補版第四冊が出されている。

ケーテ・コルヴィッツは、一八六七年七月、東プロイセンのケーニヒスベルク（現在のロシア連邦、カリーニングラード）に生まれた。亡くなったのは、一九四五年四月、ドレスデン近郊のモーリッツブルクで、七八歳であった。あのナチス・ドイツの始めた第二次世界大戦が終わるわずか二週間前のことであった。

コルヴィッツについて、展覧会のカタログに酒井忠康氏は次のように書いている。「ケーテ・コルヴィッツの作品に想いをはせるとき、さまざまな思念が去来して何か切ない悲痛な気持ちになる。人間の尊厳にかかわる生命を、人間の愛と信頼の力によって、いかなる理不尽なあつかいにも抗して、闘い、まもりぬこうとする、その叫び声がきこえてくるためであろう」と。こうした手法は、苦悩する貧しい民衆の姿を通して、人間の苦悩そのものを描くことで、彼女は、人間の内にある良心を呼び覚まそうとしたのである。別の解説文では、「ケーテ・コルヴィッツの芸術は、感傷とは無縁であるという点にも注目すべきだろう。苦しみを描いて鑑賞者の心を揺り動

種を粉に挽いてはならない

1942年・石版・シュトゥットガルト州立美術館
コルヴィッツは、このことばを青少年の動員にたいする抗議として引用している。1942年のナチズム体制化にあって、ことばと絵によってこのように公言することは、とても勇気のいることであり、死を恐れないような行為だった。
※図録「ケーテ・コルヴィッツ」発行朝日新聞社より

かそうとする作品は、多分に感傷的なものになりがちであるが、コルヴィッツの作品はそのような印象を全く与えない。彼女の作品は涙を誘うのではなく、もっと直接的に私たちの心に突き刺さってくるのである」と書かれている。このことでも判るように、声高に「反抗せよ」とは叫んでいないのである。中国の魯迅は、アグネス・スメドレーを介してコルヴィッツの版画を購入して、進歩的な学生や青年たちに見せたと言われている。また自ら編纂した『コルヴィッツ版画選集』にその序文を書いている。魯迅が亡くなる二ヶ月前のことであった。

こどもたちに襲いかかる死

1943年『死』第3集・石版・ドイツ対外文化交流研究所
「死に関して別のアイデアが浮かんだ。死がこどもたちを襲ってつかまえるさまである。ふたりのこどもの死は捕えられている。髪の毛をつかまれたこどもは、まったくおとなしく仰向けになり、じっと死の目をみつめている。」
※図録「ケーテ・コルヴィッツ」発行朝日新聞社より

日本でコルヴィッツの作品に衝撃を受け、それを社会批判的な描写に応用しようとしたのは、版画家の小野忠重氏であった。戦後日本では、コルヴィッツはヒューマニストとして全面的に肯定され、賞賛され、悲劇的母子像のなかに大衆化されて広まっていった。幾つかのコルヴィッツの作品は、徳島県立近代美術館にも所蔵されている。

ドイツの文学では、反ファシズムの作家たちの一人でもあるアンナ・ゼーガースだが、この作家についてては手元に資料的なものはほとんどなくて、あまり詳しく紹介できない。ただ、画家のコルヴィッツより少し遅れて重なるように一九三〇年代のナチズムの台頭のなかで、作家活動を展開している。一九三三年一月にヒトラーが首相になって以来、ナチスの独裁体制がすすみ、二月末の国会放火事件のあと、共産党員やリベラリストが多数逮捕された。更に五月一〇日の夜、ドイツの大都市でナチスによって「焚書」の蛮行が行われ、完全な支配体制となるのである。

アンナ・ゼーガースは、一九三七年に炭鉱事故と失業問題を結合させた長編小説『救出』を書いている。その完成のあと、パリの亡命生活中に『第七の十字架』を書いた。その中で強制収容所からの七人の脱走者、とくに逃げおおせたゲオルグをめぐってナチス支配下のドイツの状況を描き、ナチスに抵抗する民衆の連帯性の勝利を示す傑作となっている。これはとても読みごたえのある小説だったという記憶が残っている。

彼女は、亡命中のパリのカフェでコーヒーを飲みながら原稿を書き、モンパルナス通りの騒音のなかで、仕事に没頭していたという。

ところで今年は「強制収容所解放六〇周年」にあたり、ドイツのザクセンハウゼンなど三つの収容所で集会が行われた。そこで、フィッシャー外相は「真剣に過去と向き合うことがどんなに痛みを伴うとも必要なことだ」と訴え、二度とホロコースト（ユダヤ人皆殺し）は許さない決意を述べたという。

それに比べ、日本の政治家は、過去の国家としての戦争責任について明確な反省も語らず、東アジアの国々からの批判にさらされている。ドイツに学ぶことがたくさんあるように思えてならない。

（二〇〇五・八）

第２次世界大戦で破壊されたままに残された
カイザー・ヴィルヘルム記念館・ベルリン

海は詩人にとって恰好のテーマ

私は、海が好きだ。それで、第四詩集『海へ　叙情』を上梓した。そのあとがきにも、「私は海に惹かれるタイプの人間で」と書いた。二〇代の頃、夕方になると近くの海辺に出かけて、海に沈む夕日を飽きもせず眺めたりしたものだ。一九九六年一月にポルトガルを旅した時に、ポルトガル西海岸のロカ岬に行った。ここのサンタクルス村で壇一雄が一年半住んで『火宅の人』を執筆したが、故人と親しかった作家の中谷孝雄、庄野英二らが発起人となって、壇一雄の自筆俳句を刻んだ文学碑を建てている。その碑には、「落日を　拾いに行かむ　海の果」とあった。そこからの眺望は、まさに海の果てである。

私の故郷は紀州・和歌山であるが、太平洋に突き出した半島の中ほどの印南辺りから太平洋を眺めると、水平線が地球の丸みを感じさせるようにゆるやかに曲がって見える。一九九八年七月に旅したアイルランドのモハーの断崖からの大西洋の眺めも同じ印象であった。この断崖は高さ二二〇《メートル》で八《キロ》も続いている。モハーは、ゲール語で「廃墟になった崖」という意味だそうである。

ロカ岬の文学碑

「海は広いな　大きいな　月がのぼるし　日が沈む」という歌があるが、自然の景観で、広大なものなどには、人間は魅せられて情緒的になるものである。その理由は何だろうか。大自然に包まれた生命としての人間の存在を自己認識し、環境に共鳴する情緒が生まれるのかもしれない。しかし、自然には、人間の視覚から隠れた部分もあって、また驚かされるのである。

私は以前に、「凹んだところに　なにが？」という詩を書いたが、見えない海底に興味をもったのである。

（前略）

もしいつか　日本海の海水がすべて無くなってしまったら
凹んだ底の　どんな地形を目の当たりにするのだろうか

海底地形の模型ででも想像すると
北半分は　日本海盆という深い海底部分で
南のほうは　地形の凹凸が激しく変化して
大和海嶺と呼ばれている海底山脈は
サバやタチウオ、イカなどが群れていた漁礁のあたり
北大和堆　大和堆　拓洋堆と並び
その縁に　北大和舟状海盆　大和海盆の深い落ちこみで

山陰沖から　能登半島の沖あいにむかって
海面下に沈んだ　大きな半島があることを知っても
海水の無くなった凹みは　おそらく別の惑星でも見る気分で
想像の凹みは　隠していた海の実相が見えてきて
（以下略）

二〇〇三年、「詩と思想」一〇月号に発表した作品である。よく海底のシーンが撮影された映像を見ることがあるが、とても神秘的で、興味深い。

私の友人、岩本健さんが先日、詩集『ＸＹＺ』を出版された。その中に「背骨」という作品がある。

（前略）
河には背骨があるそうや。
河に背骨があるんやったら、池にも、湖にも、それなりに、背骨が
あるんとちがうか？
池や、湖に背骨があるんやったら、海の底にも、巨大な背骨が沈んでいて、
嵐の度に、ギシリギシリと、物すごい音をたてているかも、しれへんで。
海底に想像を絶する規模の、背骨があるんやったら、天空の奥にも、

透明な、虹の橋にそっくりな、背骨が架かっているかも、わからへんで。

（以下略）

海の底に巨大な背骨が沈んでいるという見事な想像も、見えない世界のことでとってもおもしろい表現だ。

ところで、海に特別な感情を抱くようになったのは、入学した小学校が、海辺の南部小学校だったからである。校庭には松の樹がたくさんはえていて、海水浴もすぐ前の砂浜で行われ、浜では毎日のように地引き網があり、手伝うと小魚が貰えたりした。浜の沖には島があり、そこに鹿島神社が祀られていて、夏祭りの花火大会は多くの人々で賑わい、いまでも鮮烈な記憶として残っているくらいだ。こうした海の祭事は、日本中にあると思うが、調べる時間もないので一、二挙げておくと、千葉県大原町のはだか祭りは九月二三、二四日に行われ、太平洋の荒波がおしよせる海にみこしがつぎつぎに飛び込んでいくそうである。また、神奈川県真鶴町の貴船祭は、七月二七、二八日でみこし船がはやし船をしたがえて海を渡るそうである。まさに漁にいきる町の祭りと言える。詩集『海へ　叙情』の「旅立ち　球形の海を越え」で、

（前略）

帰郷する風景は
むかしのかたちに執着しているように

みえてはいるのですが

ざわざわと葉風が騒ぐ
照葉樹林におおわれた
突き出た半島をまわると
星のついた墓石が海へ並び
千枚田が　岬を波際までおりては
丘のうえの社で　赤青黄の原色がちぎれ
はたはた　ぱたぱたと
七、八本もの祭幟がはためいて
（以下略）

これは、能登半島を旅したときの光景だが、海の神を祀る祭事は海岸ぞいの村や町で行われてきたことだ。考古学者の森浩一先生は、次のような興味深いことを書いている。
「日本人の特色を一言でいうと、稲を栽培する米食の民族という答えがでてくる。たしかに紀元前四、三世紀ごろからの日本列島は各地で稲の栽培を始めているし、（中略）いつしか米食民族というある種の常識がうまれるようになった。このように米作りに重点をおくとたかだか約二千年来の歴史しかいえず、それ以前の数万年におよぶこの列島での生活の歴史を無視することになる。それと米作りがおこなわれた後においても多種類の海の産物を食べていて魚、貝、海草への依存の度合いが大きかったことを軽くみがちになる。」

「何年か前に徳島の友人が生きたアワビを送ってくれた。濡れた新聞紙に包んでおくと十日ほど生きていて、生命力の強さに驚いたことがある。アワビやサザエの生命力の強さに憧れたのだろうか、古代に宮中でおこなう重要な祭りではアワビとサザエを使うことが習慣となった。今日でも大切な贈り物にはアワビの象徴として熨斗を付ける。」

三重県鳥羽市の国崎漁港周辺で毎年七月に行われる「熨斗あわびまつり」は、伊勢神宮へのアワビの奉納が伝統として受け継がれてきたものである。

このように海は、その土地の祭事や、食生活に深い結びつきをこれまでもってきたのである。

以前、詩人の高橋睦郎さんは朝日新聞で海のことを書いていたので少し紹介したい。

「詩を読み書くことを覚えたのが北九州の海のほとりなら、詩の原点に戻って来た思いがしているのも湘南の海のほとり。」

「海と産みの音通を言うのは、言語学的根拠からはいささか怪しい詩人的語源趣味を出ないが、それでも原始の生命が海中で発生し、陸上に上がって来た生物史上の事実は否めません。いや、その陸じたいかつては地球上を覆っていた海から上がって来た、と比喩的に言うことも間違いではないだろう。」

このあと高橋さんは、海と陸の境界、ボーダー・ラインにふれ、海を埋め立て護岸工事を重ねてきたが、その考えの不自然、不健康を指摘している。そして、「護岸の思想の向かう先は海と陸のボーダーにとどまらない。死と生のボーダー、未知と知のボーダー、闇と光のボーダーも、同じ思想にさらされている」と。この詩人にとって海は、思索の対象として眺められ、現在の文明批評にまで及んでいる。

私が、詩作品として海に出会ったのは、飯塚書店から一九五六年一〇月に出版された、長谷川四郎訳詩集『海』のタイトルとなっている作品で、フランスの若いコミュニストであるドブザンスキイの作品である。

訳者の解説では、この詩人は、一九二九年生まれのポーランド系の人で『美しい青春』をはじめ、四冊ほど詩集を出版しているが、この「海」という詩は詩集『希望の嵐』のなかの「海への悲歌」から、アラゴンの引用にもとづいて抄訳したものということである。

海の旅にぼくはおともをしてきた、
ぼくの幼年期はやすらっている
時あって耳傾けると
ざわめく海のこそげる音が
聞こえている貝殻の中に。
季節風のバラはひらく
詩が返し波のわざを学ぶページの上に、
かれにその忍耐と旋律を教えたのは海なのだ、

（中略）
その辛い風味のゆえに
ぼくは海を愛したのだ、
イルカの流儀で記憶がはねる
そのからりとした空間のゆえに。
身体が変る、肉身は凌駕される、
その海の力、海の香りをぼくは愛した、
自由への広大無辺な好みを
海がぼくに与えたのだ、
（以下略）

とても長い詩なので、部分の紹介になったが、ドブザンスキイの海への愛は、後半の詩行ではコミュニスト詩人らしく、「だがぼくは海それ自身のために／海をうたうのではない／港の鼓動のなかで／ぼくの愛するのは／パンと未来のために／人間が疲れることなく／遂行するあの闘いだけなのだ」とうたっている。

海は、さまざまな詩人によって、これまでもうたわれてきたと思う。最近の詩集でおもしろく読んだのは、坂東里美さんの『タイフーン』だが、あとがきによると、大正末からの現代詩の黎明期や古典文学、その他の芸術などを興味津々で訪ねて歩いた。「それらは知識としてではなく私の中で一度解体されて、もう少し違うところ、生きる身体の五感に近いところに降り積もっていったようだ。解体されたパーツを現在の新しい文脈の中にコラージュしていくと、詩の中で奇妙な動物が深呼吸したりもした。ことばや文字そのものの持つ形、音、色、臭い、触覚、錯覚、転移などにも興味があった」と詩法についてふれているが作品を読むと、その言葉や、詩のフレーズの突飛な組み合わせが、なんとなくおもしろい。

ところで、この詩集に「海溝」という作品がある。

（前略）
マリアナ海溝　水深一万メートル
無人探査機が潜っていく
世界で最も深い海底の泥の中に
（中略）
この海溝に密やかに沈む軍艦
六十年前の南西への舵のまま
たくさんの徴兵された若きパックを乗せて
無言の深海の谷間
今日も絶え間なくゆっくりと
泥が積もり続け

この海底では
記憶は何億年も生きている

作品の最初の連に伏線が書かれているのだが、海はこうした戦争の悲劇を、今も、深く隠しているのだ。
ごく最近出版された、神田さよ詩集『おいしい塩』にも、このタイトルポエムの作品が、短いフレーズで書かれていて興味深かった。

（前略）
ひとつまみの塩
刺す辛さ
水をのむ
どんどんのむ
体の中が海になる
浮かぶ
沈む
舌

海は、詩人にとって恰好のテーマである。私は特にそれについて調べたわけでもないから、読者の皆さんは、海の詩を見つけてみてください。ところで、朝日新聞のコラムニストの船橋洋一さんの文を紹介したい。

「海は空気と同じく所有できないものである。海は万人に自由に開かれている。」古代のローマ法大全はそう記しているそうだ。そのころ地中海は、すでに公海の自由が認められていた。それを守るため、ローマ皇帝は海賊の取り締まりと航行の安全を図った。その思想は十七世紀のグロチウスの「公海自由の原則」に棹さされて、いまの海の平和の理念と体制に流れついている。

海は、全人類にとって自由と平和のシンボルである。
最後に、私の詩集『海へ　叙情』について、二人の詩人が、詩の作品でお返ししてくださった。
お一人は、島田陽子さんで、作品「青変幻」である。

どの家の白壁も
太陽に輝く海のドアを持っていた
チュニジアの小さな村
その青が忘れられず

チュニジアン・ブルーの表紙に
白い鎧窓をはめこんだ海の詩集
大きな眸がこちらを見つめている
（以下略）

島田さんは、このあとに歌舞伎の舞台にあふれた青に詩を展開させ、さらに「戦艦大和」の沈んだ書けなかった海にと続き、「変幻の青が見せる海底の呻き」に青を凝縮させるのである。
もうお一人は森常治さんで、「海のこどもたち」――詩集『海へ　叙情』にヒントを得ながら――として書いてくださった。

海は子守歌をもつがゆえに
多くの夭折を
その胸にやさしく抱え
魚たち　クジラたち　イルカたちに
「告げる」ということを
使命としたために
わたしたちの邦の海岸線も
入り組んだ耳たぶとなった

海からあがったわたしたちは
通信動物になることで
進化を遂げ
照葉樹林の尽きるところ
砂丘の彼方に記憶のページを追った

そして　そのようなわたしたちなればこそ
波頭の激情をうけついだ風から
乾いた麦畑にも海はあることを
また
潮騒がいちばんはっきり聞こえる場所は
初春の星座の拡がりであることも
知ったのである

こうして詩集『海へ　抒情』へ、ありがたいことに、作品をもって連帯してくれたのである。

（二〇〇七・五）

詩集『海へ　抒情』

自由という風になりたい

一〇月三〇日に亡くなった直木賞作家、藤本義一さんが生まれ育った堺の市政百周年記念に作詞した堺讃歌「風になれ」が、この秋の堺市文化団体連絡協議会二五周年記念市民芸術祭で、大合唱された。その歌詞は「風になれ／風になれ／この街を行く風になれ／／風になろう／風になろう／この街を行く風になろう」で始まっている。

風という気象現象は、文学・芸術の表現世界では、さまざまな譬えとして多様に使われていると思う。気象の科学で言えば、風は、二地点で気圧の差があるかぎり吹き続けるそうである。そして大方それは、大気中の空気の水平的な流れであるとされている。気象庁のいろいろな風に関する用語では、温度風は、偏西風、貿易風にあたり、局地的に吹く小規模な風は、海陸風、湖風、山谷風、フェーンと言う。また季節風としては、ハリケーン、サイクロン、台風と呼んでいる。他にも、風の息とか、朝（夕）なぎ、六甲（赤城）おろし、船出に便利な風として、だし、などもある。とりわけ四季のある日本では、春、夏、秋、冬という季節の移り変わりに合わせて、地方特有の風の呼び方がたくさんある。調べたわけではないが、それはなんと、二千以上あるそうだ。春一番、貝寄風、穀風、花信風、光風、東風、梅風、彼岸西風、春嵐、まつぼり風。夏は、青嵐、薫風、青田風、夕凪、南風《はえ》、夏疾風《なつはやて》、あいの風。秋は、雁渡し、野分け、初嵐、青北風、いなさ。冬は木枯らし、空《からっ》風《かぜ》、玉風、ならい（東日本での季節風）、乾風（あなじといい、西日本での季節風）、風花など、本当に風には、いろいろな名前が付けられているものだ（インターネット・ニコニコ大百科より）。

東日本大震災・原発事故以後、「原発ゼロ」を目指し、自然エネルギーの「風力発電」が注目され、陸上、洋上に風車が建設されだし、風の力に依存することも始まっている。

そんなことだから、芸術・文学の分野においても、風は多様な使い方がされている。例えば、よく歌われている「千の風になって」もそうである。北海道に在住した、砂澤ビッキという異色の木彫り彫刻家の作品にも、四つの風という赤エゾ松を彫った作品がある（札幌芸術の森野外美術館所蔵）。天空を突くように大地に四本の刻まれた柱が立っている。私の大好きな写真家、星野道夫（一九九六年夏、取材で訪れたロシア・カムチャッカ半島で熊に襲われ亡くなった）の写真集にも、彼の素晴らしい写真に言葉が付けられているが、その言葉に次のような風の言葉がある（写真をお見せできないのが残念だが）。

「風とカリブーの行方はだれも知らない。」、「木も、岩も、風も、／あらゆるものがたましいをもって／わたしたちを見つめている。」、「『風こそは、信じ難いほどやわらかい真の化石だ』と／誰かが言ったのを覚えている。／私たちをとりまく大気は、太古の昔からの／無数の生き物たちが吐く息を含んでいるからだ。」「風の感触は、なぜか／うつろいゆく人の一生の不確かさをほのめかす。／思いわずらうな、心のままに進め／と耳もとでささやくかのように・・・」。星野道夫の宇宙は、大地に生きる生き物たちと自然の風が、写真と表裏一体のものとして、地球と人間の再生につながる言葉の数々として表現されているように思われる。

小説に書かれ、映画になった「風の又三郎」も、大方の人は記憶にあるだろう作品で、なんとなく自然の神秘を感じてしまうストーリィであった。

たまたま新聞に、万葉のうたが載っていて、そこに風が詠まれていた。「玉垂《たまだれ》の　小簾《おす》の隙《すけき》に入り通ひ来ね　たらちねの母が問わさば　風と申《まお》さむ」。中西進万葉文化館名誉館長の解説は、「人間は、すだれのすき間から入れないが、風なら入れるので大好きな人に会いたいという恋の情景を空想で楽しむ歌」ということである。

文学にかぎらず、風は、このように随分以前からさまざまな表現として登場してきた。いや、お店の名前にまで使われていたのは、詩人の宋秋月が玉造で経営していた喫茶店の名前が「風まかせ」だった。私は、福中都生子（故人）と、宋秋月（故人）をこの店に尋ねたことがあった。風という言葉は、本当に便利に使われてきたものだ。

詩の作品でも、風という言葉ほど頻繁に使われている言葉はないかもしれないと思うほど、多様に登場してくる。調べたわけではないので、引用はできないけれど、手近なところで、最近の佐川亜紀詩集『押し花』から、タイトル・ポエムの「押し花」の冒頭を紹介する。

若い皮膚が理不尽に貼り付いたような花弁
花弁の重なりに風が畳まれている
重なりの間に針の穴ほどの道がのぞく
おしべは愛にまみれた失語を捧げ

めしべは死児を孕んでほっそり腐り
夏の黒い押し花が世界の光を吸い込んだまま
死の口づけ
焼けただれた喉は長く続く
火の原罪に幻視された白い花
（以下省略）

「風が畳まれている」という詩句は、実際の事象としては、受け入れ難いことである。しかし、空気のような風が、畳まれるという行為によって、読者にどのようなイメージを与えるだろうか。「貼り付く」花弁、「重なる」花弁、そこに幾ばくかの空間が存在していて、「重なりの間に針の穴ほどの道がのぞく」のである。この空間の意識が、「風が畳まれている」という言葉の表現となったと考えられる。こうした比喩的な言葉遣いが、最大限許されるという許容範囲をもっているのが、風という言葉の不思議である。なんとでも譬えられる便利な言葉というべきだろうか。
私は以前に、鯉のぼりの写真に詩を付けたことがあって、それは比喩としてではなく、風そのもののことを書いた。

五月の青い風は

メーデーの旗のはためくときから
祝い月　神様月などといって
田の神を祭って始める田植えのうえに

風のみちに精気が満ちて
空の紺　山の萌黄
野の百花　海の藍など
さまざまな風の匂いを
腹いっぱいに吸い込んだ
金　銀　墨　赤　群青の
吹き流しの鯉のぼりは
青空を泳ぎきるような勢いをして
ひとは　元気をわけてもらうことができ

風に吹かれる地上の
すべてのものたちは
ひとに何かを与えているが
誰も　風の不思議に気づかずに

最後に金時鐘の『光州詩片』から「風」という題名の作品を紹介したい。この詩集は、一人の在日朝鮮人の詩人が、一九八五年五月、韓国全羅南道光州市で起こった学生・市民への弾圧事件――「光州事態」と向きあって作った作品二一篇を収めた詩集（三木卓・解説より）の最初の一篇である（全行を紹介できないので、お許しいただきたい）。

つぶらな野ねずみの眼をかすめて
磧に風が渡る。
水辺にじしばりを這いつくばらせ
にがなのうす黄いろい花頭に波うねらせて
早い季節が栄山江のほとりをたわんでいる。
こごめた過去の背丈よりも低く
風が　しなう影を返してこもっているのだ。
そこでは光までが吹かれてはじけ
骸でさえ翼を逆立ててばたついている。
（中略）
遠く地平をふるわせて
非業の時をなぞっているのも

その風である。
ひと茎の草の葉のそよぎに
もし　たかぶる心があるのであれば
風にかすれる心の襞を見てとることができるだろう。
手を取り合っていてさえ
嗚咽はくぐもる風にすぎぬのだ。
弔いはまだ　今をさ中の風のなかである。
いまに遠雷がとどろき
磧を叩く雨がこよう。
（中略）
風は　はてしない喪の祭司である。
季節を喚び風が風のなかを巻くので
吹かれているのがいつの季節かを　人は知らない。

この風は、あらゆる怨念を孕みながら権力の犬どもの耳の底に唸りつづける風でもある。聞くものによっては風はさまざまな韻律をかもしだすが、『光州詩片』の風は研ぎすまされた刃であり、死者の無念の思いであり、歴史の空洞を吹きぬけ、すべてを風化していく厳粛な時である。

（梁石日『アジア的身体』より）

風にはいろいろな比喩が与えられるが、私自身は、人間が最大希求する「自由」という言葉を「風」に与えたいと思っている。

かつて、クロアチアのドブロヴニクを訪れたことがあって、そこで「いかなる黄金に換えても『自由』を譲ることはできない」という詩句を目にしたとき、人間にとっての価値観で自由ほど大切なものはないんだと思った。イヴァン・グンドリッチ（一五八九～一六三八）は、次のような詩を書いている。

自由　この愛しきもの
自由であればこそ　人に神の恵みあり
自由　人間の栄光に勝る真理
自由こそ　ドブロヴニク唯一の印
金や銀　いかなる命にも換えがたきもの

アドリア海に面した要塞都市はとても美しい街だが、そこに海から自由の風が吹いていたのかもしれない。それは美しい街の印象とともに今でも残っている。

（二〇一三・二）

紙幣に印刷された詩人イヴァン・グンドリッチ

ヒロシマ・遺言ノート

ヒロシマ・遺言ノート①

広島――ヘンリー・ムーアの「大きなアーチ」

あとわずかな人生で、次の出版はなにをテーマにしようかと考えていて、ヒロシマと自分自身の人生の総括のような形を重ねて、遺言を書いておこうと思うようになった。

何故、ヒロシマにこだわるのか。勿論、今年の原水爆禁止大会の国際会議宣言に書かれているように、「人類最初の核攻撃の惨禍を体験した広島」は、過去の侵略戦争には想像もできなかった人類の生存をも一挙に消し去るほどの大量殺戮と破壊をつくりだしたわけで、人類の存在の意味を厳しく問いかけてきているということもある。

二〇〇四年、広島の秋葉忠利市長は、「平和宣言」で原爆の非人間性と戦争の醜さを告発して、「残念なことに、いまだにその惨状を忠実に記述するだけの語彙を持たず、その空白を埋めるべき想像力に欠けています」と述べている。そして、小型核兵器の研究を再開した米国や、テロのたえない世界の動きに懸念を表明し、被爆六〇年の来夏までを、核兵器のない世界の実現に向けた「記憶と行動の一年にする」と宣誓した。

私は、これまでヒロシマ・ながさきの原爆をテーマに幾つも詩の作品を発表してきた。しかし、それほど多い作品数ではない。原爆と文学についての出版物はおそらく数えきれないくらいあると思われる。広島では、「原爆文学」の文学館をつくる取り組みもされているようだが未だ実現していない。こうした課題は、広島だけのものではなく、人類的、世界的な課題として取り組まれるべきことだと思っている。

どのようなことも一人の人間のすることは、たかが知れている。しかし、私は一人の人間としてできることをしたいと思う。だから、ヒロシマ・ながさきの「原爆」にこだわって一篇の詩を書くことができたなら、それはそれでいいと思っている。

私はそういう思いで、詩人の仕事や、他の芸術分野の人びとの、ヒロシマ・ながさきの「原爆」へのかかわりに注目してきた。

今回は、ヘンリー・ムーアという彫刻家のことを書きたいと思う。一九九八年三月に私は広島にでかけ、比治山の広島市現代美術館を訪れた。ここの建物の広場に、ヘンリー・ムーアの「大きなアーチ」というブロンズ彫刻が建てられている。当時（一九六一年二月二一日）の新聞記事には、この「大きなアーチ」は時価数億円と言われていたのを四〇万ポンド（約一億円）で購入できたと報じていた。ヘンリー・ムーア氏は、キノコ雲をかたどった「核エネルギー」という作品を制作するなど平和主義者で、購入を申し入れた市に「ヒロシマに？　それはすばらしい」と返事したそうである。ヘンリー・ムーア財団事務局の人の話で、この作品はニューヨークの近代美術館から欲しいと言われたが、広島こそ平和を象徴するこの作品のふさわしい場所だと考え、ニューヨークのほうは断ったと談話を載せている。この「大きなアーチ」は、かつて被爆者らが逃げのびた比治山に建てられているが、高さ六メートル、幅四メートル、重さ三トンで、ムーア氏の最大の作品とされているが、彫像は、指先を触れ合わせた両手を高く掲げ、その下を通る人や、周りの風景を囲い込もうとする造形作品である。自然と人の調和をテーマに「体の一部と風景との同化」をねらって製作されたといわれている。

残念なことに、ヘンリー・ムーア氏はその年の八月三一日に、英国のロンドン北のハートフォードシャーの自宅で死去した。八八才であった。広島市現代美術館に設置される作品は西ドイツに鋳型があるので、氏の死去とは関係なく設置できると報じていた。

ヘンリー・ムーアは、一八九八年七月、ヨークシャの炭鉱町キャッスルフォードで炭鉱夫の第七子として生まれ、リーズ美術学校や、ロンドンのロイヤル・カレッジ・オブ・アートで彫刻を学んだ。大英博物館の原始彫刻や古代彫刻にひかれ、なかでもプレ・コロンビアの石彫に大きな影響を受けたと言われている。彼が生涯かけて連作で取り組んだ「横たわる人体」の最初の作品は一九二九年に完成させている。一九三〇年代の一時期、シュールレアリズムの影響を受け、抽象彫刻を造ったが、四〇年代には具象性を回復し、太古や自然の生命力を感じさせるムーア独自の形態を完成させた。

彼の作品は、日本の美術館にもあるが、私はニューヨークの国連本部とか、バンクーバーのクイーン・エリザベス・パークでも、その特徴のある彫像を見ることができた。

ムーア氏が亡くなったときに、美術評論家の東野芳明氏が「ムーア氏の作品は抽象に偏せず、いつも人間の体を感じさせた。マヤ遺跡の神の像の作風も吸収していて、英国的な節度と品位に加え、ユーモラスなおおらかさでも人気があった。」（一九六一年九月一日付「朝日新聞」）とコメントしていたがまさに、そのとおりであった。

私がヘンリー・ムーアの作品に興味をもったのは、一九六九年一〇月二三日から一一月四日まで大阪梅田・阪神百貨店において「ヘンリー・ムーア展」が催され、広島の「大きなアーチ」のことがあってその展覧会を見にいったときからである。その時のカタログは、今も大切に持っている。当時私は、次のような感想を書きとめている。

ヘンリー・ムーア展は「外形は勿論だが、彼は本質的にはものの内側の形態をつかむ彫刻家」として、会場には、初期の作品から最近作までを展示してあった。

会場にいて、ある種の原型的な人間の状態を表現している作品が、ムーアの彫刻の主流を占めているように見えたが、それらの作品のうちで、例えば「ユネスコの横たわる像」等に巨視的なリアリティを感じたのは私だけだろうか。

明らかに、ムーアは屋外の彫刻ということを意識していた。彼は、屋外では「まわりの景色、雲、空などが彫刻を侵し、その大きさを縮めてしまう」と言いながら、なおその頭にした部分は、他の部分に比べてより小さめに造形した。

骨を思わせるようなムーアの形のもっている不思議な量塊にも、がっしりと緊張していて変化のあるリアリティを感じた。

何よりも驚いたのは、屋外の空間の広がりとムーアの彫刻が弁証法的な対比関係にあり背後の空間が広ければ広いほど、彼の彫刻の量感がどっしりと増してくるということにあった。ひとつの芸術作品が、置かれている状況によって、その作品の本質が巨大なものに見えてくるだけの内側の形態を持つべきではなかろうか。

その後も、ムーアの作品には強い共感をもち続けているが、それは、原爆のヒロシマ・ながさきへの強い思いと重ねているからだろうか。

（二〇〇四・一一）

ヘンリー・ムーアの彫刻
（広島現代美術館前　1998 年 3 月 15 日）

ヒロシマ・遺言ノート②

行動する原爆詩人　栗原貞子

「行動する原爆詩人」と呼ばれた栗原貞子さんが、二〇〇五年三月六日に亡くなられた。九二才だった。実は昨年、栗原貞子全詩篇（人類が滅びぬ前に）の刊行をすすめる会から本の購読予約の案内があって、私は、即座に申し込みをしていたのである。ところが昨年の一〇月になって、刊行が遅れている旨のはがきが届いて「ご本人の病気のこともあり……」とあったので健康がすぐれないことは判っていたのだが本当に残念である。二〇〇五年三月七日付朝日新聞の記事に栗原さんは、「被爆体験だけでなく、原爆の背後にある戦争を告発し、反戦のとりでとしての憲法９条擁護に命をかけた、反骨の女性だった。」とあった。いま、その九条を変えて「戦争する国」にしようとする改憲の動きが活発になりつつあるとき、栗原さんの発言が九条を守ろうとする私たちをどんなに励ましてくれるだろうかと思ったら、とても大切な人を亡くしたという気持ちで一杯だ。かつて広島在住で、いま東京におられるＩさんは、私からの「九条の会・詩人の輪」への賛同のお願いに快く応じてくれ、その手紙に「栗原さんがご健在なら、まっさきに参加なさったでしょう」と書かれていたがそのとおりだと思う。栗原貞子さんとのかかわりについては、後でもう少し書きたいと思う。

私が広島の原爆とかかわったのは、一九五四年三月一日未明、ビキニ環礁でおこなわれたアメリカの水爆実験で、マグロ漁船の第五福竜丸が「死の灰」をあびたことから、改めて原水爆の恐ろしさを知らせることとなり、自発的に始まった原水爆反対の署名運動がきっかけだった。その夏の八月八日に、原水爆禁止署名運動全国協議会が発足した。

その署名は翌年の八月までに有権者の過半数三二〇〇万人も集まった。この夏に、第一回の原水爆禁止世界大会が開かれたのである。

その「原爆反対」の運動は全国各地に広がっていった。私は当時、一九五三年四月に、和歌山大学学芸学部に入学して、高校時代に始めていた文学を再び続けることになっていたのである。「南風」という文芸誌に「断崖」という小説を投稿して掲載されたことから、その合評会に出かけて、詩の仲間となった林武と出会う。この間のことは、私の第二詩集『歴史の本』の後書きとして「回想の詩的な自己略伝」に書いている。

和歌山では、翌年の一九五六年八月六日に原水爆県民大会が開かれ、私はその時のことを詩に書いている。「8・6原水爆県民大会のスケッチ」である。

闇がすっかり包んで／人影のシルエット／無数の。／スタンドからあふれた／動きまわるひとびと。／／始まった。／合唱は。／「原爆許すまじ」／となりも　そのとなりも／スクラムくんで。／ゆれる。／おおくのひとびとの群れは／黒くこげたひまわりの／種のようにはじけた。／／ひろげられた／モダン・バレエ／白鳥のように。／／団七おどり。／／照明のアーク灯に

／てらしだされたつやつやの芝生のうえ。／朝鮮の子供たちは観衆のなかで夢をみる。／／「ねえみて・・よくねむってる。」／見つめる顔。／星は降るように輝き／あなたの瞳は何をおもって光るのか。／／構成詩「平和のちかい」がはじまり／たちあがる／いま／3人の外国代表のことばは／打ち上げ花火のように炸裂する。／平和バンザイ。

誰と行ったのかは覚えていないし、会場がどこだったのかも忘れている。芝生のうえに腰を下ろして隣にすわっていたあなたは恋ごころを感じていた女性だったかもしれない。

この作品は、スケッチなので見たまま、感じたままを言葉で綴っているが今読み返してみると終わりの一行は安易過ぎていると思われる。

当時、詩誌「日本海流」は五号から文芸総合誌「むぎ笛」になって発行部数が漸次増え一〇〇〇部になっていた。戦後のサークル詩運動については伊藤信吉が、全国いたるところに広がったこれらのサークル詩について「生活性の文学というべき性格がつよかった」と言っているが、表現上の問題も幾つかだされていて、今もその議論は繰り返し行われている（一九五五〈昭和三〇〉年一〇月に創元社から刊行された『学校の詩・サークルの詩』に前述の伊藤信吉が書いている一文がうまくまとめられているが、ここでは詳しくはふれないこととする）。

実は、原水爆とかかわってこの時期に出版された『死の灰詩集』をめぐって、伊藤信吉と鮎川信夫が中心となった「死の灰詩集論争」のことを振り返ってみたいと思う。もっとも私はこれらの論争について当時何も知らずにいて、一九五四年一〇月五日に現代詩人会編になる『死の灰詩集』が宝文館から出版されたことからはじまった。この内容の詳細は、浅尾忠男著『詩人と権力・戦後民主主義詩論争史』――第三章・詩人と原水爆――に詳しく書き表されているので、それをぜひお読みいただきたいと思う。この本には他に、いわゆる「狼論争」についても書かれているし、詩人の戦争責任にも及んでいて、戦後まもなくから、避けて通れない戦後詩史の論争の解明が見事に展開されている。浅尾忠男がこの本のあとがきに書いているように、「これは詩と政治の問題を追求していくうえでの、ひとつの試みでもあった」わけだが、いまなおそれは、各詩人に課せられた問題として考えなければならないものを提示していると思う。実はこの時期について書かれたものに、秋山清の「抒情詩について――事件の詩への感想」(「新日本文学」一九五四年九月号)がある。

私がこれを書いた前年に『死の灰詩集』があり、また『松川詩集』や『スターリン讃歌』などという詩集もあり、これらは刮目すべき詩集であるかのように扱われて来たが、しかしそれは文学作品としてはじっさい力のないもので、(略)

『戦後詩の私的な回想』の「事件の詩」についての記述だが、政治的な偏見で論争を展開することは認めるわけにはいかないが、いまでも、政治的、社会的な事件は繰り返し起こっているわけで、それらのことを文学表現として取り上げることを避けるわけにはいかないのである。核廃絶のテーマはどうだろうか。湾岸戦争は、イラクの戦争は――まさに政治的な大事件なのである。そうした事件を表現するとしたら、私たちは一体どのようなことに表現上の配意を行えばいいのだろうか。

その表現の全過程を支配する詩的方法について、前記の二冊の本から、教訓的に学べそうな思いをもったのである。原水爆のことを詩に書くのは、本当に難しい課題である。

その難しい課題に生涯をかけて取り組んできた詩人のひとりが、亡くなった栗原貞子さんであった。多くのひとが知っているように栗原さんの代表作「生ましめんかな」が原爆詩人としての出発となった。その栗原さんから私は一回だけ手紙を戴いたのである。それは、私が一九九四年七月に詩集『火送り　水送り』を出版したとき、栗原さんにもお送りしたところ、栗原さんの詩や文章が掲載されたたくさんの記事のコピーと一緒に戴いたものである。

その手紙をここに記録として公表しておきたいと思う。


御詩集『火送り　水送り』を御恵贈戴きましてありがとうございました。久しぶりに強烈な手ごたえのある詩集を拝見して、感銘しております。八九年四月にオリジン出版センターから「反天皇アンソロジー」の詩集が出版され、私も高良留美子さんなどと共に編集委員でしたが、その時、天皇詩の御作を拝見できていたら、と残念です。私は大分前、「核、天皇、被爆者」というエッセイ集を三一書房から出版しましたが、御詩集は、まさに、詩による「核、天皇、被爆者」で、詩集のタイトルの「火送り　水送り」の作品は、時と空間をこえて想像力が自由にひろがり大変技法的にも面白いと思いました。

毎日のように、詩集、雑誌、ミニコミなど多数送っていただき、とても読みこなせなくて心苦しく思ったりしますが、幸運にも、御作をよませていただき感謝しています。

小詩集に近作のコピイをそえて御礼と自己紹介に代えさせていただきます。どうもありがとうございました。

七月二十三日　　　　　　　　　　栗原貞子

そして栗原貞子さんの詩集『忘れじのヒロシマわが悼みうた』を戴いたのである。

（二〇〇五・七）

1968年4月、家族旅行ではじめて広島を訪れた。
原爆慰霊碑の前で。

ヒロシマ・遺言ノート ③

画家・岡本太郎と平山郁夫とヒロシマ

二〇〇五年六月七日の朝日新聞に、大阪万博のシンボル「太陽の塔」を制作した美術家の岡本太郎（一九一一～九六年）がメキシコで描いた巨大壁画「明日の神話」が、日本で修復・公開されることになったと報じられていた。この作品は、メキシコ市に開業するホテルのために制作されたが、

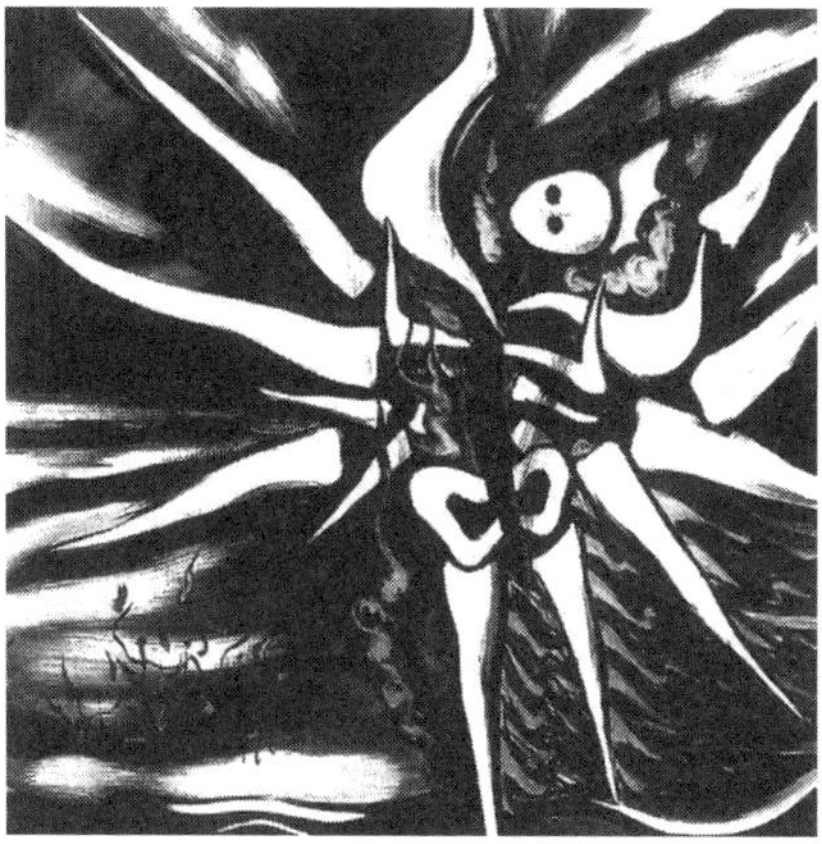
岡本太郎「明日の神話」部分　1968

結局ホテルに展示されず、壁画は三〇年以上も所在がわからなくなっていたもので、二〇〇三年九月に同市近郊の資材置き場にあるのを岡本敏子さんが見つけ出したものである。壁画は縦五・五メートル、横三〇メートルで岡本太郎の絵画では最大で、最高傑作の一つとされ、「太陽の塔」と制作時期が同じで、対をなす作品と言われている。

この「明日の神話」は、一九五四年に米国のビキニ水爆実験で被爆したマグロ漁船「第五福竜丸」をモチーフに、一九六八年から一九六九年にかけて制作されたもので、水爆が炸裂し、がい骨が燃え上がる様子を描き惨劇

をのりこえようとする人間の力を訴えている。

岡本太郎さんには、一度お会いできる機会があった。それは、私たちが美術教育の実践のため、一九五六年夏に滋賀県雄琴で第一回の研究会を開き、その後、近畿の各府県でもち回りで開催することとなった「近畿美術教育協議会」である。いま第何回だったか思い出せないのだが、和歌山県の白浜で開催した時の講演を岡本太郎さんにお願いしたのである。

話の内容も思い出せないが、岡本太郎さんの口癖の「芸術は爆発だ」というような内容の話だったように思う。これが間近でお会いしたたった一回の機会であった。

岡本太郎年譜（カタログ「岡本太郎の世界」――一九七九年、西宮市大谷記念美術館で開催された「現代の神話　岡本太郎の世界展」にて）によると、一九三二（昭和七）年、二一才のときにピカソの抽象作品にふれ、激しくうたれる、とある。翌年に描かれた「リボン」という作品が印象深く覚えているが、正直言って、シュールレアリズムの絵画は、当時よくわからなかった。

岡本太郎さんは一九才で渡欧してパリに住み、活躍していたが一九四〇年八月に一二年ぶりに帰国、翌四一年一二月八日からの第二次世界大戦に初年兵として中国の前線に送られた。五年の従軍で、年譜には「パリ帰りの自由主義者で、日本は勝たないと公言するとんでもない兵隊、目の敵にされながら、不思議に生き残る」とある。

ここで岡本太郎論を書きしるすわけではないので、彼の作品のうちで原水爆をテーマにした作品についてふれたいと思う。実は一九五五年に「燃える人」（現在・東京国立近代美術館所蔵）という油彩画を描いている。この年の八月六日に第一回の原水爆禁止世界大会が開かれている。ちなみに、同じ原爆をテーマにした丸木位里・俊の「原爆の図　第一部《幽霊》」は、一九五〇年の第三回日本アンデパンダン展に出品された。こちらは具象絵画で、岡本太郎の作品は抽象絵画というまったく対象的な表現の違いがあった。

さまざまな美術家が、国内外を問わず、「ヒロシマ・ナガサキ」の原爆をテーマにして美術表現を試みているが、今回もうひとりの画家を紹介しておきたい。

それは、仏教やシルクロードをテーマにした日本画を描き続けている平山郁夫さんである。平山さんの「広島生変図」（広島県立美術館蔵）だが、平山さんは、「これは、告発の絵ではありません。過去の悲劇を乗り越えて、不死鳥のように蘇る、再生の思いをこめた、死者に送る絵なんです」（平世紀の「仕事」を纏めた　平山郁夫画伯――「ヒロシマの熱い日」が私の原点」…グラビア・発行所不明）と語っている。この絵を描いたのは、広島に原爆が落とされてから、三四年もたった一九七九（昭和五四）年である。平山さんは、原爆が落とされた時、修道中学三年で、学徒動員で市内の材木貯蔵所にいて、多量の放射能を浴びた。

多くの友人を失い、自らも原爆症に苦しみ、一時は死を覚悟することがあったと言っている。それまで、被爆体験を描こうとしても、どうしても筆が動かなかったと言っているが、平山郁夫さんの作品は、丸木位里・俊の作品や、岡本太郎の作品とはまた違った祈りの表現に思える。現在、広島県瀬戸田町、生口島に、平山郁夫美術館が立っている。

私は、丸木夫妻のように原爆というテーマを執拗に追求して表現している画家もいるが、平山さんのように一点の作品を描いた画家もいることを併せて考えて、詩人の表現活動でも、原爆詩の作品については、その多少の違いは同様のことが言えると思った。

さて、岡本太郎さんの「明日の神話」であるが、私の手元に一九七九年一〇月二一日から一一月一八日まで西宮大谷記念美術館において開かれた「岡本太郎の世界」展のカタログがあるが、この時の展示作品に同じ題名の油彩画があったのである。この作品の制作は、一九六八年で、この年の一月から二月にかけて万国博に国際協力要請のために、パリ、プラハ、ロンドンを歴訪している。そして、二月にメキシコに行き、ホテル・メヒコの壁画「明日の神話」制作のため、アトリエを用意している。

当時、私は横一〇メートルのこの油彩画の作品を、大谷記念美術館の会場で見ていたのだ。広島市が、一九八九年から続けている美術賞にヒロシマ賞がある。三年に一度、現代美術家の作品が並べられる。昨年は被爆六〇年で「そして、未来へ――ヒロシマ賞受賞作家のまなざし」展が行われている。

ところで現代詩の分野では、原爆についての最初のまとまった詩集は、一九七〇年六月に太平出版社から出版された『日本原爆詩集』だろうか。その前年に、『日本反戦詩集』『世界反戦詩集』が出版されており、その姉妹企画として、大原三八雄、木下順二、堀田善衛、の三人の編者によって編集されたものである。例言に書かれていることによれば、「被爆いらい二五年間の原爆詩を、広島・長崎を中心に全国的な規模で収集したなかから、二一九編を精選して収録した」となっている。解説で、大原三八雄は、かつて「詩集ヒロシマ」を編集するにあたって、全篇九〇の作品を時代的に区分した。第一期を「占領　朝鮮戦争下」（一九四五年～五三年）、第二期を「なおつづく原爆の苦しみ」（一九五四～六二年）、第三期を「挫折からの再生」（一九六三年～六九年）とした。この区分は、「今日においても妥当な線であると考えているが、原爆問題ないしは原爆詩を対象とする場合にも、その基底をなすものであると考えてよかろう」としている。当然一九七〇年代以降、こんにちまでの区分はどのようにすればいいのか、これからの課題となろう。

原水爆禁止世界大会が分裂したのが、一九六二年である。それ以来、現在まで別々の集会を開いてきている。今、私の手元に、小さなバッジがたくさん残されているが、一番古いもので第四回のバッジで、一九五八という数字と4がデザインされている。失ったものもあるが、毎年のようにバッジは付けていたと思う。そのバッジのなかで少し大きめのものがあるが、これは、一九七六年に第二二回世界大会に、私が八月四日から六日まで広島に代表団の一員として参加した時のものである。

この間、一九五〇年六月、朝鮮戦争勃発、一一月トルーマン大統領が原爆使用を考慮と言明したりしておおいに緊張が高まった。その後、一九五四年から原水爆禁止の署名運動がはじまった。こうした状況のもとで、一九六五年八月に私は「炎の朝」という作品を書いて、後年、手作りの大阪詩人会議ポケット叢書にも掲載した。

炎の朝

さりげなく　夜があけて

間もなく
夏の太陽が登り
じりじりと皮膚を焦がす
あの日の想いをともなって
二〇×年目の　炎の朝がやってくる

それは
昨年　一昨年　十年　二十年前とは
違った朝

一日の営みが
台所で　茶碗を洗うことから
洗濯機をまわすことで終わる
さりげなく過ぎた日々の生活の底で
たいまつのように燃えつづけてきた
妻のちいさな願いが
ひときわ燃えあがる朝

地獄火の燃える夏が
何回も　何回もめぐってくるたびに
妻のやせた胸奥のなか
「ひろしまの影」の映像に
ナパーム弾で黒焦げになった
朝鮮の
ヴェトナムの
死体が　幾重にも積み重ねられて
妻の　日常の営みがずっしりと重い

重いこころを分けることが
妻のささやかな行動

慣れた二、三軒の隣り　四、五軒の向こう
不慣れな会話は　ふたりの女の間で
みるみる黒焦げの映像をつくり
ひとつの署名を
若葉のバッジを

いくらかの被爆者救援カンパが
許せない決意がこめられ
妻の火を輝かせ
妻のこころがわけられる

いくつもの日常の扉が
そっと開かれるたびに
妻のちいさな胸の
黒い死を憎むこころの炎から
夫や　娘　息子の肉体の形象が
不死鳥のようによみがえり
生気をとりもどすのを
妻は　たしかに記憶する

いま　ほんとうに
暑い夏の一日のはじまり
にんげんを焦がした巨大な炎の朝を
妻とのささやかな連帯でむかえる

原水爆禁止世界大会のバッジ

この燃える輝きのなかの

火芯のような　にんげんのこころが

さりげない暮らしの真ん中で

まばゆい光を放つ　いつもと違った朝

一九六〇年の安保闘争の後、一九六二年に「現代詩」から別れた、新しい民主的な詩運動として〝詩的実践による詩と現実の変革〟をスローガンに「詩人会議」が結成された。

そして翌年、私はその詩人会議会員となる。六四年には大阪において、大阪詩人会議を結成して、詩誌「よどがわ」（のちに「大阪詩人会議」改題）を発刊することになる。

この一九六〇年代の、現代詩の流れについてはどのように考えるべきなのか。まだ総括的なことはまとめられないが、いずれは、私なりに明らかにしなければならない課題だと思っている。この「炎の朝」という作品は、発足したばかりの、こうした大阪における「大阪詩人会議」の詩運動の状況のなかで書いた作品である。

（二〇〇六・三）

ヒロシマ・遺言ノート④

有馬敲の「ヒロシマの鳩」

今年になって、広島生まれの長津功三良さんから、最後のヒロシマの詩人、米田栄作さんの詩集刊行趣旨賛同協賛を求められて、私もその一員にしていただいた。そして、米田さんの命日の八月五日に新・日本現代詩文庫40『米田栄作詩集』として土曜美術社出版販売より出版された。これまで、ひろしまの原爆詩人としてすでに物故した主な詩人としては、原民喜、峠三吉、栗原貞子、それに加えて長崎の山田かんなどが広く知られている。しかし、米田栄作の詩編については、私はまったく知らなかった。この詩人の詩業と出版にいたる解説的な一文を、特集「地球は苦悶する――核の脅威」(「新・現代詩」二〇〇六年夏・第二一号)に長津功三良「ひろしまの詩人たち」で「生前、『原爆詩人』という呼称を極端に嫌悪していた米田栄作は、原爆を表現しても作品に政治的な意味を込めることはしなかった。静かに叙情的な作品を提示し、書かれたものの中から人間の担ぎ歩いている哀しみを汲み取らせようとした」と書いている。趣意書にも書かれていたが、「その詩は、原爆への怒りと悲しみの心を、文学的に昇華させた叙情性に富むことが特色とされている」と。長津さんが書いているように、戦後ひろしまを表現した詩人たちの、それぞれに表現形態の違いはあれ、その作品群を読みついでいくべきである。そうしたこととは別に、ひろしまや長崎の原爆にこだわって、詩を書いている詩人もかなりいて、一冊の詩集にまとめた人もいれば、一篇か数篇の作品の人もいる。先の「新・現代詩」で中村不二夫さんは、「戦後詩のなかのヒロシマ」を書いているが、中村さんは「今後原爆が詩人たちの主たる主題になっていくためには幾つかの条件がある。一つは、被爆体験に捕らわれないグローバルな視点である」、「もう一つは、イデオロギィーの枠に囚われず、広い観点から原爆詩の現在を探っていかなければならない」、「そこで、新しい問題として浮上するのは原爆詩の現在性である。裏をかえせば、原爆の恐怖を核の恐怖につなげていく想像力の行使である。原爆をいくら過去形で語っても現在の若者には説得力をもたない。あくまで、その恐怖を現在の彼らの生活に溶け込ますという視点である」と述べている。こうした中村さんの問題提起と結論には同意するが、過去の戦争における加害と被害の事実や、非戦闘員の市民を無差別に大量殺戮したアメリカの原爆投下による被爆の実相については「過去形」ではなく考えるべきで、現代詩としても見逃してはならないと思う。いうなれば、とくに若い人たちが、近・現代史を深く学んでいくことによって、真実を見極める若い感性を持ってもらいたいと思う。それは、中村さんが結びとして書いているように「われわれが広島や長崎を思うことは、人類の未来を真剣に考えることに他ならない」と思うからである。

　しかし、原爆をテーマした詩は、よく読まれているわけではないと思う。そういう現代詩の状況のなかで、自作の原爆詩を繰り返し朗読するこだわりの活動を続けている注目すべき二人の詩人が身近にいる。日高てるさんと、有馬敲さんである。お二人は、同作品を幾つかの外国詩に翻訳して、海外でも朗読活動をしているということに、私は、積極的な意義を感じている。原爆の問題は、日本国内のことではなく、現在では、まさに国際的な第一級の課題なのであるから、こうした活動に共感するのである。

まず、有馬敲さんのことについて書こうと思う。

有馬さんが各所で朗読している詩「ヒロシマの鳩」は、二三冊目の有馬敲詩集『よそ者の唄』（一九八九年刊、編集工房ノア）に収録されている。

ヒロシマの鳩

クウ、クウ、クウ
空、空、空、空、空
昼前の広場から
いっせいに飛び立った鳩の群れが
元安川の上をゆっくりと旋回する
かがやく噴水よ　もっと高く
真夏の空にまっすぐ吹きあがれ
蒸れるそよ風よ　もっと生ぬるく
よどむ川端から強く吹きつけよ
相生橋のほとりの

鈴木三重吉の碑にそよぎかかる
しだれ柳の前にたたずむとき
崩れかかるドームの
かたむく残骸よりも斜めに
慟哭している　おびただしい死者たちの
短い影

おお　幻か
かげろうが燃える向こうから
身動きしない人間たちを積んで
京都の地名をつけた中古の電車が走ってくる
「祇園」　「西陣」　「銀閣寺」・・・・・・・・
その上を横切って
本川へ舞いもどるひと群れの鳩よ
張りつめた青い空にむけて
近くの球場から聞こえる
大歓声よりも高く鳴け
苦、苦、苦、苦、苦

クウ、クウ、クウ

この詩作品の初出は、自編略年譜によると一九八三（昭和五八）年二月、文学学校二二八号に発表したもので、有馬さんの話によると、一九八一年二月より四国の松山に単身生活をしているとき、ある係争事件で広島を訪れたが、用事がすんだあと、平和公園を歩いていると、足もとに鳩が飛んできた。それが詩の動機であるが、広島のまちには、全国の幾つかのまちから譲り受けた市電が走っていて、京都の古い市電もあり、それを見て、ヒロシマと京都のイメージを重ねて、臨場感を出して書いたということである。

この詩作品が、あたかも有馬さんの朗読詩の十八番のようなものになったのは、幾つもの理由があると思うが、ヒロシマが象徴する、強い平和への希求精神が有馬さんを支えているからではないかと思う。

一九六九年六月に、ゲリラ主催第一回の「詩朗読とフォークソングの会」を京都・河原町三条で開催したが、以後日本各地へ朗読キャラバンするきっかけとなったと年譜にあるが、その一つとして、一九八〇年第二回北海道キャラバンのとき、アイヌの彫刻家砂沢ピッキと会い、以後親交を深めることになった。不思議な縁で、私も友人を通じてピッキさんの大阪・梅田の個展を見に出かけたりして、有馬さんとお近づきになれたのだが、ピッキさんが亡くなられたとき、有馬さんは「中之島幻想――北の野人への鎮魂」（詩集『よそ者の唄』）を書いている。

一九九五年に長年勤めたタカラブネの常勤監査役を退任した有馬さんは、その前後、一九九〇年代から頻繁に海外で開催される詩人の大会や詩祭などに出かけるようになる。

この他にプライベートな海外旅行をふくめ、実に五〇数回、六〇ヵ国を超えていると有馬さんは言っている。こうしたアジア、ヨーロッパ、中南米、アラビアなど海外の現場への往還を『現場と芸術』というエッセイ集にまとめ、二〇〇三年に刊行しているから、詳細は省きたい。ともかく有馬さんは著作が多くて、そのすべては紹介しきれないのである。

「ヒロシマの鳩」は、そうした国際的な活躍に合わせて、英語訳から中国語、韓国語、モンゴル語、ヒンドゥ語、ベンガル語、テルグ語、ネパール語、ウルドー語、ミャンマー語、インドネシア語、タガログ語、フランス語、スペイン語、ロシア語、アラビア語、ドイツ語、オランダ語、ギリシャ語、トルコ語、イタリア語、ヘブライ語、ウクライナ語、マルタ語、カタロニア語、ポルトガル語、ルーマニア語、スウェーデン語、セルビア語、マケドニア語、ブルガリア語、ポーランド語、ラトビア語、エスペラント語等々に訳されている。勿論、幾つかの詩集も二〇数ヵ国語に翻訳されているし、アトランチダ賞（スペイン）やM・M賞（インド）なども受賞している。有馬さんの活躍は、まったく驚くほかないというのが偽らない私の気持ちである。

二〇〇一年九月一一日、アメリカで起こった同時多発テロ事件の直後、有馬さんは一二月にイラク戦争直前のバグダッドやバスラを訪れ、ノンフィクション『バグダッドへの道』を上梓した。その中に、バスラ大学での詩朗読で「ヒロシマの鳩」を朗読したときのことが書かれているが、少し長いが興味深いのでその部分を紹介したい。

「クウ、クウ、クウ」という鳩の鳴き声のオノマトペアは朗読する場所のふんいきでテキストどおりには読まず、なんどかくり返す。さらに一連目から二連目に移るときにはアドリブのかたちで「クウ、クウ、クウ」を適当にはさんだ。

この作品は十数年前から日本ばかりでなく、外国でなんども読んできた。ソウル、台北、ベオグラード、コソヴォ、ロッテルダム、ダーティングトン、クルジ・ナポカ、パリ、ブエノスアイレス、ストルガ、メデジン、カルタヘーナ、バランキージャ、サンチャゴ・デ・クーバ、メキシコ・シティ、サンクトペテルブルグ、ムルシア、ラス・パルマス…しばらく、私の頭のなかでは、いままで訪れた土地で「ヒロシマの鳩」を朗読した場面が駆けめぐった。

しかし、それらはバスラの緊迫した空気にはおよばなかった。元の席にもどるまで大きな拍手がつづき、会場がどよめいた。これまでの記憶の断片が私の脳裏からいっぺんに吹き飛んだ。それは私の詩の反響よりも、原爆を落とされた日本の現実を訴えていることに共鳴しているにちがいなかった。

その後、有馬さんは参加者から「ミスター・クッ、クッ、クッ」（シリアの詩人カーリッド・アブから）と呼ばれたそうである。こうした有馬さんの詩「ヒロシマの鳩」は、代表作という言い方をはるかに越えて、世界の言語に翻訳され、詩精神は生かされていると思う。これからもさらに「ヒロシマの鳩」は、飛翔しつづけてほしいと思っている。

私の場合は、一九八七年一一月に初めて海外旅行に行くことになった。「自由と自治、進歩と革新をめざす堺市民懇話会」からアメリカのバークレー市を訪問し、七日間、アメリカ市民たちと平和について語り合う機会があった。代表の土山牧羔さんは、「はじめに」で「私達は、この訪問で、国や人種、習慣、文化、風土の違いはあっても、平和を希求する気持ちは同じであると、確かに感じました。この訪問の成果が、核兵器のない平和な世界をつくるために、これからも大きく育ち、広まることを念じております」と書かれたが、私は、この旅に参加することを決めたとき、ひろしまの原爆を詩にした作品を英訳してもらおうと思った。その詩作品は、私の三番目の詩集『歴史の本』に載せた「消えた夏」である。

マルビット詩祭の参加者たち（中央は有馬さん）
『バグダッドへの道』掲載より

イラク・バスラ大学で朗読する有馬敲（2001 年 12 月）

消えた夏

夏が　消えた
黒焦げになって
白い歯をむきだした死相をみせ
晴れわたった日常は
あの時　一瞬
米政府命令による
一万一千度の火球の投下で
恐怖の虚空を残し
消えてしまった

閃光　熱線　爆風　放射線

消えた夏には
二十数万人の焼け焦げた骨片と
怨恨を付着させたが

いま　捜せるものは
消えた夏の痕跡だ
泡だって溶けたかわらや
アメのように曲がったビンや
頭骨のくっついた鉄帽や
茶褐色に変色したボロボロの服だ

いま　語れることは
消えた夏の遺品だ
はだしで三輪車に乗っていた　夏は
脱力感にとらわれ
木登りに　夢中になっていた　夏は
全身倦怠をおぼえ
赤とんぼを取ろうとしていた　夏は
食欲不振だ
おばあさんと立ち話をしていた夏は
発熱をくりかえし
台所でお茶わんを洗っていた　夏は

嘔吐がこみあげ
二匹のキリギリスを見ていた　夏は
めまいだ
兵舎のそばで一人遊んでいた　夏は
皮膚出血をおこし
運動場へ出て鉢巻をしていた　夏は
脱毛しはじめ
花を取りに行こうとしていた　夏は
白血球が減少するのだ

あれから　輪廻の季節は
二十数年原爆症で病みつづけた夏
生きのこった人間が死んでいく夏
過去帳に記載がふえていく喪の夏
死の青い色に彩色された日常の夏

夏を過ぎながら
黒い死者たちへの記憶をたどるとき

消えた夏の虚空のなかで
名を奪われたことから実在を回復する
重さが次第に増してくるのだ

夏を過ぎながら
影の死者たちの呼び名を繰り返すとき
広島・長崎の映像は　拡がり
いまに　すべての日常の夏を
青天のようにふくらませて
満ちてくる　満ちてくる
ドーム状に張りつめた夏のなかへ
生きようとする人間たちの
怒りが

この詩を、近所に住んでいる宝木武則さんというエスペランチストの方に訳してもらうことにした。宝木さんは、バークレー市訪問にあたって、あのＮＨＫ・ＴＶ劇『山河燃ゆ』（山崎豊子原作）の主人公のモデルとも言われる、サンフランシスコ在住日系二世の同じエスペランチスト、カール・ヨネダ氏を紹介してくれた人でもある。

一一月二二日に、バークレー市デュラントホテルで、アメリカ側市民は、被爆者友の会、核凍結委員会、反戦連盟、カリフォルニア大学の核爆弾開発に反対する教授会、武器よさらば委員会、婦人平和の会等の一五名が出席した市民平和交流会の席で、おぼつかない英語でこの詩作品を朗読したのである。まことに冷汗ものであった。

しかし、私は、原子爆弾を投下した国のアメリカ国民に対して、反核の詩作品を紹介したい気持ちが強くあったのである。このことは、今も変わらないし、むしろ核保有大国といわれる国の人々にこそ、その国の言葉で詩作品として訴えられればとてもいいと思い続けている。

ところで、私の詩集『歴史の本』は、一九七二年七月の刊行であるが、発行は、堺詩人会議となっている。実は、一九六二年九月に「詩人会議」が発刊の主旨を発表して、その年の一二月に機関誌「詩人会議」を創刊号として出すわけだが、その中心メンバーのひとりであった市川清が、大阪の職場に赴任してきたことがきっかけで、一九六五年四月に、大阪詩人会議を結成・機関誌「よどがわ」(のち「大阪詩人会議」と改題)を発行し、一九六九年八号で、四つの地域(北河内詩人会議、大阪市内詩人会議、堺詩人会議、泉州詩人会議)の組織として各自が詩誌を発行してしいくこととした。堺・詩人会議は、一九七〇年一〇月に「詩の輪」を創刊する。そして一九七三年三月に五号を刊行して終刊となった。したがって、そうした大阪詩人会議の活動のこの期間に、この詩集の作品を書いたことになる。

一九七〇年代の、大阪の詩人会議の活動の歴史は、いずれ詳しく書く機会をもちたいと思うが、私としてはかなり意気込んだ時代だったような気がしている。

なお、日高てるさんの朗読活動については、次回（ヒロシマ・遺言ノート⑤〈次頁〉）に詳しく書くつもりである。

（二〇〇六・一一）

バークレー市・ローニー・バンコック市長（当時）と
後列左端は筆者

ヒロシマ・遺言ノート⑤

日高てるの「水ヲクダサイ」

今年の初めから、反戦反核平和を願う文学の会として『反戦反核平和詩歌句文集』第二十一集を刊行する取り組みを始めていた。間もなく、本となって出版されることになると思う。六月末に、当時の久間防衛相が、千葉県の大学で講演し、米国の広島、長崎への原子爆弾投下について「しょうがないと思っている。米国を恨むつもりはない」と述べ、被爆者をはじめ、国民の強い抗議を受けた。地球から、すべての核兵器を廃絶するため、世界中の人びとがさまざまな運動に取り組み、知恵と力を尽くしているときに、被爆国の閣僚がこういう不見識な発言をすることは、決して許されない。

この『反戦反核平和詩歌句文集』第二十一集は、あらゆるジャンルで四四〇名の参加があった。これでも多い方ではないが、これまでのこうしたアンソロジーから比べれば、まずまずの参加者数と言えると思う。

この春先に、これまで親しくしていただいてきた、詩人の長津功三良さんから、原爆詩集への作品参加のご案内をいただいて、一も二もなく、早速、原稿を鈴木比佐雄さんに送らせてもらったが、その本が『原爆詩一八一人集』として刊行された。鈴木さんの編集による「COALSACK」

五八号に、九人の方が書評を寄せている。辻元よしふみさんが、冒頭に「このような詩集を編むことが出来るのはやはり日本人だけであり、またこのような一冊をまとめるべき責任を負ってもいる、と思う。読後第一の感想である」と書いている。

そのとおりだと思う。「原爆詩集」と言われるものは、埋田昇二さんが同号に書いているように、「これまで、まとまった原爆詩集としては早く一九五二年の峠三吉の『原爆詩集』がよく知られているが、原爆詩をアンソロジーとして集成したものに、一九七〇年に発刊された大原三八雄、木下順二、堀田善衛の編集になる『日本原爆詩集』がある」。

ここには、二一九篇の詩が、掲載されていることにもふれている（この詩集は、私も持っているが、『原爆詩一八一人集』を紹介した新聞記事には、一九七四年刊行の『世界原爆詩集』が刊行されて以来、三三年ぶりのと書かれていたので、そういう一冊も出ていたのかと思い、未見のこの詩集が古本屋ででも見つかればいいなと思っている）。

勿論、原爆詩集というタイトルではないが、平和詩集として、被爆二〇周年記念として広島詩人会議グループ編で、一九六五年八月一日に刊行されたものもある。壷井繁治が跋文に「広島詩人会議が今回企てた『平和詩集』の編集の仕事は、峠三吉の遺した仕事を受け継ぎ、それを世界の平和が危険に曝らされている今日の緊迫した内外の情勢のなかで発展させようとする重要な意義をもっているとともに、詩人会議第四回総会が採決した新しい活動方針にそい、それを最も具体的に実践しようとする文学的な仕事の一つであると思います」と書いている。ここには、八二名の人びとが作品を寄せている。

東京・品川私鉄会館にて
（1965年4月3日～4日）

思えば、私は、ここに書かれている詩人会議の第四回総会に参加して、大阪詩人会議の活動を報告していたのである。そして、大阪から参加した広田仁吉さんが第一分散会「ふかく労働者と大衆のなかへ」のまとめを、私は、第二分散会「大衆にまなぶこと」のまとめを行った。分散会は第六まであって、それらの総会特集は「詩人会議」一九六五年六月号に掲載されている。なお余談だが同号に秋村宏は「ヒロシマのために」を書いている。

『原爆詩一八一人集』は、広島に原爆が落とされた八月六日が初版発行日である。聞くところによると、この本は好評のようである。詩人会議の会員も一〇数名が参加しているが、当然前回（「ヒロシマ・遺言ノート④」〈本著三二六頁〉）書いた京都の有馬敲さんの「ヒロシマの鳩」も掲載されているし、今回書こうと思っていた奈良の日高てるさんの「水ヲクダサイ」も掲載されている。

日高てるさんとの出会いは定かではなく、かつて奈良の詩誌「爐」にいた高名な先輩詩人という認識が以前から私の頭の中にあった（京都の詩誌「コルボウ」もなぜか同列に認識していた。余談だがある時、日高さんから天野忠さんの詩集を三冊戴いた）。

日高さんとの直接の出会いは、関西詩人協会の設立がきっかけだったのではないかと思う。そして私が一九九四年七月に第三詩集『火送り　水送り』を詩人会議出版から上梓して、その詩集で、日高さんと、当時理事の丸地守さんの推薦で、日本現代詩人会に入会させていただいた。以後、なにかにつけて本を戴いたり、励ましや、詩のアドバイスを戴いている。

ところで、日高さんは、「日高てる詩集」の年譜によると、一九二〇（大正九）年に生まれ、以来その大和高田の地を離れたことはない。当初の詩作活動の拠り所とした「爐」は、一九四九（昭和二四）年に出版している。当初の詩作活動の拠り所とした「爐」は、一九四〇（昭和一五）年に冬木康、飛鳥敬、右原厖と辻研一を加え、同人誌「フェニックス」を創刊したのが、一九四二年に三八号より「爐」に改題され、それが戦後一九四六年四月に九三号を刊行し、戦後のスタートを切った。同人は、右原厖、福広武好、日高てる、森本三一男、飛鳥敬、冬木康の六名。「爐」については「終戦直後の荒廃と価値観転換期のさなかに、いちはやく、人間復権と全存在の根源を問うという姿勢が大方の賛同を誘ったのであろうか。片片たる一地方誌が次第に世評を集め、爐書房へは高名詩人次々の来訪が見られた。（右原厖・年譜）」とある。そして日高さんの詩作活動が始まるのである。

昨年、日高さんが主宰している「ブラックパン」五〇周年を兼ね、新詩集『今晩は美しゅうございます』の出版を祝う会が開かれた。その時の朝日新聞は、「モダニズム詩人として現代詩の第一線で活躍している日高てるさん」と書き、詩人・作家の辻井喬さんが「わが国の詩人の中で、日高さんぐらい若い時から現在までアバンギャルド（前衛芸術運動）に強い関心をもち、それを実践してきた人は少ない」と、精神の持続力をたたえたスピーチをした。また、詩人の杉山平一さんは、「このたびの日高さんの詩集は、文学、音楽、絵画をはじめ、地理的、歴史的な要素まで含まれ、スケールの大きさを感じる」とエールを送った。かつて、詩人の小野十三郎さんも、日高てる詩集の栞で「日高さんは自らの詩作のみならず、絵画、彫刻、音楽、舞踏と多方面にわたる前衛的な芸術運動に強い理解を示して、それを支持すると共に、批評家として活躍されている方ですが」と書いた。

こうした評価は、何人も共通して述べられる日高さんの仕事と言える。ところで、詩人としての詩作活動については、日高てる詩集の解説に、長谷川龍生さんが書いているが、とても詳細で、的確に、特集と作品にふれている。到底これ以上の作品解説は、私などにできるはずがない。私は、今回、日高さんの詩作品のなかで、先の『原爆詩一八一人集』に掲載された「水ヲクダサイ」にひかれたことを書いてみたいと思う。

この作品は、日高さんの詩のなかでは、異色の作品である。私は、先に、「ヒロシマ・遺言ノート③」（本著三一七頁）で画家の平山郁夫さんの「広島生変図」のことを書いたが、あたかも、それと同等の日高さんの詩作品として受けとめている。

しかし、日高さんにはこの「水ヲクダサイ」に繋がっていく作品が、一九六五（昭和四〇）年三月刊行の第二詩集『カラス麦』のなかにあった。この詩集最後の「太陽」という作品である。少し引用として長くなるが、長谷川さんの解説文から紹介する。

「さて、この詩集で、いちばんの問題作は、長詩『太陽』であろう。太陽の爆発と同じような惨劇があった。人間同志、国家同志が争う戦争の悲劇である。この作品は各セクションに別れて、つながりをもち、弱者の太陽に対する告発であり、プロテストであることは言うまでもない。ヒロシマの爆心地にある傾いたドーム、それを『鳥籠』に形象して、導入がはじまる。そして最後に、その『鳥籠』を一振り振ることを要請する。原爆にかんする詩作品としては、非常に純度の高い力作である。」

詩の全編をここで紹介したいところだが、長い詩なので長谷川さんの文の続きを書く。

「展開の流れに挿入されているセクションは、『罰』を『罪』が追いかけていく顚倒の意識、フランツ・カフカの不条理の『城』、ヒロシマ平和博物館あたりの幻影の情景、ガガーリン少佐の宇宙飛行成功、太陽の下の、世界の底と思われるような惨劇のあとの葬列、現場における群衆の死、アウシュヴィッツのユダヤ人虐殺寸前の順列点呼、アーノルト・シェーンベルクの『ワルソウの生きのこり』の言葉。となっている。

この構成は、ランダムではあるが秀れていて、率直なイメージの並列ではなく、各セクションに段差がついていて、朗唱詩プラスアルファイメージ詩のもつ重厚さがあり、忘れられない力感をもっている。」

日高てるさんの詩法を理解するには、この第二詩集の『カラス麦』が手がかりになると思う。一九七五（昭和五〇）年に出版したエッセイ集『彷徨の方向』のあとがきに書いたことを当時の新聞記事はこのように伝えている。

私は十年前、第二詩集『カラス麦』を出版したころから、見ることが私の主題となり、見ることと夢見ることを関連させる言語運動が、あるときは詩となり、評論や美術になったが、その基底はあくまでポエジーだといえます。あえていえば、他人さまのネタを勝手気ままに調味料を加えた私の詩集です。

詩集『今晩は美しゅうございます』について、紫圭子さんは、日高さんのこの言葉と同意のことを次のように言っている。「日高てるの黄金比をコトバで表すと次のようになる。（現実もまた夢である）を想像力（芸術に潜む力）で割ると愛（根源）が出現する。日高てるの黄金比である」。短い言葉で、日高さんの詩法を上手く言っていると思った。

ところで、朗読詩「水ヲクダサイ」の初出は、中和新聞の先代社長、福本昇氏と親しくなった日高さんは、紙面にその時々、詩を掲載することを求められ書いていた。その福本さんが、一九七三（昭和四八）年八月六日に急逝された。それまで行っていた月一回の詩の八月が「水ヲクダサイ」であった。「終戦の月であったからだ」と日高さんは、『声を立たせる・言葉を立たせる――詩の朗読一〇年の歩みノート』で書いている。

この詩を初めて朗読したのは、第三回ブラックパン82イベント（一九八三〈昭和五八〉年）であった、と同書に書いているから、それからこれまで、何回となくこの朗読詩「水ヲクダサイ」は、日高さんによって朗読されてきたことは言うまでもない。

日高さんは、続けてこの詩作の動機を述べている。「この詩はヒロシマを想定し、朗読詩として書き下ろした詩である。どのような人でも、いまわの際に希求するのが水。しかし原爆にやられた人々のいまわにもとめる水。これは悲惨である。ヒロシマの原爆にやられた人々のことばにならなかったであろう水！　ある人は天を指し、またある人は前方の光を指し、もう既に目は潰れていて見ることはできないであろうが、その意志の願いの水を求めたであろう、と。それを詩にしたのである。したがってタマシイの希求である。これは鎮魂歌であり、タマシイの声、タマシイの祈ることばでよまなくてはならない」と。

水ヲクダサイ―原爆記念日　朗読ノタメニ

水ヲ　クダサイ
光ヲ　クダサイ
声ヲ
言葉ヲ　クダサイ
　黙ッテ死ンデイッタ人タチガ
　鎮カニ　眠ルタメニ
ヒロシマノ原爆ニ　ヤラレタ人タチハ
ソノ人タチハ
黙ッテ　死ンデイッタ

生命ヲ　クダサイ　ト　何故言エナカッタノカ
何故　言ワナカッタノカ

一九四五年　八月六日
投爆下ノ　男モ女モ老人モ学生モ赤ン坊モ
スベテ死ンダ
犬ヤ猫ヤ小鳥ヤ草樹タチモ　スベテ死ンダ
大地ガ死ンダ
シカシ　今モ生キナガラ死ンデイル人々ガイル
ソノ死の生
ソノトキ　ソレラノ生アルモノタチハ　死ニ瀕シテイタカラ　カ
ソレトモ　スデニ　死ンデシマッテイタカラ
「クダサイ」ト　言エナカッタノカ
ソウデハ　ナイ
ソウデハ　ナイ

「クダサイ」
朝ノ夜明ケニ向ケテ

腕ヲ　ノバシ
光ヲ　クダサイ
人間ガ　人間トシテ　生キテユクタメニ
声ヲ
言葉ヲ
ソシテ
命ヲ　クダサイ　ト
シンジツ　叫ボウ
今　生キテイル人々ヨ
「水ヲ　クダサイ」
トモ　言エナイデ　死ンデイッタ人々ガ
　　　　鎮カニ
　　　眠ル　タメニ

水ヲ　クダサイ
光ヲクダサイ
声ヲ
言葉ヲ　クダサイ

ソシテ
命ヲ　クダサイ　ト

この「水ヲクダサイ」は、良き英訳協力者の福武京子さんによって、英訳詩となり、さらに広い世界で、朗読活動が行われることになった。

そして、一九九五年八月、スコットランド・エジンバラ演劇祭で朗読することになる。その時のことを、一九九八年に出版した、エッセイ集『シュメールからの贈り物』の中に、「松本硯之・游墨の世界」と題して、次のように書いている。

前者は八月十一日、羽田国際空港の指定の場に松本硯之は大筆をかついで現れた。因みに大筆は軸幅二〇センチ、穂尖三五センチ、馬の毛、軸の丈一六〇センチ、彼の背丈はある。八月一三日〜八月一九日、一週間ロングラン。エジンバラ大学、フェスティバルクラブ、受付、音響、照明は勿論、墨書の台を板にて制作。紙は当地の襖紙を貼り合わせ開演にこぎつける。詩編は「カラス麦」「クロバエの亡霊」「水ヲクダサイ」の三編。一編は游墨と共演。毎日、共演の詩は替える。

この時、松本硯之の書「水ヲクダサイ」（詩・日高てる）五部作品をエジンバラ大学に寄贈する。日高てるさんにとっては、とても疲れた長旅のようであった（詳しくは、「火牛」三四号・一九九五・一一、

「詩・日高てるの世界」エジンバラ帰朝報告
詩朗読・日高てる　游墨・松本硯之　太鼓・大倉正之助　尺八・ウベワルタ

「エジンバラ報告」)。

勿論、日高さんの居住地の、さざんかホールでも一九九六年九月に、「詩・日高てるの世界」という催しが行われ、この詩は、太鼓・大倉正之助、尺八・ウベワルタ、游墨・松本硯之とのコラボレーションで朗読された。

もうひとつの、この作品の国際的な朗読活動は、世界詩人会議である。第一六回の日本大会は前橋で行われたが、その時の文が、二〇〇一年に出版したエッセイ集『塩・Ｓａｌｔ』に載っている。「今回は英語圏の人たちは英訳として意味を、韓国語、中国語の方々には各々、金時鐘、陸君、両氏による訳をお配りしよう。このようにかんがえていた」。

当日、野外朗読の場となった広瀬川に架かる朔太郎橋上で、朗読する。

「私は皮切りを仰せつかり、『水ヲクダサイ』を翻訳の福武京子と游墨氏、松本硯之の三者で朔太郎橋の橋上、参会者と一つになって朗読。

水ヲクダサイ／光ヲクダサイ／声ヲ／言葉ヲクダサイと、黙ッテ死ンデイッタ人タチガ静カニ眠ルタメニ、レクイエムである。私は広瀬川の水勢にレクイエムの言葉の一つ一つを乗せた。戦後五〇年の現在、世界で唯一つの被爆国である。私たちは後世の人に伝えなければならない。水勢に乗せられてすすりなくように水はふくらみ流れていった」。

「地球」創刊五〇周年記念・世界詩人祭二〇〇〇東京でも朗読されたし、大阪の国立文楽劇場でも、東大寺で催された、戦後五〇年世界平和祈願のコンサートでも朗読された。

これからも機会があれば日高てるさんは、この「水ヲクダサイ」を朗読し続けていくにちがいない。ところで、日高さんの「水」に対する思いは、日高さんの誕生した大和高田の地に起因している。それは、未完の詩作品「私の瑠璃の水」にある。再び、長谷川龍生さんの解説を紹介する。

「この作品は、朗唱詩としても、高い評価があたえられる。第一章は、大和の地下水系を走る霊水と、サラマントラ（宇宙霊）が結びあわされ、日高てるさん自身の誕生の記憶が、瑠璃の蛇としてよみがえる。胎内の羊水、そして母親の胎内の方向、母親の実家は、倭迹迹日百襲姫命墓（箸墓・箸中古墳群の盟主墳）の所在地の一区内にある。その地に伝わる三輪山蛇伝説と、瑠璃の蛇のイメージがかさなり、蛇、水神、水源、地下水、霊水の産土が、価値深くひろがりをもっているのである。」

「大和高田の中軸点から、愛する父親の死への旅路がはじまるのである。それは大和地方に土着する人々が、厳粛な終焉に見舞われ、その故地をゆっくりと去っていくときに、送る人々が描く、あるいは心にいだく共通のレクイエムであろう。」

「われ　瑠璃の蛇を見たり」——、唐突かもしれないが、日高さんの身体に、ずっと潜み続けてきた瑠璃の蛇が、ひろしまの終焉の「水」に対して、タマシイの声、タマシイの祈ることばとして、鎮魂の歌となったのではなかろうか。

終わりにもうひとつ、日高てるさんは、詩人、草野心平を師としてきた。「かつてまだ草野心平という偉大な詩人に出逢わなかった昭和二四年頃、彼の詩集『絶景』にまず出逢っていた。大阪道頓堀の『天牛』という古本屋で詩集『絶景』を見つけた。（中略）開くと見返しは緋アカである。このアカは今、開いてもドキリとする」。そしてこの詩集『絶景』のなかの「猛烈な天」の「血染めの天の。／はげしい放射にやられながら。」という最初の二行が、見返しの緋アカの色あいと重なって、何故か、昭和一五年の詩集なのに、広島の原爆による惨劇をイメージしてしまいそうである。もしかしたら、日高てるさんの深層に、この二行のフレーズが沈んでいたのかもしれない。

日高てるさん　自宅・倉の前にて
（2006年7月25日）

私は、広島の「水」について、詩集『地の蛍』に作品を書いたが、これからも、日高てるさんが、いつまでも健康で、この「水ヲクダサイ」の朗読を続けてほしいと願っている。

（二〇〇七・一一）

ヒロシマ・遺言ノート⑥

ヒロシマ（状況）派と反ヒロシマ（芸術）派

この秋、広島市民球場は、五一年間の時を過ぎて幕を閉じる。原爆投下で焼け野原となった広島市中心部に、一九五七年七月に球場が完成した。広島カープの本拠地としてプロ野球ファンに親しまれてきたが、一九七五年に初優勝を飾り黄金期を迎えた。初優勝時の古葉竹識監督は「重い宿命を背負った球場で何としても勝たなければと。胴上げの時には努力が報いられたと感じた。移転は寂しいが、また新たな歴史を作ってほしい。」と語り（二〇〇八年九月二日付「朝日新聞」）、九月二八日が同球場でのラストゲームと報じられている。

原爆ドームと正対している広島市民球場は、原爆の廃墟から生まれた球団と市民を結んできたかけがえのない広島戦後復興のシンボルだった。古葉監督の言う「重い宿命」とは、世界で初の被爆地という意味なのである。私は、二〇〇五年七月発行の反戦反核平和詩歌句集第二〇集『あの夏を忘れない』に「ブッシュさん、広電の路面電車に乗って」という作品を書いた。その書き出しは、

アメリカ大リーグの　ニューヨークヤンキースを
八月六日の広島市民球場に招いて

広島カープと　日米親善野球をするというのはどうだろう
（中略）
広島カープの栄光の歴史を刻んだ球場
その目と鼻の先に　破壊と消滅のシンボル　原爆ドームが見えて
ニューヨークの　九・一一同時多発テロ攻撃による
世界貿易センタービルの完全破壊を想起することも
親善試合を観戦する日本人とアメリカ人のこころの垣根をこえ
反核・反戦の思いが結びつくことも可能かも知れないので
ヤンキースの松井秀喜選手がホームランを打てばなおのこと
（以下省略）

そして私は、「ブッシュが核兵器開発費用分を新球場建設に寄付すると申し出たら」と書き、新球場のオープニング・セレモニーに、すべての被爆者と核廃絶を願う人びとを招待することを「明確な約束」に付け加えれば、全世界から喝采を受けるだろうとフレーズを続け、最後に、「ブッシュさん　秋葉市長の招待でその始球式に参加するには／広電の路面電車で『原爆ドーム前』で降りればいいのですが」と結んだ。

原爆投下の加害国の大統領としてブッシュは、広島に来るべきだろうと思う。しかし今年九月二日、欧米七カ国と日本の立法府議長が一堂に集う第七回G８下院議長会議（議長サミット）が広島の国際会議場で開催された。この会議の開会に先立って平和記念公園の原爆死没者慰霊碑に献花し、被爆者の体験に耳を傾けたと新聞報道があった。とりわけ、ナンシー・ペロシ米下院議長は、原爆投下後、広島を訪れた最高位の米国人政治家となったと記事にあり、「いずれ大統領級の被爆地訪問が実現するきっかけになれば」と期待をこめた話もあった。

Ｇ８の議長らに被爆体験を話した元広島平和記念館館長の高橋昭博さんは「私たち被爆者は核兵器を絶対悪だと思っております」と述べ、「米国とロシアがまず廃絶への強い意志を世界に示して下さい。廃絶されてこそ、被爆死した人たちは始めてうかばれます」と締めくくったが、その思いは、Ｇ８の議長らの胸に痛く届いただろうか。

市民球場の移転ということで、思い出したことがある。日本現代詩人会の西日本ゼミ

中心の慰霊碑の左奥が商工会議所ビル、右側に市民球場が見えている。
中心は世界遺産の原爆ドームである。

ナールで、久しぶりに広島を訪れて、会の後、地元詩人の長津功三良さんに案内してもらったとき、イサム・ノグチ設計の原爆死没者慰霊碑の前で、遠くに建っている広島商工会議所の高いこげ茶色の建物を指さして、この慰霊の景観に相応しくないと厳しく言われたことである。言われてみれば、この建物こそ、別の場所に移すべきという主張に同感した。

ところで、詩の世界でも、日本現代詩人会が二〇〇七年一一月に西日本ゼミナールを広島を会場に開催した。その時の講演で、安藤元雄さんは広島とのかかわりで「自分の息子が高校生になったとき、一度は広島を見せておきたいと連れてきたのだが、その息子が親になり、また孫娘を連れて広島を訪れたと聞き嬉しかった」と話された（「日本現代詩人」会報一〇九号）。そして『原爆詩一八一人集』（コールサック社）の作品を書くとき、いままでに誰も使ったことのない、まっさらな言葉で反戦詩を書こうと思った…。

その作品は、「夏の花々」という題である。

やすらかに眠ってくれと　人は言い
やすらかに眠りたいと私も思う
だが　私たちをここに横たえておいて
君らは明日　どこの四つ辻に店をだすのか

薄赤い鞠のように百日紅が咲き
それから爽竹桃が咲き　芙蓉が咲き
むし暑さに押しつぶされた軒の間を人が行き
そのとぼとぼとした歩みの下に私たちが埋まっている

眠るとは
安らかに世界を棄てること
地球を覆うゆるやかな呼吸のリズムで
何もかもを秩序づけ　そして忘れてしまうこと

（後三連略）

今年になって、日本詩人クラブが同じ広島で「詩と平和」の集いを開催した。この催しの第二部で中村不二夫さんのコーディネイトにより、安藤欣賢さん、小野恵美子さん、西岡光秋さん、御庄博実さんのパネリストで、シンポジウムが行われた。

このシンポジウムについて、中村不二夫さんは「柵」二〇〇八年四月号に「現在と過去の対話」と題して文を書いている。各シンポジストの発言にふれ、日本詩人クラブの会報に掲載されることを前提にして、当日パネリストに尋ねた（かった）原爆詩の問題を取り上げている。

その要旨は、一、その体験を次世代へ、普遍のものとして伝え続けていけるか、そこに人類生存のための鍵が潜んでいる。われわれが現在の核問題を語る時、広島・長崎はセットで語られていかなければならない。

二、いずれ、原爆体験というリアリズムは自然消滅してしまう。それに替わって、体験を自分のことのように引きうける記憶の再生という行為が求められる。われわれに求められるのは、原爆の恐怖を過去の神話の中に閉じてはならないことである。

三、注目したいのは、松尾静明が編集した『平和詩集　わが内なる言葉』(詩人集団・同時代人の会・一九六九年)だ。松尾は、アンソロジー『人間と平和を愛する言葉』(一九九二年)で「ヒロシマの経験だけがそれを表現するのであれば、そこに正確な観念は生じ難い。ヒロシマの外からヒロシマが語られることこそがヒロシマの観念を深くしていく」と書き、この意味は深いと紹介している。

そしてパネリストの小野さんの「どうすれば残虐な事実を想像的現実に引き上げていくことができるのか、という課題だ。いっそ黙して語らず、という手だてもある。が、表現行為とは、あえて言葉にならない声を言語化する行為」としたが、問題はここでの抽象をいかに文学化していけるのかということになる。

四、被爆体験の継承は可能か。体験の風化、記憶の継承について。長津功三良の仕事から見えてくるもの。

五、大江健三郎『ヒロシマ・ノート』は加害と被害の複式へ問題意識を高めた。それは原爆投下――アメリカ――悪ということから、日本のアジアに対する戦争責任という問題を引き出した。しかし、一方でそれはアメリカの原爆投下を正当化する危険性も孕む。栗原貞子の「ヒロシマというとき」は日本軍の加害性と被爆の被害の意識の合体で、ヒロシマと言ったとき、ヒロシマも加害者であると訴えはじめの詩作品。こんなことを考え司会に臨んだが、一部のことしか質問できず、またパネラーからも有効な意見を引き出せなかった（「柵」二〇〇八年四月号参照）。

日本詩人クラブのこの催しは、意義深いものである。また、中村不二夫さんの問題提起も、要を得ていると思う。

もうひとつ、興味深い文章を、松尾静明さんが「詩と思想」二〇〇八年八月号に書いている。「『ヒロシマ（状況）派』そして『反ヒロシマ（芸術）派』」である。

「いま広島では、『ヒロシマ』に関する催物だったら参加するという詩人と、『ヒロシマ』に関する催物だったら参加しないという詩人とに分かれている（略）些か暴力的な判別だが、いま広島には『ヒロシマ派』と『反ヒロシマ派』が混在しているのだ」と書き、また、広島で行われた日本現代詩人会と日本詩人クラブの催しにふれ、「同じ年度のなかで日本の二大詩団体の催物が広島であるということはかつてないことであった。（省略）催物の終わった数日後、二つの参加者の数名から、『戦後六十余年、ヒロシマは、同じことを発信し続けているのですね』と同じ言葉をいただいた。つまりAという詩人は、この言葉を『ヒロシマは戦後六十余年、あの悲惨な原体験の原点の部分を、ずうっと発信し続けているのですね。原爆はこれほどに人や地表を焼きつくし、存在論的にも道徳的にも人類の敵であることを被爆の実情をとおして訴え続けているのですね』という意味で言われたのである。一方、Bという詩人はこの言葉を『ヒロシマは六十余年も経っているのに、その体験を未来的な表現に持ちかえることが出来ないで、いまだに同じ技法で発信し続けているのですね』という意味で言われたのである。」

これがいわゆる「ヒロシマ派」と「反ヒロシマ派」を代弁しているのだと言える。これは「状況派」と「芸術（詩）派」だと言い換えてよいだろう。その後、松尾さんは続けてメモから抜き書きして、まず「状況派」から「芸術派」への言葉を並べている。一一項目ほどある。また、「芸術派」から「状況派」への言葉は九項目挙げている（字数の関係で詳細にはふれないが、読んだかぎりでは、双方の言い分に、なるほどと思う言葉がある）。

松尾さんは、もっと多くの言葉の応酬があるのだけれど（そして、それぞれの姿勢が頑なに相手を認めていないわけではないのだけれど）と書き、これらの応酬は何も広島の内部にかぎられたものではない。阪神大震災、東京大空襲、沖縄、イラク、環境破壊、飢餓……地球や社会が抱えているあらゆる「状況」にむかって詩を書いている詩人と、そうでない詩人との、その応酬でもあるからだ。と結論づけている。

このシンポジウムのパネラーの安藤さんも、「原爆文学はいつも批判にさらされてきた」と、昭和二八年に中国新聞紙上で第一次原爆文学論争が起きていると発言されている。「もうそろそろ地獄の絵を描いたり、地獄の文章ばかりをひねり上げることから卒業してもいいのではないか」と広島のある作家が文化面で主張した。反論や、共感の文章が相次いだ、と発言されている。

芸術活動を、現在社会において行うかぎり、その表現方法について同様の論争が付きまとうと思う。また、そうした論争は繰り返し行われるだろう。それが、人間の思索と表現の宿命的なかかわりなのである。端的な言い方をすれば、表現方法としての「リアリズム」か、「反リアリズム」かといった対立的な方法論とも言える。

しかし、普遍的な人間としての理念に立って「戦争」か、「平和」かを問えば、よほど狂気な人間でないかぎり、「平和」を希求するはずである。表現の方法が違ってもその根源的な人間性において、共感する言葉に行きつくのではないだろうか。人間であるかぎり相手の異なる表現の作品からも学ぶところがあると思う。そこにはきっと、現実が含まれていると思うから……。

ヒロシマのことで、考えたり、議論ができるきっかけに私は、コールサック社の鈴木比佐雄さんの出版事業に敬意を払いたい。高《コ》炯烈《ヒョンヨル》詩集『リトルボーイ』、『原爆詩一八一人集』、中原澄子詩集『長崎を最後にせんば』などの本に、最近は大いに刺激を受けている。


（二〇〇八・一一）

ヒロシマ・遺言ノート⑦

東日本大震災と原発事故

今回、東日本大震災のことから書き進めなくてはならない。二〇一一年三月一一日午後二時四六分、宮城県牡鹿半島沖約一三〇キロ、深さ約二四キロの海底で始まった大震災は、マグニチュード九・〇で、日本で起こりうる最大級の地震となった。

地震で、海底が五メートルも持ち上げられて、その上の水が、巨大な津波となって東日本沿岸へと押し寄せた。気象庁の記録では、岩手県宮古市で一九メートル、宮城県女川町で一七・六メートル、南三陸町で一五メートルを超える高さまで津波によって浸水した。その浸水の範囲は五〇〇平方キロメートルにも及ぶものとなり、死者・行方不明者数は、二万五千六百八一人（二〇一一年四月三〇日現在）にも及んでいる。避難者は一二万七千余人だが、震災直後は全国で約五七万人にも達していたと言われている。いかに被害が甚大だったかを表していると思う。

地震と津波で破壊され、戦後未曾有の大災害と言われる被害の実態は、まさに瓦礫の山が一面に広がっていて、あらゆるものを一から作り直さなければならない状況である。住宅も、商店街も、役場も、学校も、病院も、工場も、道路も橋も、漁港も、無くした漁船も、浸水した農地も、一切の生活再建、地域社会再建が災害からの復興に欠かせない。そして最も急がれることは、被災者の救済に全力をあげることであろう。政府の見方では、直接的な被害額だけで、一六兆から二五兆円とみているが、これからまだまだ膨らむことは予想できると思う。

もうひとつの緊急の大問題は、東日本大震災の津波を発端に広範囲での放射能汚染という世界有数の「過酷事故」に発展した東電の福島原子力発電所の事故が、未だ収束の見通しがたっていないということである。

福島原発は、非常用電源関連設備の損傷によって、原子炉と使用済み核燃料プールの冷却システムが働かなくなり、炉心の部分的溶融、水素爆発、大量の放射性物質漏れという大事故をおこしてしまった。

この事故は「国際原子力事象評価尺度」で、最も重大な「レベル七（深刻な事故）」にあたるとの暫定評価を経済産業省原子力安全・保安院は発表した。

この他に、放射性物質の海水中への放出も、重大問題である。また、原発の冷却機能回復の作業は、高い放射線量等に阻まれて難航しており、事故収束ができない状況である。周辺住民の暮らしから、農業、水産業、中小商工業に至るまで深刻な影響を与える事態となった。

大津波がくれば、原発の炉心損傷が起こると、早くから国会で原発事故を警告していたのは、日本共産党の吉井英勝衆議院議員で、二〇〇六年三月一日の予算委員会の質問であった。同年一〇月二七日の内閣委員会において、さらに「大規模地震による電源喪失で炉心冷却不能と燃料棒の破損の危険」についても質問している。

当時、原子力安全委員長だった鈴木篤之氏（現日本原子力開発機構理事長）は、「大丈夫だ」と答えていたが、今回の事故について「国民に大変な心配、心労、迷惑をかけていることを大変申し訳ないと思っており、痛恨の極みだ」と、吉井議員に答えている。まさに、吉井議員の警告が、現実となったということである。

日本共産党は、一九七六年には既に、安全対策抜きの原子力政策の根本からの転換を主張していた（不破哲三書記局長の衆院予算委貴会・総括質問）。

原発事故について、自民党や、電力会社がどれほど「安全神話」を、多額の広告宣伝費を使って、国民に振りまいてきたか。私の手元に一九八八年七月五日と一〇月六日の一面広告（朝日新聞）が保存されている。「原子力発電、あなたのご質問にお答えします。」――紙面に一枚の葉書が載っている。「ソ連のチェルノブイリの様な事故が　日本で絶対おこらないのか」と横に書いている。差し出し人は、なんと私が住んでいる堺市若松台の住所となっている。答えはこうだ。「日本ではチェルノブイリのような事故はけっして起こり得ないと考えています。」と。もう一つの広告には、「まだ原子力発電所を増やさなければいけないのは、どうしてでしょうか。」と書き、答えは、「電気の消費量が増え、需要が大きくなるので原子力を中心とした発電所をつくっていかなければなりません。」、「原子力発電は頼りになります。」と書いている。

こうした広告は、繰り返し新聞に掲載されてきた。電気事業連合会の傘下の九電力会社と日本原子力発電の広告主によってである。

さらには、同じ時期に、通商産業省、資源エネルギー庁の原発の安全を主張する意見広告も掲載されてきた。

私は、これまで原発問題や事故について、ずっと新聞のスクラップをはじめ、さまざまな資料を集めてきた。その中に、原発についてある社会科教師のまとめた五〇枚におよぶレポートがある。そこに、こんなに事故は多いと書かれている。原発のおもな事故・故障の一覧があって、沸騰水型原子炉と加圧水型原子炉の事故が公になった年月が載っている。それによると、既に一九七一年頃から事故や故障が発生しているのである。それからは国民の原発への不安の高まりに危機感を抱いた政府や電力業界は、「原子力安全月間」などと称して、テレビ、新聞などを通じ、これまでにない規模で科学的根拠のない安全PRを全国的な規模の宣伝に乗り出してくるのである。

これに対して原発問題をめぐって各地でたたかっている住民組織や大衆団体も結集して、一九八七年一二月に「原発問題住民運動全国連絡センター」が発足した。

原発の安全性を問い直す動きが、一層顕著になったのは、一九七九年三月二八日、米ペンシルベニア州のスリーマイル島原発二号機（加圧水型軽水炉）で、二次冷却系の主給水ポンプと発電用タービンが停止したのが発端で、炉心が溶融し、放射能が環境に放出された事故である。この結果、公式報告によると住民の被曝は、半径八〇キロ内の約二百万人に対し、三三〇〇レムの被曝があり、周辺地域でガンの発生がふえていると言われた。

もうひとつは、一九八六年四月二六日、ソ連のウクライナ共和国キエフ市北方のチェルノブイリ原発四号機（黒鉛減速軽水炉冷却沸騰水型炉）で原子炉出力が定格の約百倍に急上昇。大量の蒸気発生、燃料破裂が起き、二回の爆発ですべての圧力管、炉上部構造物が破壊され、燃料と黒鉛の一部が飛散し、三一人の死者を出した。事故後に発電所から三〇キロ内の一三万五千人が避難した。
　この原発事故は、一九八六年にソ連映画として作られ、二年後、大阪の映画館で上映され、私も見に出かけたことがある。記録映画「チェルノブイリ・クライシス」と「チェルノブイリ・シンドローム」である。そこには爆発事故を起こした四号炉を、大量のコンクリートで覆い被せる姿が映っていた。
　チェルノブイリ原発事故から約一〇年経ったときの朝日新聞記事（日付不明）である。「後遺症いまも、八〇万人の子が検診」とある。そして同事故による死者はウクライナだけで一八万人に達したと報じている。そして原発四号機の石棺の寿命はあと五年とも述べていた。

　さて、私が第三詩集『火送り　水送り』を出版したのは一九九四年七月だが、二四篇の掲載作品の中に原発事故をテーマにした作品が三篇ある。その一篇は、『反戦反核詩歌句集』第七集に発表したもので、チェルノブイリの原発事故から書いたもので「地の棺は」である。

未来永劫　開棺することの
できない　地の棺はふえて
七日夕から開棺作業始まり
千四百年のタイムカプセルは

ふたの重さ二トン
古代の石工たちの魂は
建築構造力学の　持ち上げ法考案のすえ
開かれたが
開くことは　決してできないだろう
巨きな　最初の石棺は
五〇万立方メートルのコンクリートで構築し
チェルノブイリ原子力発電の
四号炉を
死者とともに葬るため

（中略）

ここでは、奈良県斑鳩町の「藤ノ木古墳」の石ぶたの持ち上げ法を考案した地元の左野勝司さんのことと、巨大で開かれることのないチェルノブイリの石棺を対比している。このあと、青森県六カ所村の核廃棄物の埋め立てのことにふれて、最終連の詩行になる。

つぎつぎに　発掘される石棺があり
日本列島には

つぎつぎにあばくことのできない
巨きな　地の棺ばかりふえて
ここ　若狭湾沿岸にも
ピンク色に変異して繁茂する
ムラサキツユクサの群生した
辺五〇キロにおよぶ
超巨大な　幻の石棺をみたとおもえ

核の石棺は、未来永劫に発掘されることはないだろうと思うほど、放射能汚染は厄介なものなのである。

「ウェールズの羊」は、チェルノブイリの放射能雲に汚染されたアイルランドの北ウェールズの羊のことから、日本の原発銀座といわれている若狭の敦賀・美浜・高浜・大飯の原発事故で被曝するびわ湖を想像した。

そして、この詩集のタイトルポエムにした「火送り　水送り」は、若狭のお水送りから、そこに在る原発から百キロ圏の距離にある、お水取りの奈良へ放射能が降り注ぐことをイメージして詩にしたのだが、終連にむけて詩行を次のように書いた。

住みなれた渡来の半島に

透明な若狭の湾に　五指をひろげる土地の
伝える火送り　水送りは
日常の漁村に在って
千二百年の時空を超えて
奇妙な符号しあう関係が見えはじめ

見えないものをいつか空中に放出しはじめ
ヨウ素　セシウム　ストロンチウムなどは
微粒子の状態で浮かんで
放射能雲（ブルーム）とよび
いまは若狭に　原発が来てしまい
風送り　雲送りに

今回の福島第一原子力発電所の事故は、まさにこの作品の警告と同じようになったと私は思っている。

その後も、一九九五年一二月の福井県敦賀市での高速増殖炉「もんじゅ」のナトリウム事故や、一九九九年九月の茨城県東海村の核燃工場のウラン誤投入による臨界状態となって死者をだす重大な事故が起こっている。

私は、二〇〇三年三月に出版した第五詩集『地の蛍』の中にも、敦賀原発二号機の事故について「亀裂は生死を漏らす」で書いた。また「もんじゅ」の事故は「危うい沈黙」と「誇大な夢の拒絶は」に書いた。その後、原発事故の記事の相次ぐあまりの多さに辟易しだして、スクラップを止めることとした。しかし原発事故は、多くの人々を故郷から追い出すような理不尽な現実を強いるのである。決して許すことができない。

どの電力会社も、原発事故を隠そうとして、嘘の報告を繰り返してきた。私は、「詩人会議」二〇〇四年四月号にそのことを作品にして掲載してもらった。

「本当は　恐い童話が」という題である。そこに、今回事故をおこした東京電力福島第一原発の事故や、浜岡原発の事故を取り上げ、かつてドイツのハーメルンに旅したときの「笛吹き男」のねずみの話の童話を重ねた。

グリム兄弟の
世界中で最も良く知られた童話のような
嘘つき男たちの口笛に欺かれて
家ねずみも　どぶねずみも　はたねずみも
すべて逃げ出してしまうような出来事に

ねずみたちがいなくなった後には
○月○○日　○○原発第○号機が
臨界事故をひき起こしては
今度は　人びとが逃げ出すことに

これまで原発の「安全神話」を吹聴してきた（笛を吹き続けた）企業側の学者、利益優先の大企業の経営者、政治献金を貰い続けてきた政治家、省庁から天下った官僚、多額の広告費を貰ってきたマスコミなどの罪と、責任は重いものがある。

二〇〇二年に、東京電力は、原発トラブル隠しの責任をとって荒木浩会長、南直哉社長、平岩外四、那須翔両相談役も退任させられた。そして勝俣恒久社長（現会長）が就任し、今の清水正孝社長のもとで、今回の大事故を起こしたのである。「ＡＥＲＡ」（特集「極秘資料と東電の罪」二〇一一年五月九日発行）によれば、勝俣会長は「東京電力をつぶす男」と書いている。その経営責任は重いと言わざるをえない。

人びとは逃げ出したわけではない。東京電力の非人道的な人災によって避難せざるをえない立場に立たされたということである。

阪神淡路大震災のとき、詩人たちは思いを三冊のアンソロジーにまとめたが、今度も幾つかの詩誌が東日本大震災について作品やエッセイその他で、表現活動として取り組んでいる。まず「銀河詩手帖」第二四六号である。編集同人の近藤摩耶さんは、巻頭の東北関東大震災によせてで「なにを書いても、当事者でない立場にたってものをいうことの危惧がなかったわけでない」「それでも罹災者をどんなかたちであれ、なんとか支援したい」、「私たち詩を書くもの（東淵修のいう『詩書き』）は、この気持ちを詩にしてもいいのではないか。たとえ詩技術が拙劣であっても、この気持ちを詩にあらわすことは許されるのではないか」と言っている。同感である。

詩誌「COALSACK」六九号も、震災原発特集を組んでいる。六〇頁近く、作品が掲載されている。

「詩人会議」二〇一一年六月号も東日本大震災・原発災害緊急特集を組んで、二〇人の作品を掲載している。

コールサック社から緊急出版された、若松丈太郎著の『福島原発難民　南相馬市・一詩人の警告』は、一九七一年から二〇一一年の間に綴った原発に関わる詩とエッセイである。若松さんは、あとがきで「いつも、もうこれを最後に原発に関しては書くことを止めようと思いつつ書いてきた。こんどこそ、これで終わりにしたいという心境である。だが、これまでと同様に書き続けることになるかもしれないとも感じている」と書いている。良く判る心境である。この本はぜひ多くの人びとに読んでもらいたい。

とりわけ、実際に、一九九四年にチェルノブイリ福島県民調査団に参加して書かれた、連詩「かなしみの土地」は、力作である。これからも、多くの詩誌は、こうした取り組みをするだろう。多くの詩人も、作品を書こうと思うだろう。

長い復興の歩みとなると思う。人間の尊厳が回復されるまで、真の復興が達成されるまでの、ある意味で「国民のたたかい」だと言えるかもしれない。

私もまた、「ヒロシマ・ナガサキ」への思いと同じように、東日本大震災について、若松さんの思いと同じく詩の表現活動にチャレンジしていかなくてはならないと決意している。

（二〇一一・七）

ヒロシマ・遺言ノート⑧

美空ひばりの「一本の鉛筆」

今年になって、一月二六日の小さな朝日新聞の記事が目にとまった。短い記事なので全文を紹介する。

広島商工会議所（広島市中区）が、近くにある原爆ドームの景観を損なっているなどとして、市設置の委員会が二五日、商議所の移転を求める提言をまとめた。商議所は「市から要請があれば、移転の是非も含めて検討する。」としている。委員会は、経済関係者や大学生ら市民二十一人で構成。商議所東隣の旧広島市民球場の跡地の活用策や周辺開発を検討してきた。商議所は国道を隔てて、原爆ドームのすぐ北側にある。原爆死没者慰霊碑から見ると、ドーム真後ろに濃い灰色のビルがそびえ立つ恰好だ。委員会では「商議所がなくなれば、周辺を一体的に開発できる」などの意見もでた。

実は二〇〇八年一〇月の「軸」九三号に書いた「ヒロシマ・遺言ノート⑥」（本著三五四頁）で、広島で開かれた日本現代詩人会西日本ゼミナールに参加したとき、地元詩人の長津功三良さんが、遠くに建っている広島商工会議所のこげ茶色の高い建物を指して、この慰霊の景観に相応しくないと厳しく言われたことを紹介した。

こうした景観にかかわりのある問題は、公害問題が著しく深刻となってきた時期に、人間の住む環境の在り方が問題となってきたことと関係する。住みよい環境は、空気の汚染だけでなく、周辺の、人間環境の眺めである景観の意味と価値を問い直すところまで行き着き、都市の景観を問題視する、行政の取り組みが始まるのである。こうして、先進的な都市行政は、「都市景観条例」を制定する。この根拠となっている考え方は、「風景学」であるが、その学問はさほど長いわけではなく、最近に始まったばかりと言えるかもしれない。ここに中村良夫著『風景学入門』があるが、そのあとがきに「『風景学』という出来合いの学問があるわけでなく」と書き、「『風景学』は、人間の生活環境を整えるための技術的知識体系の一環として構想された」と付け加えている。

この本のなかに、今回課題となった広島の原爆死没者慰霊碑の周辺の景観についてヒントになる興味深い記述があったので、紹介したいと思う。著者はイメージに関するジップの法則を思い起すように言って、こう解説している。

ある事物や図形に関して自由に思いつくことがらを多数の人間にいわせてみると、一見人によってひどくまちまちのようであるが、大局的にまとめると、きわめて少数のことがらに想起内容が集中してしまう、というのがジップの法則である。この法則は、最近、文章のなかの単語の出現頻度から得られたものであるが、それ以外にも多くの場面で成立することがわかっている。たとえば、ある町について自由に思いつくことを多数の被験者にたずねて、その結果を集計すると、じつに雑多なことがらが記録されるが、整理してみると、ごくわずかのことがらに極端に想起を集中し、そのほかは種類こそ多いが頻度はいずれも稀少であることがわかる。図は広島市について市民に自由想起してもらった結果である。ジップの法則が成立しているのがわかるであろう。

つまり、あることがらに関して人間が抱くイメージは比較的少数の事象で集約的に表現されうるということである。(図を参照)

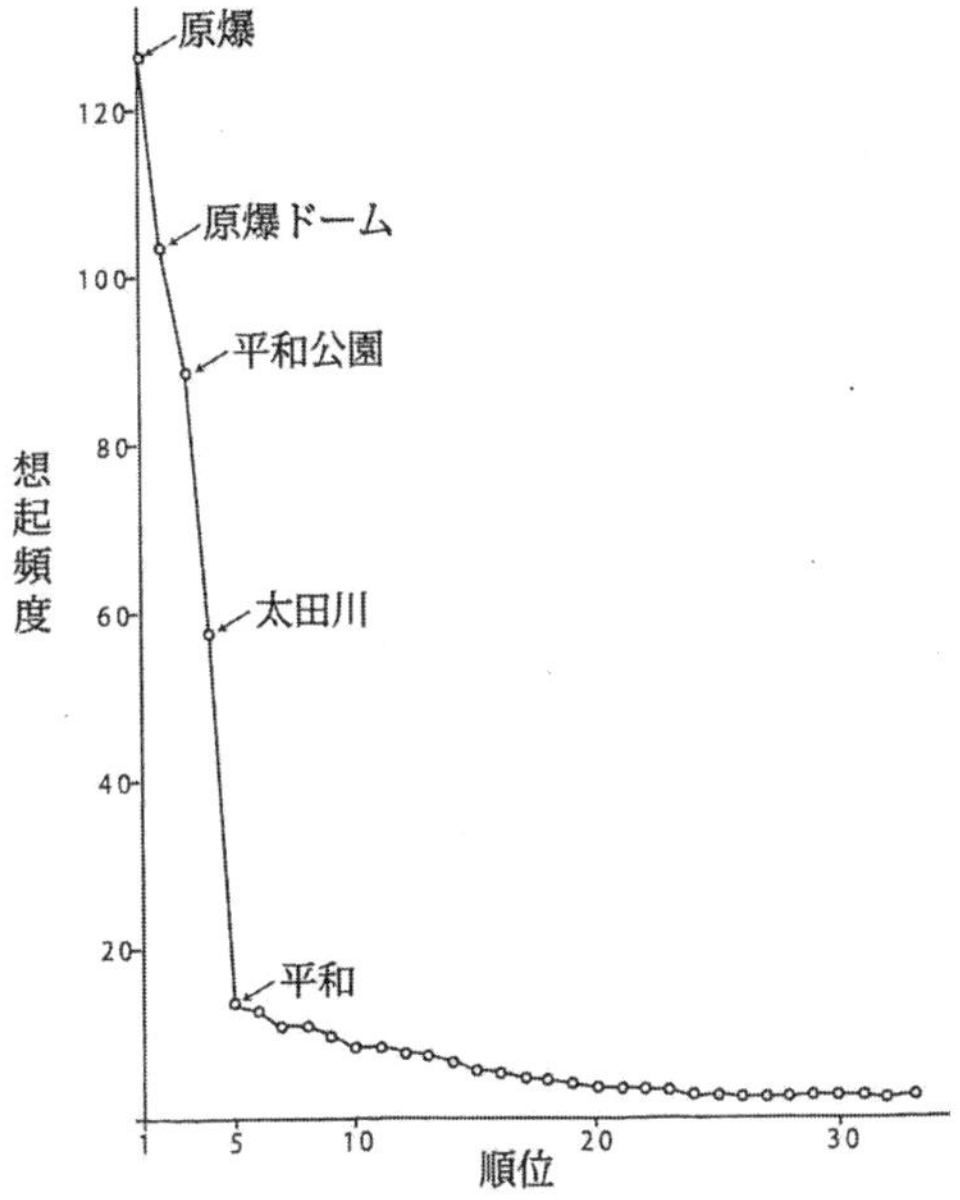

図　広島市のイメージ　町について思いついたことを自由に連想してもらう。多数の市民のデータを集計すると、5～7項目に連想が集中する。

つまり広島市民にとって、広島市のイメージの想起頻度が高い順は、原爆であり、原爆ドームであり、平和公園、太田川、平和なのである。順位も同様である。

もし、広島の都市景観を考えるならば、こうした広島市民が抱く広島のイメージを最も大切に考えなければならないだろうと思う。景観とか、風景というものは、強いていえば、そこに生きている人間が造りだしたものであり、思想なのである。ヨーロッパに旅行した日本人は、街の景観が見事に保存されていて美観を呈していることに感激することが多いと思うが、それに比較してわが街はどのような景観を見せているのだろうか。時には、町づくりについて景観のことを考えてみるのも必要なのではないだろうか。

東日本大震災・東京電力原子力発電事故による惨憺たる故郷の風景を目の当たりにするとき、かつての風景が失われたということは、そこに住んでいた人々の生活の記憶をも奪ったということではなかろうかという思いがする。

これまで「ヒロシマ」について、文学や美術、原発問題などで書いてきたが、今回は、美空ひばりと音楽の分野について書くことにする。

まず、美空ひばりのことである。きっかけは、知人の建築研究会主宰の柴田正巳先生が、「昭和の庶民史を語る会」を始めて、「美空ひばり歌謡ショーを知っている人教えて下さい」という記事を書いたものを手渡されたことから始まった。記事には「先日、東京のテレビ番組制作の人から『美空ひばりの番組を作るので協力して欲しい』と電話があった。昭和三十二年十月二四日に、堺東の銀座商店街の旧向陽国民学校の焼け跡に作られた向陽公園（現在の瓦町公園）での『美空ひばり歌謡ショー』を見た人を探していた。ショーは堺の後、泉大津の市民グランドでも開催された」とあって、それを知っている人へ協力を呼びかけたのである。結果、「堺・泉大津の商工会議所、地元の商店街、周辺の小学校の父兄、文化団体、各新聞社はじめ商店街の熱心な人たちが当時のことを知っていそうな人を紹介してくれたり、聞き取りで現在、十名余りの人に当時の話を聞かせてもらっている。新聞には、一万五千人（堺北署調べ）が集まったと写真入りで大きく紹介されていた」ということである。私の住んでいるこの堺に、美空ひばりが来たことがあったんだということが、美空ひばりに、何か親近感を抱いた最初である。昭和三二年といえば、美空ひばりは、二〇歳になったばかりである。

この年一月に、ひばりは浅草国際劇場「花吹雪おしどり絵巻」に出演中、ファンに塩酸をかけられる事件に遭っている。この事件は、幸い軽傷ですんだ。このテレビ番組は、おそらく二〇〇八年九月二七日に放映された朝日系の「美空ひばり衝撃秘話」だと思う。番組はこれまであまり目にしたことのない映像を掘り起こし、ひばりの歌と人生をたどる。ひばり二〇歳。「港町十三番地」が大ヒットした一九五七年の秋、大阪の堺と泉大津での野外コンサート。空襲跡地につめかけた大群衆の戦後の復興にかける熱気、その心にひばりの歌声が響きます。と番組の紹介記事があって、最後の部分に「平和を願い、広島に二度も出向いて歌った伝説の反戦歌『一本の鉛筆』が聞けなかったのは心残りですが……」と、ライターの碓井澄枝さんが文を結んでいた。美空ひばりが、二度、広島で歌った「一本の鉛筆」は、どのような歌詞であったのだろうか。後に京都において、賛同者による「一本の鉛筆・九条の会」まで作られたという、一つの歌から、私は、美空ひばりという人間の生涯と歌に興味をもったのである。そして幾つかの美空ひばりの本を読み、歌を聴き、映像を観て、何人かの人々が「天才」と言っている意味がわかる気がしてきたのである。

美空ひばりの伝記を書くつもりはないが、ひばりのことを大まかに理解するために、音楽評論家の伊藤強さんの文章を紹介させていただく（「ひばり一〇〇選」）。

ひばりの歌手としての生涯は、大きく分けて三つの時代にわかれるだろう。デビューから約十年間の十代の頃がまず第一期だ。この時代のひばりは、圧倒的な天才で他を寄せつけない。これが本当に十歳や十二、三歳の子どもが歌っているのかと思わせるうまさだ。そして、次にくるのが昭和三十九年、ひばり二十七歳のときの「柔」を代表作とする時代だ。これが最も長い。努力と天分が噛み合って、圧倒的な説得力を持ちはしたけれど、時に歌が重くなる傾向もあった。その重さが克服されたのが昭和四十九年の「一本の鉛筆」、その翌年の「月の夜汽車」あたりから。ひばりは三十代の後半であった。この時期から、ひばりの歌は時に枯れた味を感じさせるようになってくる。その味は、実にこれからに期待をかけたい味だった。最後の作品となった「川の流れのように」を聴けばわかるのだけど、歌と彼女の人生が、ほとんど無理なく溶け合っている。これこそが「歌」というものだと感じさせるのだ。天才が天才であるだけにとどまらず、努力や精進の結果、到達できる高みは、どのような場所なのか。むしろ美空ひばりは、これからの歌手なのではないかとさえ思わせる歌唱といっていい。

伊藤強さんが言っているように、「一本の鉛筆」という歌が、ひばりの歌手人生にとって大きな意味をもつものと言える理由は、その歌の歌詞と、その歌を歌った場所が、広島であったこととも深い関係がある。もう一人文章を紹介させていただきたいと思う。高橋亘さんの文である。高橋さんは、終戦後、昭和二二年か三年頃、坂口安吾さんの口利きで銀座出版社の社員となり、ある日、笠置シズ子のインタビューにいったときのことである。

新米の記者の私に最初に浴びせられた言葉が、初対面の挨拶どころでなく、「なんや、あのこましゃくれた子は！」であった。彼女は興奮して早口でしゃべりはじめた。私は、一瞬ポカンとした。何を言われているのか理解できなかった。笠置シズ子はベラベラしゃべっている。そのうち私はやっと彼女の言っていることを理解した。美空ひばりというこましゃくれた女の子が自分の真似をして、「東京ブギウギ」などを歌って大喝采を博しているのが、なんとも生意気で腹立たしいというのであった。しかし、当時私は美空ひばりという子どもの存在についてまったく無知であり、なぜ笠置シズ子ほどの歌手がたかが子どもの歌に腹を立てているのか見当がつきかねていた。（中略）いま思うと、笠置はそのとき異常なひばりの天才を敏感につかんで、いいようのない嫉妬に捉われたのではなかったか。私が、美空ひばりの舞台を見たのは、それから六、七年もたってのことだった。（中略）この夜、テレビで聴いたひばりの歌には、私の心境によるものか、私がいやだと思ったくさい歌いぶりは少しもなかった。歌いつつ涙を流すひばりに私の心にも涙が流れていくようだった。しかも、この番組の中で私は思いもよらないひばりを見出すことになった。それは、広島で「一本の鉛筆」という歌をひばりが歌う姿を見た時である。それは、まちがいなく原爆を落とされた広島への挽歌であり、原爆へのいきどおりを歌うものだった。（歌詞省略）この歌を聴きながら、私はなにか茫洋とした気持ちになった。ひばりがこういう歌を歌ったということを私は今日までなぜ知らなかったのだろうか。（広島出身の詩人、増岡敏和主宰の『原爆と文学』一九九八年版に掲載。著者は、新日本スポーツ連盟役員）

「ひばりさんのことなら何でも知っていましたよ」と言っていた作家の井上ひさしさんの一文を紹介する（『美空ひばり』文春文庫・一九九〇年一二月一〇日第一刷）。

それにしても、ひばりさんの歌は素晴らしかった。笠置シズ子さんもぼくたちの大好きな歌手でしたが、おなじブギウギを歌っても、ひばりさんの方がはるかにはっきり歌詞がわかるんです。昭和の初期からの流行歌の歴史のなかで、リズムに負けて日本語が聞こえなくなるというのは大きな問題でした。それをひばりさんは一気に解決した。完全にリズムをこなしそれに日本語をはっきり乗っけて、なおかつ日本語がきれいだなあ、いいなあ、と思わせるということを、初めて完璧にやってのけた。それまでの日本の歌手はほとんどが曲を追いかけてなんとか歌っていたのが、ひばりさんは曲を待ち受けて歌うのです。つまり余裕があるということなのでしょうが、歌に追いまくられず、歌を待ち受け、料理し、悠々と歌う。曲のほうを手玉に取ってしまうところがありました。彼女をうろたえさせる曲というのはなかったんじゃないでしょうか。とにかく、中学三年から高校を出るまでの四年間、ぼくたちはひばりさんにどっぷりと漬かっていました。

「一本の鉛筆」は、松山善三・歌詞、佐藤勝・作曲である。

あなたに聞いてもらいたい
あなたに読んでもらいたい
あなたに歌ってもらいたい
あなたに信じてもらいたい

一本の鉛筆があれば
私はあなたへの愛を書く
一本の鉛筆があれば
戦争はいやだと私は書く

あなたに愛をおくりたい
あなたに夢をおくりたい
あなたに春をおくりたい

あなたに世界をおくりたい

一枚のザラ紙があれば
私は子供が欲しいと書く
一枚のザラ紙があれば
あなたをかえしてと
私は書く

一本の鉛筆があれば
八月六日の朝と書く
一本の鉛筆があれば
人間のいのちと私は書く

この「一本の鉛筆」が、初めて歌われたのは一九七四年八月九日の広島テレビが主催した第一回広島平和音楽祭である。新聞記事（二〇〇八年七月一日付「朝日新聞」）によると、「世界に平和を発信したいという音楽祭に乗り気になってくれた」と日本コロムビア（現コロムビアミュージックエンタテインメント）の当時の担当ディレクター・森啓さんは振り返る。「ひばりは幼少時、横浜大空襲に遭い、父が徴兵される戦争体験を抱えていた。音楽祭を総合演出した映画監督の松山善三さんが作詞した。

一本の鉛筆レコードジャケット
作詞／松山善三　作曲／佐藤勝　昭和49年

〈中略〉一人でも一本の鉛筆で反戦を訴えることができるというメッセージだった。曲は黒沢明監督の映画音楽を手がけた故佐藤勝さんが作った。音楽祭のリハーサルでは、冷房付きの控え室が用意されていたが、ひばりはずっと、猛暑のステージのかたわらにいて、『広島の人たちはもっと熱かったはずよね』とつぶやいた。ステージの上からは『幼かった私にもあの戦争の恐ろしさを忘れることができません』と観客に語りかけた」と。

当時の新聞、スポーツ・ニッポンの記事（一九七四〈昭和四九〉年八月一〇日付）は、「一本のエンピツがあれば　戦争はいやだと私は書く……。歌謡生活二十六年。日本で『女王』の名をほしいままにしてきた美空ひばりが初めて反戦歌をうたった。九日午後六時から広島市基町の県立体育館で行われた広島テレビ主催『広島平和音楽祭』で美空ひばりはフォーク調のギターの伴奏をバックに、初の反戦歌謡『一本の鉛筆』を力いっぱい歌った」と報道していた。それから一四年。ひばりは第一五回の同音楽祭でこの歌を歌うため、再び広島を訪れた。大腿骨骨頭壊死と肝臓病で入院した翌年だった。出番以外の時は楽屋に運び込んだベッドで点滴を打った。だが、観客の前では笑顔を絶やさなかった。ステージを降りたとき、「来てよかった」と語った。翌年六月、帰らぬ人となった。美空ひばりは、第一回のとき、次のように語ったそうだ。「幼かった私にも、あの戦争の恐ろしさは忘れることができません。尊い肉親を失い、愛する人を失い、その悲しさを乗り越えて強く生きてこられた方がいらっしゃる。二度と戦争が起こらないよう、ご一緒に祈りたいと思います」。第一五回の音楽祭（一九八八年七月一五日）の実行委員長だった作詞家の石本美由起さんは当時のひばりの様子を「楽屋にベッドを持ち込み、周りの人に支えてもらわなければ、立つこともできなかった。でも、ステージへ上がると、毅然として見事に歌われました」と振り返って語っている（二〇〇八年七月三〇日付「しんぶん赤旗」）。因みに、この音楽祭は、一九九三年の第二〇回で幕を閉じることになる。

ところで、第一回の平和音楽祭に出たときも、美空ひばりは、大変な苦境に立たされていた。それは、前年九月にひばりの弟・かとう哲也（本名、益夫）の度重なる逮捕に世論が沸騰し、全国の公共施設のひばり公演のボイコットがすごく、各地で「ひばり騒動」と言われて、ひばりの公演中止や、かとうの出演拒否などが続いた。そしてその年の大晦日恒例の紅白歌合戦も、結局不出場となった、その翌年だったからである。平和音楽祭への出場は、美空ひばりにとって、こうした背景も含めて勇気ある行動であったと思う。

そして戦後六三年夏（二〇〇八年）、オペラやクラシックを専門とする、丹藤《たんとう》まさみさんによって、この歌が歌われたのである。第一五回広島平和音楽祭に出演した秋の一〇月に、「川の流れのように」をレコーディングしている。美空ひばりは、その五二年の生涯で、一千曲以上の録音曲をもっているが、先の「一本の鉛筆」と、この「川の流れのように」の歌は、ひばりの歌手人生にとって、格別の意味をもっているように思えてならない。ひばりが生きていた最後の録音が、この「川の流れのように」であった。ひばりが亡くなってから、その七月六日に、当時の宇野内閣によって、美空ひばりは、女性として初の「国民栄誉賞」を受賞している。

ああ　川の流れのように／おだやかに／この身をまかせていたい／ああ　川の流れのように／

いつまでも／青いせせらぎを聞きながら

作詞・秋元康、作曲・見岳章、編曲・竜崎孝路

死を前にした美空ひばりの心境が、滲みでているような気がしてならない。

この大阪において、「二十一世紀が核兵器のない平和で美しい地球となるように」と、これまで毎年、長崎へ原爆が投下された日、八月九日に「グローバル・ピース・コンサートin ＯＳＡＫＡ」が開かれてきた。今年で二三回目となろうとしている。「反核日本の音楽家たち」にはプロの音楽家有志が出演している。そこで毎年歌われている合唱組曲『原爆小景』は、昨年一月に亡くなった作曲家、林光さんの作曲による。原爆詩人・原民喜の「水ヲ下サイ」を含む合唱曲は、歌を越えた慟哭と祈りのメッセージだと言われている。この催しは、全員ボランティアで出演しているが、実行委員会の代表の音楽評論家・日下部吉彦さんは、「原爆反対と声高に叫ぶのではなく、質の高い音楽を通じて、思いを共有することを目指してきた」と語っている。このようにクラシック音楽にかかわる人々もまた、広島や長崎の原爆に向き合って、演奏を続けてきている。

広島や長崎を題材に曲をつくるということは、原爆という人類史上もっとも悲惨な出来事に、作曲家は、どう向き合っていくのだろうかということである。広島生まれの細川俊夫さんは、大作「ヒロシマ・声なき声」を二〇〇一年に完成させたが、一二年の歳月がかかっている。先の林光さんも『原爆小景』を二〇〇一年の完成まで、なんと四三年間も書き継いだということである。

最後に、ロックで「反核・脱原発」のメッセージを発信するライブ・トークイベント「アトミック・カフェ」が、二〇一二年七月に、新潟・苗場スキー場にて、野外ロックフェスティバルとして開催された。この「アトミック・カフェ」は一九八〇年代に始まり、いったん途切れたものの、東日本大震災・東京電力福島第一原発事故を受けて二四年ぶりに復活したということである。音楽だけでは社会は変わらないけれど、音楽は人の気持ちを変える力をもっている。ミュージシャンの思いを感じて帰った一人ひとりが、身近な人と思いを共有し、行動していくことで社会を変えるきっかけになれば、と主催者の大久保青志さんが語っている（二〇一二年八月一三日・しんぶん赤旗）。

東日本大震災から二年経ったいま、「花は咲く」がテレビで広くうたわれている。西田敏行さんら、東北ゆかりの俳優や歌手が、一本のガーベラの花を手に、ひとりひとり祈るように歌っている。そこにも、人間の心を伝達する音楽の魅力が溢れている。

（二〇一三・七）

初出一覧

◆詩論

火花　1　状況と詩運動　「詩の輪」創刊号（1970.10）
　　　2　情念と詩　「詩の輪」2号（1971.5）
　　　3　体験と詩　「詩の輪」3号（1972.6）
　　　4　老いと詩　「詩の輪」4号（1972.10）
　　　5　テレビと詩　「詩の輪」5号（1973.3）
「軸」一一二号についてのある視点　都市の論理と感覚　「軸」13号（1972.10）
気ままに詩論　1　原発事故の詩「火送り水送り」　「軸」66号（1999.11.15）
　　　2　戦争法告発の詩「仮設の戦場」　「軸」68号（2000.7.20）
　　　3　水の世紀の作品について　「軸」96号（2009・秋）
　　　4　『原圭治自選詩集』おぼえ書き　「軸」91号（2008.3.20）
　　　5　恐ろしい想像力　「軸」102号（2011.11.15）
　　　6　詩集『水の世紀』から幾つかのこと　「軸」105号（2012.11.15）
'93夏の詩学校　パネルディスカッション　自分にとってよい詩とは　「詩人会議」11月号（1993）

◆詩人論

生きる力を詩に求めて ― 犬塚昭夫『断腸文庫』詩集完成によせて　「大阪民主新報」(1992. 8. 16)

リアリズム詩　ひとつの軌跡 ― 犬塚昭夫『断腸文庫』小論　「詩人会議」4月号(1993)

比喩としての分身の自由 ― 犬塚昭夫詩集『自由』について　「異郷」1月号・第124号(2003)

萩原朔太郎の「旅上」　「詩人会議」11月号(2009)

『自選　谷川俊太郎』　「PO」150号(2013・秋)

巧妙でキューヴィックな詩人論 ― 書評　明珍昇著『小野十三郎論』　「柵」116号(1996.8)

小野さんのその先のリアリズムへ ― 哀悼・小野十三郎　『子供たちに贈る二十一世紀への証言』福中都生子編／著(1997)

小野十三郎「大怪魚」　「PO」141号(2011・夏)

金時鐘と「長いものを書く会」前後　「論潮」6号(2014. 1. 20)

私が出会った忘れられない詩人たち

　これだけは書き残しておきたい『戦争論』の詩人・井上俊夫さん　「軸」123号(2017・春)

　大阪弁と釜ヶ崎にこだわり続けた詩人・東淵　修さん　「軸」125号(2017・秋)

　大阪・万国博「世界の国からこんにちは」の詩人・島田陽子さん　「軸」127号(2018・春)

　向日葵のような詩人・福中都生子さん　「軸」130号(2019・冬)／131号　2019・春)

追悼　福中都生子 ― 内に自由という思想の旗を立てて　「詩と思想」261号(2008.4.1)

◆旅のエッセイ

ゴッホの絵の風景を訪ねて　「堺文化会ニュース」104号（1994.1.1）
シケイロス大壁画への旅　「軸」59号（1997.7.15）
モザイクの国　チュニジア紀行　「軸」64号（1999.1）
アイルランド――ケルトへの旅　「BLACKPAN」7（1999.7.8）
アウシュヴィッツへの旅　「陽」77号（2001.9）
ベトナムへ平和への旅――アメリカの新しい「戦争」を考えるきっかけに　「堺市民懇」冊子（2002.8）
バルトの旅――詩作の背景　「軸」79号（2003.8）
ドイツあれこれ　「PO」118号（2005・秋）
海は詩人にとって恰好のテーマ　「PO」125号（2007・夏）
自由という風になりたい　「PO」148号（2013・春）

◆ヒロシマ・遺言ノート

①広島――ヘンリー・ムーアの「大きなアーチ」　「軸」81号（2004.11.15）
②行動する原爆詩人　栗原貞子　「軸」83号（2005.7.1）
③画家・岡本太郎と平山郁夫とヒロシマ　「軸」85号（2006.3.15）
④有馬敲の「ヒロシマの鳩」　「軸」87号（2006.11.15）
⑤日高てるの「水ヲクダサイ」　「軸」90号（2007.11.15）
⑥ヒロシマ（状況）派と反ヒロシマ（芸術）派　「軸」93号（2008.11.15）
⑦東日本大震災と原発事故　「軸」101号（2011.7.15）
⑧美空ひばりの「一本の鉛筆」　「軸」108号（2013.7.1）

あとがき

人生八十八年。今年、七月に米寿を迎える。振り返ってみると、この人生で一番続けてきたことは詩を書くことだったと思う。高校生時代に文芸部をつくり、そこで北原白秋のまねごとのような詩を書くようになった。高校最後の年には、もっぱら図書館でロシア文学に魅せられ、ドストエフスキイ、ツルゲーネフ、好きだったチェーホフなど読み漁った。

高校を卒業して、地元のネルの捺染工場に工員として就職した。この一年半の肉体労働の疲労は精神の飢えを覚え、虚無感を一層強めた。私はまだ思想的に混沌としていた。

二十一歳のとき、和歌山大学にかろうじて合格してからは、詩を書く一人の友人に出会い、そこからはずっと詩を書いて文学運動と社会活動に関わり続けてきた。友人と一緒に最初の詩集『口のなかの旗』を刊行したのは、一九五八年であった。そして一九六三年に、全国的な平和と民主主義を目指す詩運動の詩人たちが結集する「詩人会議」の会員となる。一九七二年に第二詩集『歴史の本』を上梓したが、一九七五年に市会議員となり、詩を書く余裕もなく中断した。一九八八年に再び「詩人会議」に再入会して、以来、「反戦反核詩歌句文集」への参加や、第三詩集『火送り　水送り』など、一昨年の『原圭治詩集』（新・日本現代詩文庫136）まで七冊を出版した。言うなればこの七〇年間は、主に詩の言葉を創造するための努力を続けてきたと言ってもよい。このようにこだわり続けた詩の魅力とは、一体私の人生にとって何だったのだろうか。生きる力かもしれない。

今回初めて、これまでいろいろなところに書いてきたエッセイなどを纏めることにした。これは私の詩作の理屈（詩法の理論的主張とまではおこがましいけれど）である。しかし、どうもこのエッセイ集は、自己満足が七割くらいで、読んでいただいて何かしらの役に立つのは三割くらいかもしれないと思う。人生、自己満足こそ幸せの極みかもしれないから、悔いはない。私の自己満足におつき合いくださり、お読みいただければ幸いと思う。

二〇二〇年二月

原　圭治

著者略歴

一九三二年　和歌山市で生まれる。
一九四五年　海南市日方小学校卒業。
一九五一年　海南高等学校卒業。同年、昭南工業に就職。
一九五六年　和歌山大学教育学部卒業。
一九五七年　堺市立大仙小学校に勤務。
一九五八年　第一詩集『口のなかの旗』出版（共著・林武）。
一九六二年　堺市立八下中学校に勤務。
一九六四年　「詩人会議」会員となる。同年、「大阪詩人会議」結成呼び掛け人となる。また、「大阪民主主義文学協議会」結成に参加。
一九七二年　第二詩集『歴史の本』出版。

一九七五年　堺市議会議員となる。
一九八八年　再び「詩人会議」会員に復帰し、「おおさか詩人会議」連絡会をつくる。
一九九四年　第三詩集『火送り　水送り』出版。同年、「日本現代詩歌文学館」評議員に就任。また、「関西詩人協会」設立呼び掛け人となり、運営委員として事務局総務を勤める。
一九九五年　「日本現代詩人会」会員となる。
一九九八年　「日本詩人クラブ」会員となる。
二〇〇一年　「現代詩平和賞」の選考委員となる。同年、第四詩集『海へ　抒情』出版。
二〇〇三年　第五詩集『地の蛍』出版。
二〇〇四年　「九条の会・詩人の輪」結成に参加。同年、「反戦反核平和を願う文学の会」代表となる。
二〇〇七年　第六詩集『原圭治自選詩集』出版。
二〇〇八年　「大阪詩人会議」運営委員長に就任。同年、「全国生活語詩の会」事務局長・編集委員となる。
二〇一四年　再び「大阪詩人会議」運営委員長に就任。
二〇一六年　堺市文化功労賞受賞。
二〇一七年　「日本現代詩人会」、「日本詩人クラブ」退会。
二〇一八年　第七詩集『原圭治詩集』（新・日本現代詩文庫136）出版。
二〇二〇年　原圭治エッセイ集『詩の希望、詩の旅』出版。

現住所　〒五九一−八〇二一　大阪府堺市北区新金岡町三丁四−五−一一〇号

原　圭治エッセイ集　詩の希望、詩の旅

2020年3月11日　第1刷発行
著　　者　原　圭治
発 行 人　左子真由美
発 行 所　㈱竹林館
〒530-0044　大阪市北区東天満2-9-4　千代田ビル東館7階FG
Tel　06-4801-6111　Fax　06-4801-6112
郵便振替　00980-9-44593　URL http://www.chikurinkan.co.jp
印刷・製本　モリモト印刷株式会社
〒162-0813　東京都新宿区東五軒町3-19

ISBN978-4-86000-427-9　C0095

日本音楽著作権協会（出）許諾第2001396-001号

定価はカバーに表示しています。落丁・乱丁はお取り替えいたします。
※掲載写真については、撮影者名・絵はがき・掲載誌などが記されていないものは著者の撮影による写真です。